U. A. O. Heinlein

EISPRUNG

U. A. O. Heinlein

EISPRUNG

Thriller

Middelhauve

Für die Frau auf Antigua,
die blonde Dakota
und den menschlichen Hund.

Inhalt

Memo

Die **Gameten**, Ei und Spermium, tragen getrennt die kodierten Informationen, die zusammen das Gesamtbild eines neuen Organismus bestimmen.

Damit diese Informationen in ihrer Gesamtheit abrufbar sind, müssen sich die Spermien dem Ei nähern, um damit verschmelzen zu können. Dabei haben sie allerlei Hindernisse zu überwinden.

Der stärkste Schutz des Eis vor unbefugten Eindringlingen ist seine Hülle. Wenn es das Spermium schafft, in diese Hülle vorzudringen, steht auch einer Fusion der die Gameten umhüllenden Zellmembranen nichts mehr im Weg. Ist diese erfolgreich, kommt es im Ei zur **Kortikalreaktion**.

Doch immer noch sind die kodierten Daten der beiden Gameten voneinander getrennt, denn sie befinden sich innerhalb der Vorkerne, der **Pronuclei**. Erst wenn diese letzte Hürde überwunden wird und die Vorkerne fusionieren, steht dem neuen Embryo die vollständige Information abrufbar zur Verfügung.

Aus den Gameten ist die **Zygote** entstanden.

I. Gameten

Canberra, Australien

Als Dr. Stan Lundquist den Brutschrank schloss, atmete er erleichtert auf. Wieder einmal lag ein langer Labortag hinter ihm, und die Experimente, die er im Moment durchführte, verlangten seine ganze Konzentration. Die notwendigen Bedingungen, unter denen sich eine befruchtete menschliche Eizelle im Reagenzglas lebensfähig halten ließ, waren nicht so einfach herzustellen oder gar zu verbessern. Immerhin jedoch galt seine Arbeitsgruppe, der Professor Donald Callaghan vorstand, als eine der führenden auf dem Gebiet der In-vitro-Fertilisation, und die Warteliste der Ehepaare, die mit dieser Technik ihren Nachwuchs erzeugen lassen wollten, war lang genug, um die gynäkologische Abteilung des St.-Anne's-Hospitals für Jahre auszulasten.

Noch einmal kontrollierte Dr. Lundquist den Kohlendioxidgehalt im Inneren des Inkubators, in dem die Versuchszellen bei 37 Grad Celsius gehalten wurden, warf einen misstrauischen Blick auf die Temperaturanzeige, die ab und zu flackerte und wohl in naher Zukunft ausgetauscht werden musste, löschte das Licht im Brutraum und verschloss sorgfältig die Tür. Erleichtert und ziemlich müde ging er durch den leeren Flur in sein Büro zurück, das am anderen Ende des Labortrakts lag.

„Nacht, Stan!"

Erschrocken fuhr Lundquist herum und sah in das grinsende Gesicht seines Doktoranden Tom Dolan, der ebenfalls sehr erfreut darüber schien, dass für heute endlich Feierabend war. Immerhin zeigte die Uhr schon weit nach Mitternacht.

„Gute Nacht, Tom. Es ist wieder mal mächtig spät geworden."

„Stimmt. Ich habe noch Kulturmedien angesetzt und Antibiotika verdünnt. Für morgen ist alles fertig!"

„Fein, danke. Hoffentlich haben sich die langen Abende der letzten Wochen gelohnt. Schlaf gut! Ich werd noch fünf Minuten aufräumen."

Tom winkte und betrat den Lift. Lundquist dagegen hatte sich entschlossen, aus der Hausapotheke in seinem Büro noch einen Gutenachttrunk zu nehmen. Dazu bot der Laborkühlschrank neben einer Vielzahl von Chemikalien zwar einige Flaschen Sekt und diverse Schnäpse an, Lundquists Interesse jedoch konzentrierte sich auf das Hängeregal über seinem Schreibtisch, wo eine Steingutflasche mit zwanzig Jahre altem irischem Whiskey stand. Nachdem der edle Tropfen ihm die Kehle erwärmt hatte, war auch der Aufräumtrieb besiegt. Lundquist schloss die Bürotür ab, ging zum Lift zurück und drückte den Rufknopf. Noch einmal schweifte sein Blick durch den Flur, bevor er das letzte Licht löschte.

Die Aufzugtür öffnete sich, aber Lundquist trat nicht ein. Aus den Augenwinkeln hatte er im hinteren Teil des Flurs einen schwachen Lichtschein bemerkt. Erstaunt schaltete er die Flurbeleuchtung wieder ein und ging den Korridor hinunter. Tatsächlich stand die Tür des Kühlraums zwei Handbreit auf.

Wer hat denn da wieder nicht abgeschlossen?, dachte er, während er versuchte, die Quelle des Lichtscheins zu lokalisieren. Er öffnete die Tür vollständig und sah sofort die gelbe Warnlampe des Stickstofftanks leuchten. In diesen Tanks wurden überzählige Eizellen, die die Ärzte des Callaghan-Teams Patientinnen entnommen hatten, bei minus 180 Grad Celsius in flüssigem Stickstoff tiefgefroren. Sie konnten auf diese Weise bei Bedarf wieder aufgetaut und zur In-vitro-Fertilisation eingesetzt werden. Die Warnlampe leuchtete immer dann, wenn die Temperatur im Sicherheitsbehälter, der den Tank umgab, höher als minus 100 Grad Celsius kletterte. Das geschah normalerweise nur, wenn man eine Probe in den Stickstoff hängte oder herausnahm, weil dann der Deckel des Sicherheitsbehälters für etwa eine Minute offen stehen musste. Allerdings wurde die Normaltemperatur in der Regel nach etwa fünf Minuten wieder erreicht, und die Lampe sollte dann erlöschen. Vor fünf Minuten war aber mit Sicherheit niemand am Tank gewesen, oder sollte Tom Dolan noch einmal zurückgekommen sein? Dann hätte Lundquist jedoch den Lift hören müssen.

Was den Wissenschaftler besonders beunruhigte, war das Fehlen des akustischen Warntons, der normalerweise zusammen mit der gelben Leuchte ansprang. Er betrachtete nachdenklich die Temperaturanzeige, die gerade von „–99“ auf „–100“ umsprang. Die Warnlampe erlosch augenblicklich. Bis auf das fehlende akustische Signal schien rein technisch also alles in Ordnung zu sein.

Lundquist öffnete die Abdeckung des Sicherungskastens an der Seite des Kühlbehälters. Die Sicherung neben dem Symbol einer blinkenden Lampe fehlte.

Der Australier fühlte Wut in sich aufsteigen. Warum war es nicht möglich, eine neue Sicherung einzusetzen, wenn man die alte, defekte herausnahm? So allerdings konnte man lange auf den Warnton warten.

„Welcher verdammte Idiot kann das bloß gewesen sein?“, knurrte er halblaut. Gleichzeitig wurde ihm klar, dass er sich innerhalb der Arbeitsgruppe eigentlich niemanden vorstellen konnte, der seine eigene Arbeit durch eine solche Unachtsamkeit aufs Spiel setzen würde. Nachdenklich griff er nach dem Belegungsplan für die einzelnen Gefrierboxen, in denen die Reagenzröhrchen im Stickstoff lagerten. In dieser Liste waren alle Proben verzeichnet, die im Tank tiefgefroren wurden.

Er überflog kurz die Eintragungen, um einen Überblick zu gewinnen. Die oberen fünf Kästen waren voll belegt, zwei weitere etwa zur Hälfte. Kurz entschlossen stülpte sich Dr. Lundquist die dick gefütterten Isolierhandschuhe über, öffnete den Tankdeckel, hob den Kastenhalter halb heraus und zog den obersten der Kästen hervor.

Voll.

Er schob ihn wieder in die Halterung und nahm die nächsten in Augenschein. Beim vierten wurde er aufmerksam. Es standen vier Röhrchen weniger im Kasten, als im Belegplan angegeben. Im nächsten fehlten weitere sechs. Dr. Lundquist überprüfte mit kurzem Seitenblick, ob er sich vielleicht in der Zahl der Eintragungen in der Belegliste geirrt hatte, aber dem war nicht so.

Stan Lundquist war plötzlich hellwach. Er verschloss nachdenklich den Stickstofftank und notierte sich die Nummern der fehlenden Reagenzröhrchen vom Belegungsplan. Dann lief er durch den Flur in sein Büro, holte aus dem Schreibtisch den Zweitschlüssel für die Patientenkartei und betrat damit das Vorzimmer von Professor Callaghan. Er öffnete den schweren Karteischrank und suchte die Eintragungen zu den Codes der fehlenden Röhrchen.

Obwohl er nicht genau wusste, wonach er eigentlich suchte, fiel ihm schon beim ersten hastigen Überfliegen der zehn Karteiakten etwas sehr Eigentümliches auf. Er beschloss, mit seinem Arbeitgeber Kontakt aufzunehmen.

Dies war allerdings weder Professor Callaghan noch die Krankenhausverwaltung, sondern das Amt für Gegenspionage des australischen Geheimdienstes.

Pelekas, Korfu, Griechenland

„Αντωνισ Μπαρ“ stand kaum leserlich an der weißen Wand des kleinen Restaurants. In Antonis' Bar nahm Idwood Green seit knapp zwei sonnigen Wochen sein tägliches Urlaubsfrühstück zu sich, um die faulen Tage mit der richtigen Grundlage zu beginnen. Er nippte einen Schluck dieses außergewöhnlichen Orangensaftes, der in unscheinbaren Konservendosen abgefüllt war und trotzdem schmeckte wie gerade ausgepresst. Behaglich lehnte er sich im Stuhl zurück, schloss die Augen und freute sich auf den Tag. Zunächst würde er zwei bis drei Stündchen am Strand von Glyfada braten und ziemlich infantil im Ionischen Meer herumplantschen, um sich dann während der brütenden Mittagshitze zur Siesta zurückzuziehen. Am späteren Nachmittag stand dann erneutes Plantschen auf dem Programm, bevor es ans Abendessen ging. Danach konnte man weitersehen. Schließlich hatte er in den letzten zwölf Tagen die Lösung dafür gefunden, warum im August keine hübschen Mädchen in London zu sehen waren: Sie waren offensichtlich alle hier.

„He, Idwood, aufwachen, dein Käseomelett ist da.“ Antonis stellte ihm grinsend das warme Omelett auf den Tisch.

„Bring mir noch einen Kaffee, du Glücklicher.“

„Was heißt hier glücklich? Meinst du etwa, es macht Spaß, sich den ganzen Tag mit bescheuerten Touristen herumzuschlagen?“

„Lieber bescheuerte Touristen und so ein Wetter als Stress und feuchte Kälte in London“, philosophierte Green und grinste zurück. „Außerdem machst du mit den Touristen ’ne Menge Kohle, oder nicht?“

Antonis, der einige Jahre in einem Londoner Restaurant gearbeitet hatte und daher recht gut Englisch sprach, zog sich für die Antwort lieber auf muttersprachliches Terrain zurück, brummte so etwas wie „Klugscheißer“ und ging den Kaffee holen. Währenddessen häufte sich sein englischer Gast ein Stück Omelett auf und kaute mit Wohlbehagen, während er den Blick auf die Landschaft genoss.

Das Dorf Pelekas thronte auf dem westlichen Bergkamm der lang gestreckten Insel wie die Kirsche auf der Sahne eines Fruchteisbechers, und so hatte man sowohl nach Westen als auch nach Osten eine überwältigende Aussicht. Im Osten konnte man die kahlen, abweisenden Gebirgszüge Südalbaniens sehen, im Westen blinkte einem das dunkelblaue Ionische Meer einladend entgegen. Täglich von Sonnenaufgang bis Sonnenuntergang.

Idwood Green, siebenunddreißig Jahre alt, dunkelblond und athletisch gebaut, Beamter des britischen Secret Service auf Urlaubsreise, schob sich den nächsten Bissen in den Mund und grunzte vor Behagen.

„Übst du für eine Schweineoper?“, wollte Antonis wissen, der gerade den nächsten Kaffee brachte.

Green öffnete die Augen wieder, die er zwecks Intensivierung des Geschmackserlebnisses geschlossen hatte, und blickte den Wirt kurz an. „Du hast wohl ’nen Clown gefrühstückt?“, flachste er zurück, obwohl er mit seinen Gedanken weit weg war.

Er dachte schadenfroh an das grauenvolle Wetter in London, das die Bürokraten in der St. James's Gate, dem Sitz des Secret Service, jetzt erdulden mussten, und an Jeanne Lumadue, die er vor kurzem kennen gelernt hatte und die ohne Zweifel die hübscheste Journalistin des gesamten britischen Empire war. Ein Jammer, dass sie ihn diesmal nicht hatte begleiten können. Während er weiter sein Käseomelett futterte, ließ er den Blick noch einmal umherschweifen, um das herrliche Panorama in sich aufzunehmen. Dabei bemerkte er aus den Augenwinkeln etwas, das seine Laune sofort nachhaltig dämpfte.

Fünfzig Meter weiter, da, wo die schmale abschüssige Dorfstraße mit einer scharfen Kurve zwischen den winzigen weißen Häusern verschwand, hatte er eine Figur entdeckt, die ihn erhebliches Ungemach befürchten ließ. Ein hoch aufgeschossener Mann, der ungeachtet des heißen Wetters einen grauen Anzug mit Krawatte und Sonnenhut trug, mühte sich den Berg herauf. Green flehte Zeus und dessen Mitarbeiter an, dass es sich um eine optische Täuschung handeln möge. Doch der Graugekleidete steuerte zielstrebig die schmale Treppe zu Antonis' Terrasse an, und Green musste bedauernd konstatieren, dass die Götter auch nicht mehr das sind, was sie einmal waren. Es handelte sich tatsächlich um Alan McClelland, seines Zeichens Resident des Secret Service im süditalienischen Bari.

„Gott sei Dank, dass ich Sie endlich gefunden habe", schnaufte McClelland und ließ sich auf einen Stuhl an Greens Tisch fallen. „Seit gestern Mittag versuche ich, Sie auf dieser verdammten Insel zu finden."

„Normalerweise fragt man, ob der Platz frei ist, bevor man sich an einen Tisch plumpsen lässt." Idwood konnte nicht verhehlen, dass er ziemlich sauer war. „Was, zum Kuckuck, treibt Sie denn aus Italien hierher? Nur die Suche nach mir?"

„Allerdings, Sie Witzbold! Anscheinend etwas ziemlich Dringendes. Wenn ich mit dem Dienstwagen übers Wochenende nach Rom fahre, kriegen die Pedanten in der Rechnungsprüfung fast einen Herzinfarkt. Um Sie so schnell wie möglich zu finden, durfte ich für den Törn übers Ionische Meer sogar eine schnelle Yacht chartern."

„Um was geht's denn, um Himmels willen?"

„Auch als Resident des Secret Service darf man nicht alles wissen. Also löchern Sie mich nicht wegen Einzelheiten, es wäre vergebliche Liebesmüh. Ich weiß auch nicht mehr als das, was der Kurier aus London mitgebracht hat."

McClelland holte einen zusammengefalteten Zettel aus der Innentasche seines Sakkos. „Sie sollen sich unverzüglich nach Athen in Bewegung setzen. In der Nähe des Omonia-Platzes ist ein Zimmer im Hotel *Tegea* für Sie reserviert. Ihre Kontaktperson wird Sie dort anrufen. Es handelt sich um einen Mitarbeiter des australischen Geheimdienstes. London lässt Ihnen weiterhin mitteilen, dass Sie vorsorglich Ihr Fachwissen reaktivieren sollen, was immer das auch heißen mag. Was für ein Fachwissen haben Sie denn, wenn ich fragen darf?"

„Bevor ich zum Secret Service kam, habe ich in Biochemie promoviert", antwortete Idwood Green so bescheiden wie nötig. „Wahrscheinlich holen sie mich deshalb aus dem Urlaub. Sonst steht nichts mehr auf dem Zettel?"

„Nein, nichts." McClelland steckte das Papier wieder ein.

Green hob die Augenbrauen. „Geben Sie mir den Zettel, McClelland, seien Sie so nett." Er setzte das Papier mit seinem Feuerzeug in Flammen und sah zu, wie es im Aschenbecher ziemlich schnell ziemlich unleserlich wurde. Dann rief er nach Antonis. „Bring uns drei Ouzo mit Wasser und die Rechnung!"

„Was ist los, musst du weg?"

„Sieht so aus. In spätestens einer Woche bin ich aber wieder hier."

Idwood Green konnte nicht wissen, dass er sich selten zuvor in seinem Leben so gründlich geirrt hatte.

Canberra, Australien

Im Erste-Klasse-Abteil der Qantas-Boeing 747 nach Bombay ließ sich Stan Lundquist erleichtert in den bequemen Ledersitz sinken und klappte das Fußteil aus. Die letzten Tage vor dem Abflug waren von hektischen Aktivitäten erfüllt gewesen und er freute sich jetzt auf eine Mütze voll Schlaf. Nachdem er vor vier Nächten das Fehlen der zehn Reagenzröhrchen entdeckt hatte, war er sofort nach Hause gefahren und hatte noch in derselben Nacht den Dienst habenden Beamten in der Inlandsabteilung des australischen Geheimdienstes über seine Entdeckung informiert. Auf seinen Vorschlag hin fand am nächsten Vormittag ein Gespräch in kleiner Runde statt, an dem außer ihm noch der Operationschef der Auslandsaufklärung, Daniel Harris, sowie der Leiter der Gegenspionage, Adrian Kay, teilnahmen. Die beiden Geheimdienstchefs waren alte Freunde und ließen keine Möglichkeit aus, ihre Strategien und Aktionen aufeinander abzustimmen. Hausintern nannte man sie auch die „Secret twins".

Kay ergriff zuerst das Wort. „Dr. Lundquist hat mich vorhin bereits in groben Zügen über seinen Verdacht informiert, Dan." Er blickte Harris nachdenklich über seine randlose Brille hinweg an. Dann wandte er sich Lundquist zu. „Ich glaube, es wäre am besten, Sie würden uns jetzt die Einzelheiten der letzten Nacht mitteilen, Stan."

Lundquist, der seit sieben Jahren in der Abteilung von Kay arbeitete, fasste sich so kurz wie möglich und schloss seinen Bericht mit den Worten: „Nachdem ich die Kurzakten der fehlenden Röhrchen kontrolliert hatte, habe ich noch eine kurze Notiz über die Fehlfunktion des Stickstofftanks ans schwarze Brett der Abteilung gehängt. Dann bin ich sofort nach Hause gefahren und habe hier angerufen. Den Rest wissen Sie."

„Haben Sie die fehlenden Röhrchen in Ihrer Notiz erwähnt?", fragte Harris.

„Nein, Sir. Ich glaube nicht, dass das so schnell jemandem auffällt, und ich wollte keine Pferde scheu machen."

Harris fuhr sich mit der Hand durch seine eisgraue Borstenfrisur. „Verstehen Sie mich jetzt nicht falsch, meine Herren, aber ich habe noch nicht ganz begriffen, warum sich der Geheimdienst mit zehn fehlenden Reagenzröhrchen auseinander zu setzen hat. Vielleicht enthält der Belegplan des Stickstofftanks ja auch unrichtige Eintragungen. Soweit ich verstanden habe, handelte es sich doch um zehn völlig verschiedenartige Proben?"

„Das stimmt, Sir," antwortete Lundquist, „die eingefrorenen Eizellen stammten von überzähligen Entnahmen ganz verschiedener Patientinnen, und zwar allesamt Nicht-Australierinnen. Genauer gesagt, aus Neuseeland, Hong Kong und Japan. Bis auf eine Ausnahme. In dem Fall ist die Patientin Engländerin. Außerdem gab es noch einen Unterschied zu den anderen Fällen, und der hat mich stutzig gemacht. In allen Fällen handelt es sich bei den verschwundenen Proben um unbefruchtete Eier. Von der britischen Patientin wurde jedoch ein halbes, bereits befruchtetes Acht-Zell-Stadium eingefroren."

„Ein halbes ... was?" Dan Harris musterte ihn reichlich verdattert.

„Ich versuche, es Ihnen genauer zu erklären, Sir," erwiderte Stan Lundquist ernst. „Es ist heute möglich, eine weibliche Eizelle im Reagenzglas, also *in vitro*, zu befruchten, danach drei bis vier Teilungen in synthetischem Kulturmedium zuzulassen und das dann entstandene mehrzellige Gebilde, die Morula, zu teilen. Eine der beiden Hälften wird dann in die Patientin reimplantiert und führt, technische Komplikationen einmal außer Acht gelassen, zu einem normalen Embryo. Die andere Hälfte wird tiefgefroren und kann bei Bedarf aufgetaut und ebenfalls implantiert werden. Diese Technik wurde entwickelt, um im Falle von missglückten Implantationen den Patientinnen nicht unbedingt erneut Eizellen entnehmen zu müssen. Mit anderen Worten, die Chance, dass eine einmalige Eientnahme zum Erfolg führt, wird damit verdoppelt bis verdreifacht."

„Um ehrlich zu sein, beim ersten Zuhören hört sich das alles nicht sehr appetitlich an", gab Harris zu. „Aber dennoch versteh ich nicht ganz, warum Sie Ihre Entdeckung der letzten Nacht für so Besorgnis erregend halten."

„Nun, Sir, möglicherweise wurde der Patientin die andere Hälfte der vermissten Blastomere bereits eingepflanzt und sie ist jetzt schwanger."

„Und?", fragte Harris, weil Lundquist eine Pause machte.

„Vielleicht haben wir hier einen ersten konkreten Hinweis darauf, dass im St.-Anne's etwas nicht mit rechten Dingen zugeht. Die fehlende tiefgefrorene Eizellenhälfte stellt immerhin den potentiellen eineiigen Zwilling der anderen Hälfte dar. Ich überlasse es Ihnen, sich auszumalen, welche rechtlichen Konsequenzen so ein Vorfall haben könnte. Dabei spielt natürlich auch eine große Rolle, um wen es sich bei den Patientinnen im Einzelnen handelt."

„Aber das ist noch nicht alles, Dan", mischte sich Adrian Kay wieder ein. „Wir haben seit einiger Zeit den Verdacht, dass das St.-Anne's in irgendwelche dubiose weltweite Geschäfte mit Embryonen verwickelt ist. Nur gab es bisher lediglich vage Hinweise und nichts Konkretes. Deshalb haben wir unseren Biologen Dr. Lundquist in das Hospital eingeschleust. Unter anderem auch deshalb, weil im St.-Anne's Patientinnen aus vieler Herren Länder versuchen, durch In-vitro-Fertilisation zum eigenen Kind zu kommen. Deren eingefrorene Eizellen lagern nun dort in den Tiefkühltruhen. Die Forschung damit ist untersagt, nur wer kontrolliert das? Sobald die Prozedur erfolgreich war, sind die restlichen Eizellen ja eigentlich überflüssig. Zur Forschung dürfen sie nicht verwendet werden, denn das ist verboten, aber sie müssen aufbewahrt werden. Wenn du mich fragst, bietet sich solch ein Zustand für zweifelhafte Geschäfte ja geradezu an."

„Zum Beispiel unerlaubter Embryonenhandel", warf Lundquist ein. „Auf Grund der gegenwärtigen technischen Möglichkeiten sind frühe Embryonen zur Gewinnung von embryonalen Stammzellen heiß begehrt, zum Beispiel für die Züchtung von Reservegewebe."

„Lundquist hat Recht", stimmte Kay zu. „Und bei Geschäften dieser Art riecht es meistens irgendwann nach Korruption und Erpressung. Daher denke ich, dass wir hier hart am Ball bleiben sollten. Vielleicht ist es hilfreich, mehr über die Verhältnisse der betroffenen Patientinnen zu erfahren. Darum sollte sich jemand von deinen Leuten kümmern, Dan."

Harris räusperte sich beeindruckt. „Das scheint tatsächlich eine durchaus prekäre Angelegenheit zu sein. Sind denn die Namen der betreffenden Damen bekannt?"

„Bis jetzt nicht, aber ich denke, Stan Lundquist kann sie dir besorgen."

Der nickte nachdenklich. „Ja, das sollte eigentlich kein großes Problem sein. Außerdem werde ich versuchen zu erfahren, ob der Engländerin tatsächlich bereits eine Eizelle implantiert wurde."

„Gut," sagte Kay. „Wenn wir mehr wissen, kommen wir hier wieder zusammen."

Dan Harris stand auf. „Bis dann also, meine Herren." An der schalldichten Tür des Büros wandte er sich allerdings noch einmal um, denn Kay hatte gerade in besorgtem Ton gefragt: „Warum schauen Sie denn so ernst drein, mein Junge?"

Lundquist erhob sich aus seinem Sessel und sagte: „Sie erinnern sich doch sicher beide an die Meldung über das erste ‚Retorten-Baby', Louise Brown. Die erfolgreiche In-vitro-Fertilisation war in Professor Steptoes Labor in England durchgeführt worden. Diese Klinik ist auch jetzt noch neben dem St.-Anne's die renommierteste Adresse für die erfolgreiche Anwendung dieser Technik. Ich habe mich gerade gefragt, warum ausgerechnet eine Engländerin nach Canberra zur Behandlung kommt."

Direkt nach dieser Unterredung fuhr Lundquist ins Hospital zurück. Dort wartete Tom Dolan schon auf ihn. Er hatte die Versuche des vergangenen Tages ausgewertet und war auf Grund der Ergebnisse ganz aus dem Häuschen. Die neue Medienzusammensetzung hatte sich äußerst gut bewährt. Während Stan Lundquist den Erklärungen seines Doktoranden zuhörte, fiel ihm ein, dass Kay den jungen Mann ebenfalls überprüfen musste, denn der war die letzte Person, die Lundquist am Abend zuvor im Labortrakt gesehen hatte.

„Gut, Tom. Ich denke, du solltest dir noch ein Kontrollexperiment ausdenken, und dann können wir wohl mit Recht zufrieden sein."

Dolan nickte erfreut und verließ das Büro in Richtung Labor.

An diesem Abend schützte Stan Lundquist ausgiebige Literaturstudien vor, um wieder alleine in der Abteilung zu sein. Gegen 22 Uhr verließ endlich auch Dolan das Labor. Kurz darauf ging Lundquist hinüber in Callaghans Vorzimmer, sperrte mit dem Zweitschlüssel den schweren Karteischrank auf und arbeitete die zehn betreffenden Akten sorgfältig durch. Er notierte die Namen und Adressen der Patientinnen für Harris' Recherchen. Dann nahm er die zehnte Akte heraus und prüfte sie gründlich. Es waren keine Eintragungen über den Behandlungsverlauf oder eventuell erfolgte Reimplantationen verzeichnet. Auf dem Deckblatt stand lediglich der Name der Patientin: *Martha McKinley, London.*

Zwei Tage später trafen Kay, Harris und Lundquist wieder in Kays Büro zusammen.

„Wegen der kurzen Zeit, die für die Recherchen zur Verfügung stand, kann ich natürlich nur Vorbehaltliches von mir geben“, begann Harris. „Sagen wir es mal so: Unter den Namen, die Lundquist mir gegeben hat, ist nichts Auffälliges zu entdecken, will heißen, weder die Tochter des neuseeländischen Außenministers noch die Lieblingsfrau des größten Bordellbesitzers von Hong Kong. Alles ganz normale Leute. Vorbehaltlich. Was war bei dir, Adrian?“

Mit schmalen Lippen antwortete Kay: „Tom Dolan ist wie erwartet sauber. Was Martha McKinley betrifft, haben wir alle Passagierlisten der letzten sechs Monate auf den Flughäfen von Canberra und Sydney überprüft. Eine Martha McKinley aus Großbritannien ist vor zweieinhalb Monaten für sechsundzwanzig Stunden in Sydney gewesen.“

„Nur dieses eine Mal?“, fragte Lundquist verblüfft.

Kay nickte nur. „Das eigentlich Interessante kommt aber noch: Die Nummer des Passes, mit dem Martha McKinley einreiste, ist geschützt."

„Was bedeutet das?"

„Das bedeutet, dass unsere Leute in London über die Passnummer nicht an die Adresse der Frau gelangen konnten. Dieser Schutz wird aber normalerweise nur bei hoch gestellten Persönlichkeiten durchgeführt."

Dan Harris kannte seinen alten Freund lange genug, um zu wissen, dass da noch etwas kommen musste. „Los, sag schon, wer es ist, Adrian, du weißt es doch trotzdem."

„Nein, nicht genau. Soweit unsere Leute in London herausfinden konnten, gibt es im *Who's Who* von Großbritannien drei Martha McKinleys, für die eine solche Maßnahme denkbar wäre. Die eine ist die Tochter des Vierten Earl of Drambuie, eines schottischen Großgrundbesitzers mit der Betonung auf ‚groß', die zweite ist die Gattin eines weltbekannten Getränkeherstellers."

„Und die dritte?", fragten Harris und Lundquist wie aus einem Mund.

„Die dritte ist eine der bedeutendsten Persönlichkeiten Großbritanniens. Sie ist die Aufsichtsratsvorsitzende der *Imperial Bank Corporation* und Beraterin der britischen Regierung." Den beiden anderen verschlug es die Sprache.

Lundquist fasste sich eher als Harris. „Und was jetzt?"

„Ich habe, Ihr beider Einverständnis voraussetzend, angenommen, dass es am besten ist, wenn wir die drei Damen der Wichtigkeit nach behandeln. Die Wichtigste ist ohne Zweifel die Bankchefin, weil sie auch zum Beraterstab des britischen Premiers gehört. Diese Mrs. McKinley nimmt seit gestern an einer europäischen Bankenkonferenz in Athen teil. Sie wird rund eine Woche dort sein. Ich habe mit unserem alten Freund Sir Ronald Abbott vom Secret Service in London telefoniert und ihm mitgeteilt, dass wir ein Problem mit Mrs. McKinley haben. Ich habe ihn weiterhin gebeten, einen seiner Agenten nach Athen in Marsch zu setzen. Wir werden ebenfalls jemanden dorthin schicken, der mit ihm Kontakt aufnimmt."

„Worauf soll das Ganze hinauslaufen?", wollte Dan Harris wissen.

„Ganz einfach. Die beiden werden die McKinley in Athen aufsuchen und sie fragen, ob sie vor zweieinhalb Monaten tatsächlich in Canberra war, und wenn ja, warum."

„Wieso willst du das unbedingt in Athen erledigen lassen?"

„Nun, diese Angelegenheit ist durchaus delikater Natur. Ich glaube, dass die Möglichkeit für ein unauffälliges Gespräch in Athen größer ist als zu Hause in London, wo die Pressegeier ständig ihrer Spur folgen."

Harris nickte zustimmend. „Wen willst du von unseren Leuten schicken?", fragte er.

Adrian Kay blickte Stan Lundquist an. „Sie können es jetzt noch ablehnen, Stan."

Lundquist schüttelte wortlos den Kopf.

„Gut. Ich möchte, dass Sie den Mann vom Secret Service über unseren Verdacht aufklären. Er soll Mrs. McKinley auch ruhig selbst befragen. Aber ich will, dass Sie nahe daneben stehen, wenn die Dame antwortet, haben Sie verstanden? Ach, und bevor ich es vergesse: Die einzige Person außer Ihnen und dem britischen Agenten, die etwas von der Befragung erfahren sollte, ist Martha McKinley selbst!" –

Lundquist ließ dieses Gespräch noch einmal an sich vorbeiziehen, während er aus dem Kabinenfenster der Boeing blickte und Canberra unter sich verschwinden sah. Er hatte noch keine zündende Idee, wie man Martha McKinley unauffällig aufsuchen konnte, aber vielleicht war sein britischer Kollege ja in dieser Hinsicht klüger. Lundquist lehnte sich entspannt im Sitz zurück und schloss die Augen. Eingehüllt in den dezenten Parfümduft, den eine der Flugbegleiterinnen an seiner Sitzreihe zurückgelassen hatte, schlief er ein.

Mehrere Stunden später setzte der Jumbo in Bombay auf. Stan Lundquist ging durch die Passkontrolle und den Zoll, um sich dann im Flughafenrestaurant zum Essen einzuladen. Er hatte bis zum Weiterflug nach Athen noch drei Stunden Zeit. Es gab zwar einen Direktflug der British Airways von Canberra nach London, der in Athen zwischenlandete, aber er hatte sich intuitiv dazu entschlossen, wenigstens einmal während der gesamten Route das Flugzeug und die Fluggesellschaft zu wechseln.

Über die Monotonie des Weiterflugs nach Athen mit einer Maschine der *Singapore Airlines* half ihm außer dem erfreulichen Anblick der mandeläugigen Stewardessen nur noch die Zwischenlandung in Bahrain hinweg. Am späten Nachmittag erreichte er den Ellinikon-Flughafen der griechischen Hauptstadt.

Athen, Griechenland

Fünfeinhalb Stunden vor Stan Lundquist war Idwood Green mit einer kleinen, ziemlich klapprigen Inlandsmaschine der *Olympic Airways* in Athen angekommen. Er hatte direkt am Flughafen einen Leihwagen gemietet und sich in der brütenden Mittagshitze des griechischen Augusts auf den Weg zum Hotel Tegea gemacht. Die Temperaturen in der Athener

Innenstadt waren wirklich kaum zu ertragen, und so hatte er auch während der Fahrt den wunderbaren Blick auf den Philopappus-Hügel und die Akropolis nicht so recht genießen können. Er war in Schweiß gebadet, als er den gemieteten Suzuki-Jeep vor dem Tegea abstellte. In dem reservierten Zimmer stellte er sich erst einmal zehn Minuten unter die kalte Dusche. Nachdem er sich dazu gezwungen hatte, zum Abschluss noch kurz das heiße Wasser aufzudrehen, um die Poren zu öffnen, legte er sich nackt aufs Bett und wartete, halb dösend, auf den Kontaktanruf des australischen Kollegen.

Auch Stan Lundquist hatte nach seiner Landung Schwierigkeiten, sich an die Hitze zu gewöhnen, und das große Gedränge bei der Zollabfertigung tat ein Übriges. Bald erfüllte ihn nur noch ein Gedanke: so schnell wie möglich in ein klimatisiertes Hotelzimmer zu kommen. Eine ältere Frau hinter ihm litt offenbar noch mehr unter den Temperaturen. Sie begann plötzlich vernehmlich zu stöhnen und taumelte an seinen Rücken. Er konnte sie gerade noch auffangen und zu einem Stuhl geleiten, der neben der wartenden Menschenschlange stand.

„Soll ich Ihnen einen Arzt holen?“, fragte er hilfsbereit, auch wenn ihm in diesem Fall nur die englische Sprache zur Verfügung stand.

Zumindest das Wort „doctor“ schien sie verstanden zu haben, denn sie schüttelte den Kopf und zeigte den matten Anflug eines dankbaren Lächelns.

Lundquist kehrte wieder in die Reihe der Wartenden zurück, aber zwischen seinen Augen stand eine steile Falte. Während seiner kleinen Hilfsaktion hatte er weiter hinten in der Schlange ein Gesicht entdeckt, das ihm bekannt vorkam. Beunruhigt versuchte er sich zu erinnern, wo er den etwa dreißigjährigen Mann mit den braunen Locken schon gesehen hatte, aber es fiel ihm nicht auf Anhieb ein. So entspannt wie möglich ging er im Geiste alle Möglichkeiten durch. Als der Zollbeamte ihn durch die Sperre winkte, fiel es ihm wie Schuppen von den Augen: Er hatte diesen Mann in der Inneren Station des St.-Anne's-Hospitals gesehen, bekleidet mit einem weißen Kittel.

Lundquist überlegte kurz und steuerte dann eine der Telefonzellen an, die er auf der anderen Seite der Flughafenhalle erspäht hatte. Nachdem er die Nummer des Zimmeranschlusses im Hotel Tegea eingetippt hatte, musste er noch zwei Freizeichen abwarten, bis auf der Gegenseite abgehoben wurde.

„Ja?"

„Hier spricht Stan Lundquist aus Canberra. Ich soll Sie von Sir Ronald grüßen."

„Na, danke. Mein Name ist Green, Idwood Green. Wo sind Sie?"

Lundquist war angenehm überrascht. Er kannte Green von einigen Geheimdienstfotos. Der Engländer hatte vor rund zwei Jahren halb Ozeanien in eine Art Kriegszustand versetzt, um eine Gruppe von Verrückten zu finden, die aus der britischen Wiederaufarbeitungsanlage Sellafield ein paar Gramm Plutonium entwendet und während ihrer Flucht den Verladehafen Barrow-on-Furness radioaktiv verseucht hatten. Mit einem solchen Partner konnte man der ganzen Angelegenheit schon etwas gelassener ins Auge blicken. Es wurde ihm allerdings auch klar, dass die McKinley die besondere Aufmerksamkeit des britischen Geheimdienstes genoss, denn sonst hätte Sir Ronald angesichts der vagen Informationen sicher nicht einen seiner besten Leute aktiviert.

„Ich rufe aus einer Telefonzelle im Flughafen an. Hören

Sie, Green, wir werden umdisponieren müssen. Ich glaube, ich werde beschattet."

„Sind Sie sicher?"

„Ich denke schon. Ich habe in Bombay die Maschine und die Fluggesellschaft gewechselt. Dass dann mit derselben Maschine in Athen ein Mann landet, den ich noch vor etwa drei bis vier Wochen in dem Krankenhaus gesehen habe, in dem ich arbeite, scheint mir doch mehr als nur ein Zufall zu sein."

„Nun gut", meinte Green, „möglich ist alles. Ich mache Ihnen einen Vorschlag! Fahren Sie in ein Hotel oder eine Pension und nehmen Sie sich ein Zimmer mit Telefon. Falls das Hotel noch eine eigene Vermittlung hat, suchen Sie vorsichtshalber eine Telefonzelle auf, um mir die Durchwahlnummer Ihres Zimmertelefons zu geben. Ich kann Sie dann von hier aus anrufen."

„Einverstanden, aber warum rufen Sie nicht einfach über mein Mobiltelefon an? Da kann ich Ihnen die Nummer jetzt schon geben."

„Das können Sie ja ruhig tun. Aber Sie wissen so gut wie ich, dass man mitunter keine gute Verbindung kriegt mit den Dingern, außer man verwendet einen so starken Sender, dass es einem beim Telefonieren das Hirn verschmort. Und abhörsicher sind sie erst recht nicht."

Lundquist gab ihm dennoch die Nummer, verließ den Flughafen und nahm ein Taxi, von dem er sich ins Athen Hilton fahren ließ. Er wollte seinem Schatten vorläufig die Möglichkeit geben, unbemerkt zu bleiben, und das ließ sich in einem großen Hotel besser bewerkstelligen. In seinem Zimmer suchte er als Erstes das Bad auf, duschte den Schweiß ab und zog sich ein frisches T-Shirt und eine dünne Leinenhose an. Vom Zimmerservice ließ er sich einen kleinen Imbiss bringen, schlang das leider recht trockene Truthahnsandwich zur Hälfte hinunter und rief dann Green wieder an.

„Na, was macht Ihr Schatten?“, wollte der sofort wissen.

„Bis jetzt habe ich ihn im Hilton noch nicht gesehen. Aber eines ist sicher: Wenn er hier auftaucht, dann ist die ganze Geschichte möglicherweise heißer, als wir bisher annehmen.“

„Stopp, nicht so schnell!“, bat der Engländer. „Denken Sie daran, dass ich diese Geschichte noch gar nicht kenne. Vielleicht klären Sie mich mal auf?“

Stan Lundquist begann die bisherigen Geschehnisse so kurz und präzise wie möglich zu schildern. Green hörte schweigend zu. Dann sagte er bestimmt: „Gehen wir mal davon aus, dass der Kerl Sie tatsächlich beschattet. Das kann zwei Gründe haben. Erstens, der potentielle Gegner will wissen, was Sie in Athen vorhaben. Wenn die Kameraden es tatsächlich auf Martha McKinley abgesehen haben, werden sie natürlich stutzig, wenn Sie just zu dem Zeitpunkt nach Athen fliegen, zu dem die Dame auch hier weilt. Wenn dem so ist, können Sie Ihren ursprünglichen Plan vergessen, die McKinley zusammen mit mir aufzusuchen. Vorausgesetzt natürlich, Sie wollen die Burschen weiterhin darüber im Unklaren lassen, ob und wie viel Sie über den Diebstahl der Eizellen wissen.“

„Das hat Vorrang. Die McKinley ist zu prominent, als dass wir ohne sichere Beweise das Risiko eingehen können, sie in einen Skandal oder ähnliches zu verwickeln. Und was wäre zweitens?“

„Ihr Schatten gehört zum selben Verein wie Sie.“

„Sie meinen, Kay oder Harris hätten mir einen Aufpasser hinterhergeschickt?“

„Können Sie das ausschließen?“

„Nein, im Moment natürlich nicht. Aber ich werde noch heute in Canberra anrufen und mich erkundigen."

„Das sollten Sie machen. Gesetzt den Fall, der Kerl gehört nicht zu Ihrem Haufen und er taucht im Hotel auf, dann müssen wir uns etwas einfallen lassen. Ich werde darüber nachdenken, bis Sie mich wieder anrufen."

„Gut, bis später."

Der Australier überlegte noch eine Weile, wie er jetzt weiter vorgehen sollte, und entschloss sich dann eingedenk der Worte seines englischen Kollegen, von einer Telefonzelle in der Hauptpost aus bei Kay in Canberra anzurufen und sich Klarheit zu verschaffen. Er ließ sich von der Rezeption ein Taxi bestellen, nahm eine dünne Leinenjacke über den Arm und fuhr mit dem Lift nach unten. Als er durch das Foyer zum Hauptportal schritt, schloss sich gerade die Tür des anderen Hotellifts, und Lundquists erkannte das Gesicht des Mannes, den er für seinen Beschatter hielt und der ihm mit durchaus verblüfftem Gesichtsausdruck hinterhersah. Stan verließ das Hotel und hatte Glück, denn sein Taxi wartete bereits. Während er noch einmal Ausschau nach seinem Verfolger hielt, wies er den Fahrer an, zur Hauptpost zu fahren. Dort gab es glücklicherweise auch für Ferngespräche Selbstwählapparate, und nach mehreren vergeblichen Versuchen ertönte das Freizeichen von Kays Privatanschluss.

„Ja?" Adrian Kays Stimme klang auch über die Entfernung von vielen Tausend Kilometern erstaunlich deutlich. Allerdings klang sie auch sehr verschlafen.

„Guten Morgen, Sir. Hier spricht Stan Lundquist."

Kay schien plötzlich hellwach zu sein. „Wissen Sie eigentlich, wie spät es ist, Sie Unglücklicher? Was ist vorgefallen, dass Sie mich mitten in der Nacht wach klingeln?"

Lundquist antwortete ohne Umschweife: „Ich denke, ich bin von Canberra aus verfolgt worden. Es handelt sich um einen etwa dreißigjährigen Mann, ungefähr eins achtzig groß. Er hat dunkelbraune, mittellange Locken. Ich habe ihn vor ein paar Wochen auf der Inneren Station des St.-Anne's gesehen, und zwar mit einem weißen Kittel bekleidet. Möglicherweise hat er da als Aushilfe oder Krankenpfleger gearbeitet."

„Das wäre ja ein dicker Hund", erwiderte Kay. „Haben Sie ihm Anhaltspunkte gegeben, was Sie in Athen vorhaben?"

„Nein. Als ich ihn durch Zufall entdeckt habe, hatte ich meinen britischen Kollegen, übrigens Idwood Green, noch nicht kontaktiert. Wir haben uns seitdem nur telefonisch verständigt."

„Idwood Green? Sieh mal einer an ... Wie wollen Sie jetzt auf Grund der veränderten Lage vorgehen?"

Lundquist überlegte kurz, bevor er antwortete. „Green und ich sind, ehrlich gesagt, noch nicht ganz überzeugt davon, dass die Lage eine veränderte ist."

„Würden Sie mir das bitte näher erklären?"

Lundquist atmete einmal durch. „Sir, können Sie ausschließen, dass Mr. Harris oder Sie einen Beschützer oder Aufpasser hinter mir hergeschickt haben?"

„Ach, daher weht der Wind." Kay schien durchaus amüsiert. „Gekränktes Selbstbewusstsein, mein Lieber? Nein, nein, Sie können beruhigt sein, wir haben grenzenloses Vertrauen zu Ihnen. Umso beunruhigter sollten Sie nun allerdings über Ihren Schatten sein. Also, wie soll es weitergehen?"

„Ich habe mit Green zwar noch nicht darüber gesprochen, aber ich denke, dass es das Beste sein wird, wenn wir meinen Verfolger zumindest so lange über den Zweck meiner Athenreise im Unklaren lassen, bis wir die McKinley gesprochen haben. Womöglich scheidet sie auf Grund ihrer Aussage aus der ganzen Sache aus, und wir hätten die Pest am Hals, wenn wir den Kerl unnötig auf sie aufmerksam machen würden."

„Ich wusste ja gar nicht, dass Sie so umsichtig sein können." Der Chef wollte den entgangenen Schlaf offensichtlich durch Ironie wettmachen. „Das heißt aber mit anderen Worten, Green muss sich der McKinley alleine nähern. Ich vermute, Sie wollen Ihren Beschatter aus Athen weglocken?"

„Das hatte ich mir überlegt", stimmte Lundquist zu. „Allerdings weiß ich noch nicht, wohin. Dazu werde ich mich mit Green abstimmen."

„Gut, Stan, tun Sie, was Sie für richtig erachten. Sollte sich die Lage allerdings entscheidend ändern, spätestens durch eine Aussage der McKinley, nehmen Sie sofort Kontakt mit mir auf, haben Sie verstanden? Möglicherweise ist es dann an der Zeit, dass wir hier in Canberra das Versteckspiel aufgeben und etwas druckvoller agieren. Ach, und noch etwas: Passen Sie gefälligst auf sich auf!"

Eine Antwort konnte sich Lundquist sparen, denn Adrian Kay hatte bereits eingehängt. Er bezahlte am Schalter die Gebühren und ging dann hinaus auf die belebte Straße, wobei er unauffällig versuchte, seinen Verfolger zu entdecken. Der Bursche machte seine Sache wirklich gut, denn er war nirgends zu bemerken. Lundquist schlenderte die Straße hinunter und warf einen Blick in die Auslagen der Geschäfte. Zwei Straßenecken weiter stand eine Telefonzelle. Er trat hinein und wählte Greens Nummer im Hotel Tegea. Der Engländer meldete sich sofort.

„Hier Lundquist. Der Verfolger ist echt. Ich schlage vor, dass ich ihn aus Athen weglocke, und Sie sich um die McKinley kümmern. Danach treffen wir uns irgendwo."

„Einverstanden, ich hatte auch an so etwas gedacht. Mein Vorschlag: Lassen Sie sich vom Hotel für morgen früh eine Schiffspassage von Piräus nach Korfu buchen.

„Warum denn … Korfu?“, kam es leicht verblüfft zurück.

„Erstens ist es eine tolle Insel, auf der ich mich gut auskenne, und zweitens haben Sie ihn auf einer Insel leichter im Griff als auf dem Festland. Nehmen Sie von Kerkyra, dem Hauptort Korfus, ein Taxi zum Hotel Glyfada Beach in der Nähe von Pelekas. Haben Sie das? Gut. Es wird Ihnen dort gefallen und ich kenne außerdem auch die Telefonnummer des Portiers. Ich rufe Sie sofort an, wenn ich an die McKinley herangekommen bin, vielleicht sogar über Ihr Mobiltelefon.“

Stan hatte irgendwie den Eindruck, als nähme ihn der Engländer auf die Schippe, war aber mit dem Vorschlag einverstanden. „Okay, bis dann. Seien Sie vorsichtig.“

„Gleichfalls.“

Der Australier verließ die Telefonzelle, fuhr mit einem Taxi ins Hilton zurück und traf die nötigen Vorbereitungen für diese etwas unfreiwillige Urlaubsreise ins Ionische Meer.

Am nächsten Morgen beglich Lundquist seine Hotelrechnung, um noch rechtzeitig das Schiff nach Korfu zu erreichen, das um 9.30 Uhr Piräus verlassen sollte. Der Page hatte bereits seine beiden Reisetaschen im Taxi verstaut. Lundquist setzte sich in den Fond und warf einen kurzen Blick über die Schulter, als der Wagen anfuhr. Er sah seinen Beschatter im Hoteleingang auftauchen, die Straße überqueren und einen Fiat älterer Bauart besteigen. Der Australier wandte den Blick wieder nach vorne. Im selben Augenblick löste sich von der gegenüberliegenden Straßenseite ein gelber Suzuki-Jeep und fuhr mit hoher Geschwindigkeit in die gleiche Richtung wie Lundquists Taxi davon.

Stan lächelte, denn er hatte den Fahrer des Jeeps erkannt. Idwood Green schien auf ihn aufzupassen.

Canberra, Australien

Am Morgen nach Lundquists Anruf aus Athen empfing Adrian Kay seinen alten Mitkämpfer Daniel Harris zur wöchentlichen Arbeitsbesprechung. Mit Hilfe zweier handgewickelter Brasilzigarren und einiger Gläser schottischen Malzwhiskeys schafften sie es diesmal in knapp zwei Stunden, die anstehenden Probleme zu diskutieren und Entscheidungen zu treffen. Wie immer ließ sich Harris am Ende der Besprechung in den schweren Ledersessel zurücksinken und produzierte einige kunstvolle Rauchfiguren mit der schon recht kurzen Zigarre.

„Mir ist aufgefallen, dass wir gar nicht über Lundquists Eierdiebe gesprochen haben“, bemerkte er zwischen zwei Zügen und blickte Adrian Kay aufmerksam an.

„Ich wusste, dass du danach fragen würdest, mein Lieber. Ich wollte dich nur ein bisschen auf die Folter spannen und das Aktuellste am Schluss besprechen.“

„Also gibt es neue Entwicklungen?“

„Allerdings. Lundquist hat mich vor fünf Stunden per Telefon aus dem Bett geworfen. Man hat ihn tatsächlich bis Athen verfolgt und er hat mir eine Beschreibung seines Schattens durchgegeben. Meine Leute versuchen gerade, ihn zu identifizieren. Interessanterweise hat Lundquist ihn vorher schon einmal gesehen, und zwar in der Inneren Station des St.-Anne’s.“

Harris bemühte sich in seinem Sessel wieder in eine aufrechte Stellung und sog etwas heftiger an seinem Brasilstummel. „Sieh mal einer an, wer hätte das gedacht? Die Sache wird ja spannend! Ist der Bursche möglicherweise der Eierdieb, den wir suchen?"

Kay amüsierte sich über das Jagdfieber seines Freundes. „Der Verdacht ist nicht abwegig. Auf jeden Fall gewinnt der Fall an Brisanz. Da werden aus der Gynäkologischen Abteilung des St.-Anne's menschliche Eizellen entwendet, von denen eine von einer Martha McKinley stammt, die möglicherweise – und der Himmel möge dies verhüten – zum Beraterstab des britischen Premierministers gehört. Und dann wird unser Mann über mehrere Tausend Kilometer verfolgt. Das könnte allerdings bedeuten, dass wir unser Interesse auf die richtige Martha McKinley gerichtet haben."

„Und wenn es nicht die richtige ist?", fragte Harris zurück. „Ich habe mich in der Zwischenzeit schon häufiger gefragt, warum wir die anderen beiden Namensbasen nicht auch befragen."

„Ich wäre zunächst noch dagegen, Dan. Sieh mal, die Beraterin des Premierministers wäre die Einzige, die uns etwas angeht. Hast du vergessen, dass eine McKinley für einige Stunden hier in Canberra war? Wenn es sich dabei um die Gattin des Getränkezaren oder die schottische Grafentochter gehandelt hat, ist mir das ziemlich egal. Aber die Beraterin des britischen Premiers? Und womöglich heimlich? Dann hat sie vielleicht irgendeinen Fleck auf ihrer weißen Weste, und wir könnten auch nicht ausschließen, dass beim Eidiebstahl die Kollegen vom Secret Service die Finger im Spiel hatten."

Harris blickte seinen Freund verblüfft an. „Donnerwetter, der liebe Adrian hat sein Gehirn umgerührt! Sehr perfide. Hätte in dem Fall Sir Ronald nicht einen Tipp gegeben, als du ihn um die Aktivierung eines fähigen Mannes für Athen gebeten hast? Weißt du übrigens, wen er hingeschickt hat?"

„Zunächst, auch die Geheimdienste der Commonwealth-Länder haben Geheimnisse voreinander, und meine Aufgabe ist es, hinter diese Geheimnisse zu kommen, wenn sie unser Territorium betreffen. Deswegen war ich Verbündeten gegenüber schon immer recht misstrauisch, und die Schweinerei, die die Franzosen seinerzeit mit der *Rainbow Warrior* hier unten im Alleingang veranstaltet haben, hat mich leider in dieser Einstellung bestärkt. Außerdem habe ich Sir Ronald gegenüber nur sehr vage Andeutungen über unser Problem gemacht. Das Stichwort McKinley hat aber offensichtlich ausgereicht, um ihm Sorgen zu bereiten, denn er hat Idwood Green nach Athen in Marsch gesetzt.“

Harris pfiff durch die Zähne. „Da hat er sich ja richtig Mühe gegeben. Die Dame scheint ihm ja sehr am Herzen zu liegen.“

„Das habe ich mir auch gedacht. Also ist doppelte Vorsicht geboten.“

„Wie willst du weiter vorgehen?“

„Sobald wir eine Aussage der McKinley haben, sehen wir weiter. Erklärt sie die ganze Affäre, insbesondere ihren Kurzaufenthalt hier, befriedigend, können wir uns mit London irgendwie abstimmen.“

„Und wenn nicht?“, fragte Harris aufmerksam.

„Dann müssen wir das Versteckspiel aufgeben und uns ein paar Leute in der Klinik, allen voran Professor Callaghan, vorknöpfen. Bis dahin werden wir versuchen, so viel Material wie möglich über Lundquists Verfolger zu sammeln. Wenn wir hier tatsächlich zuschlagen, soll Lundquist diesem Burschen auch mal gehörig auf den Zahn fühlen.“

Athen, Griechenland

Martha McKinley wohnte in einem teuren Hotel am östlichen Stadtrand von Athen, von dem sie jeden Morgen mit einem grauen Rolls-Royce zum Tagungszentrum in die Innenstadt gefahren wurde, um dort mit den Vorstandsvorsitzenden anderer europäischer Großbanken über Globalisierung und Arbeitsmärkte sowie die Auswirkungen der Euro-Einführung zu diskutieren. Abends fanden dann regelmäßig Geschäftsessen in kleinerem Kreis statt, bei denen man die wirklich wichtigen Informationen auf den Tisch legte. So wurde es immer sehr spät, bis sie ins Hotel zurückkehrte.

An diesem Abend rollte der Rolls-Royce um 23.41 Uhr an Idwood Greens Jeep vorbei, der etwa hundert Meter vor dem Hotel parkte. Nachdem der Engländer in Piräus Lundquists Abreise nach Korfu überwacht hatte, war er den ganzen gestrigen Tag unterwegs gewesen, um Informationen über Martha McKinleys Tagesablauf zu gewinnen und sich Gedanken über eine unauffällige Kontaktaufnahme zu machen. Da das Tagungszentrum von griechischen Sicherheitskräften hermetisch abgeriegelt wurde und er sich auch keine Hoffnungen machte, zu einem Geschäftsessen mit den Bankenchefs eingeladen zu werden, blieb nur noch das Hotel übrig. Allmählich wurde ihm die Zeit lang.

Er sah zu, wie die betreffende Dame vor dem Hotelportal der Luxuslimousine entstieg und durch die Eingangstür schritt, und musste sich eingestehen, dass seine Annahme, Bankchefinnen seien alt und hässlich, ein dummes Vorurteil war. Die McKinley muss so gerade über die vierzig sein, dachte er, und neben der Arbeit viel Sport treiben. Sie bewegte sich mit der geschmeidigen Grazie, die er an Frauen so schätzte, und er konnte gerade noch sehen, wie sie ihre in leichten Wellen bis auf die Schultern fallende braun glänzende Haarpracht durchs Hotelfoyer trug.

Was ihm weniger gefiel, waren die zwei Aufpasser, die dem Rolls-Royce mit entstiegen waren und ihr aufmerksam folgten. Green stieg aus, schnippte die Zigarettenkippe an den Straßenrand und setzte sich in Richtung Hotel in Bewegung. Er betrat die Hotelhalle und schritt mit möglichst souveränem Gesichtsausdruck zum nächsten Lift. Der Portier sah ihm zwar kurz hinterher, kam aber glücklicherweise nicht auf die Idee, ihn nach seiner Zimmernummer zu fragen.

Green drückte den Knopf für die neunte Etage, in der Martha McKinley eine Suite gemietet hatte. Während der Aufzug nach oben glitt, betätigte er vorsichtshalber noch den Knopf für die zehnte Etage. So konnte er nach dem Öffnen der Tür frei in der Liftkabine stehen bleiben und sich einen Überblick über die Verhältnisse im Flur verschaffen, bevor sich die Tür wieder automatisch schloss und der Lift ins nächste Stockwerk weiter fuhr.

Der Aufzug stoppte sanft, als auf der Leuchtanzeige die Ziffer neun erschien. Die Tür öffnete sich. Etwa sechs Meter war die Suite der McKinley von ihm entfernt.

Zu weit, dachte Green, denn die beiden Leibwächter hatten sich schon von ihren Stühlen, die vor der Zimmertür standen, erhoben und beäugten ihn misstrauisch. Idwood setzte ein verbindliches Lächeln auf und wartete bewegungslos darauf, dass sich die Tür zur Weiterfahrt wieder schloss. Als der Lift im zehnten Stock hielt, drückte Green den Knopf „Foyer“ und ließ sich wieder nach unten bringen. Er kehrte zum Jeep zurück und kratzte sich nachdenklich am Kopf.

So ging es also auch nicht.

Und morgen Abend um 20.30 Uhr flog Martha McKinley nach London zurück. Er musste sich spätestens für den Flughafen irgendetwas einfallen lassen, beschloss aber zunächst, die Nacht im Jeep zu verbringen. Vielleicht bot sich ja doch noch eine unvermutete Gelegenheit zu einem kurzen Gespräch mit der Bankchefin. Idwood Green langte ins Handschuhfach, wo er einen Flachmann mit wasserverdünntem Ouzo verstaut hatte, und nahm einen Schluck. Dann klappte er den Sitz zurück und schlummerte sofort ein.

Gegen 7 Uhr am Morgen lugten die Sonnenstrahlen über die Alleebäume und das grelle Licht im Gesicht weckte ihn. Er griff in seine Proviantkiste und aß etwas Brot mit Schafskäse und Oliven. Dabei dachte er an Stan Lundquist. Dieser Glückspilz durfte sich auf seine Lieblingsinsel verfolgen lassen und er schlug sich auf einem Autositz die Nacht um die Ohren.

Um 9.30 Uhr wurde er langsam unruhig. Normalerweise begannen die Konferenzen der McKinley um 9 Uhr. In ihm keimte die Hoffnung auf, dass die Dame am letzten Tag ihres Aufenthaltes vielleicht gar keine Verhandlungen zu führen hatte und stattdessen etwas ausspannen wollte. Eine kleine Chance, vielleicht! Um 10.20 Uhr fuhr der Rolls-Royce endlich vor und die McKinley trat, von ihren Leibwächtern begleitet, aus dem Hotel. Green setzte ein kleines Opernglas an die Augen und lächelte leicht. Das war zweifellos Freizeitgarderobe, was sie da trug.

Als der Rolls-Royce mit der Bankchefin um die Ecke verschwand, brauste Green auf das Hotelportal zu und hielt mit quietschenden Reifen. Er sprang aus dem Jeep, stürmte ins Foyer und rannte auf den Portier zu.

„Dringende Nachricht für Mrs. McKinley. Bitte melden Sie mich!“

Er konnte nur beten, dass der junge Portier auf seinen albernen Bluff hereinfiel.

„Aber die Dame ist gerade weggefahren, Sir“, sagte der Junge aufgeregt.

Green schnauzte ihn an: „Heute finden doch gar keine Konferenzen mehr statt!“

Der Portier bemühte sich eifrig, ihm die Überbringung der dringenden Nachricht doch noch zu ermöglichen. „Das stimmt, Sir. Sie ist zu einem kleinen Ausflug aufgebrochen. Ich glaube, sie wollte sich Kap Sunion anschauen.“

Wenige Sekunden später bog Green mit singenden Reifen von der Hotelauffahrt auf die Ausfallstraße ab. Gerade noch in Sichtweite orientierte sich der graue Rolls-Royce an einer großen Kreuzung nach links. Green folgte ihm in gehörigem Abstand, bis er sicher war, dass er wirklich in Richtung Kap Sunion fuhr und nahm dann die Geschwindigkeit zurück. Nur nicht auffallen, dachte er. So eine Karosse würde er in der Nähe des berühmten Poseidontempels schon wiederfinden.

Martha McKinley genoss den freien letzten Tag in Griechenland. Sie hatte ihrem Fahrer Anweisung gegeben, langsam zu fahren, damit sie die Landschaft ausgiebig betrachten konnte. An viel versprechenden Aussichtspunkten ließ sie halten und ging ein wenig spazieren, um den wundervollen Anblick des Ägäischen Meeres in sich aufzunehmen. So dauerte die Fahrt zum Südzipfel Attikas doch nahezu drei Stunden. Die Britin ließ den Rolls-Royce auf einem Touristenparkplatz unweit des Poseidontempels abstellen, um den halb verfallenen Tempel vor den Weiten der Ägäis zu Fuß zu erkunden.

Von der Terrasse eines Ausflugslokals aus beobachtete Idwood Green die Bankchefin durch sein Opernglas. Zwei Gläser Retsina dauerte es, bis die Spannung in ihm etwas nachließ;

Martha McKinley kam mit ihren zwei Aufpassern auf das Lokal zu. Green schüttete unauffällig den Rest aus seiner Retsinaflasche in den Sand und ging in die Taverne hinein, um sich an der Bar eine neue Flasche zu kaufen.

Das Timing war nahezu perfekt.

Die McKinley setzte sich an einen Tisch und schickte einen ihrer Begleiter zur Bar, um die Getränke zu bestellen. Mit ausdruckslosem Gesicht ging Green an ihm vorbei hinaus und setzte sich an einen Nebentisch. Martha McKinleys Rücken war etwa einen halben Meter von dem seinen entfernt.

Jetzt oder nie, Idwood, dachte er, goss sich aus der Flasche etwas geharzten Wein ein und fegte dabei gekonnt ungeschickt den quietschroten Plastikaschenbecher vom Tisch. Als er sich zur Seite bückte, um ihn wieder aufzuheben, hatte sich auch die McKinley umgedreht und lächelte ihm irritiert zu. Dabei verdeckte sie mit ihrem Körper dem anderen Leibwächter die Sicht.

„Ich bin Idwood Green vom Secret Service, Madam", flüsterte Green ihr zu. Die McKinley hatte erstaunlich gute Nerven, denn sie blickte ihn aus ihren braunen, ausdrucksvollen Augen abschätzend an, ohne dass er ein Anzeichen von Aufregung bemerkt hätte.

Während er sich bereits langsam wieder aufrichtete, sprach er eiligst und kaum vernehmbar weiter. „Nur eine Frage: Waren Sie vor zweieinhalb Monaten in Canberra?"

Auch Martha McKinley drehte sich jetzt langsam wieder zu ihrem Tisch um. „Nein, wieso?", gab sie ebenso leise zurück. „Ich wüsste auch nicht, was Sie das anginge!"

Sie wandte sich vollends von ihm ab und blickte ihrem zweiten Begleiter entgegen, der mit den Getränken anrückte.

Idwood Green nahm nachdenklich einen Schluck Retsina.

Sie hatte ohne Zögern geantwortet und mit ein bisschen mehr Glück hätte sie ihn überzeugen können. Ihr Pech war, dass der Leibwächter mit dem Getränketablett genau in dem Moment die verspiegelte Eingangstür geöffnet hatte, als sich Green nach seiner Frage wieder auf den Stuhl setzte. Im Spiegel hatte er ihr Gesicht sehen können; es zeigte einen gehörigen Schrecken.

Green setzte das Glas ab, erhob sich vom Stuhl und ging, ohne noch einmal zurückzublicken, zu seinem Jeep.

Glyfada Beach, Korfu, Griechenland

Stan Lundquist watete vergnügt aus dem klaren, blauen Wasser an den Strand. Genug für heute, dachte er, sonst hole ich mir trotz Sonnenschutzfaktor 25 noch einen mächtigen Sonnenbrand. Green hatte Recht gehabt: Auf dieser Insel konnte man es wirklich aushalten. Stan ging zu seinem Sonnenschirm und trocknete sich kurz ab. Dann zog er ein T-Shirt über, packte seine Sachen zusammen und marschierte die etwa zweihundert Meter zum Hotel zurück. Jetzt freute er sich auf eine kalte Dusche, um das Salzwasser vom Körper zu spülen. Er ließ sich vom Portier den Schlüssel geben und fuhr mit dem Lift hinauf in den vierten Stock. In seinem Zimmer öffnete er die Tür der Terrasse und blickte noch einmal auf das Meer hinaus. Adrian Kay müsste mich jetzt sehen, dachte er und lächelte in sich hinein. Gerade, als er ins Bad wollte, klingelte das Telefon neben dem Bett.

Seufzend nahm er ab und hörte nur einen kurzen Satz: „Hier spricht *Tegea*, ich warte."

Dann wurde sofort wieder aufgelegt. Lundquist war beeindruckt. Green ging nicht das kleinste Risiko ein und ließ seinem Beschatter keine Chance, ihr Telefongespräch mitzuhören, sei es durch eine Wanze oder mit Hilfe einer bestechlichen Telefonistin in der Hotelvermittlung. Stan verzichtete schweren Herzens auf die Dusche und setzte sich in Bewegung. Auf dem Hotelparkplatz stand sein gemieteter Motorroller. Er quälte ihn die Serpentinen hoch, mit denen sich die schmale Straße von der malerischen Badebucht aus einen Weg in die Berge bahnte. Nach knapp zehn Minuten kam er zu der Abzweigung, von der aus eine kurvenreiche Straße durch prächtige Olivenhaine hindurch nach Pelekas hinaufführte. Als er das Dorf erreicht hatte, steuerte er den Supermarkt an, wo es einen Münzfernsprecher gab. Gleich beim ersten Versuch kam die Verbindung mit Athen zustande.

„Ja?“

„Hier Lundquist. Ich bin in Pelekas am Supermarkt. Haben Sie die McKinley gesprochen?“

Green lachte leise. „Gesprochen ist wohl nicht der richtige Ausdruck. Sagen wir mal, ich habe sie kurz gefragt.“

„Ja, und weiter? Lassen Sie sich doch nicht jedes Wort aus der Nase ziehen. Was hat sie geantwortet?“

„Dass sie nicht in Canberra gewesen ist.“

„Das war alles? Mehr hat sie nicht gesagt?“

„Wenn Sie dabei gewesen wären, Lundquist, wüssten Sie, dass ich froh bin, dass sie überhaupt geantwortet hat.“

„Das heißt also, dass es sich bei der Australienbesucherin um eine der anderen beiden Martha McKinleys gehandelt hat!“ Enttäuschung schwang in Lundquists Stimme mit.

„Nein, heißt es nicht. Sie hat mich angelogen.“ Green sprach das so neutral aus, als hätte er gerade den Wetterbericht von Südengland vorgelesen.

„Sie hat gelogen? Woher wollen Sie denn das so genau wissen?“

Green beschrieb nun doch die Begegnung mit der Bankchefin. Kurze Zeit war Stille in der Leitung.

Dann fragte Lundquist zweifelnd: „Aber meinen Sie nicht, dass sie deshalb so erschrocken aussah, weil ihr plötzlich ein Geheimagent ins Ohr raunt, und zwar aus völlig heiterem Himmel?“

„Hm, mag sein. Aber stellen Sie sich mal vor, Sie seien verantwortlich für die Geschäfte der größten britischen Bank. Wie, meinen Sie, wären Sie zu diesem Posten gekommen? Weil Sie so adrett lächeln und nett anzuschauen sind? Nein, Mann, an einen solchen Posten kommt man nur, wenn man sich völlig cool und mehr oder weniger skrupellos seinen Weg durch die inner- und außerbetriebliche Konkurrenz bahnen kann. Immerhin gebietet die McKinley über ein Finanzimperium, dessen Bilanzsumme zusammengerechnet größer ist als das englische Staatsbudget. Und jetzt frage ich Sie: Würden Sie in einer solchen Position einem völlig Unbekannten, der sich als Beamter des Secret Service ausgibt, in einem griechischen Ausflugslokal eine solche Frage so ohne Umstände beantworten? Na, sehen Sie, ich auch nicht. Ich an ihrer Stelle hätte die beiden Gorillas auf mich gehetzt, aber das hat sie nicht getan. Sie hat sich bemüht, das Frage- und Antwortspiel vor ihren Beschützern zu verbergen. Das kann nur heißen, dass sie meine überraschende Frage in Verbindung mit dem Begriff Secret Service in eine unterbewusste Verteidigungsposition gebracht hat, was im Umkehrschluss bedeutet, dass ihre spontane Antwort aller Wahrscheinlichkeit nach falsch war. Außerdem hat sie sich erst bei meiner Frage erschreckt und nicht vorher.“

„Sie sind ja ein richtiger Psychofreak! Sie wäre also tatsächlich in Canberra gewesen, und dazu noch heimlich? Ich kenne einige Leute, die zu rotieren anfangen, wenn ich ihnen das berichtet habe."

„Ich befürchte, wir beide werden auch zu diesen Leuten gehören." Bei dieser Aussicht klang Greens Stimme wenig begeistert. „Was macht eigentlich Ihr Schatten?"

„Er ist wirklich gut. Wenn ich ihn nicht schon auf dem Flughafen zufällig entdeckt hätte, ich glaube, er wäre mir nicht aufgefallen. Er wohnt im selben Hotel wie ich und hat sich ein Motorrad gemietet, damit ich ihm mit meinem Roller nicht abhaue."

„Was haben Sie jetzt vor?"

„Ich werde zuerst einmal Canberra unterrichten und mich in etwa einer Stunde wieder bei Ihnen melden, einverstanden?"

„Okay", antwortete Green. „Aber trödeln Sie nicht unnötig. Ich will mir heute Abend in der Plaka noch einen hinter die Binde kippen."

Lundquist grinste in sich hinein, legte auf und ging dann hinaus zu seinem Roller, um die zehn Kilometer bis zum Hauptort Kerkyra unter die Räder zu nehmen.

Als er den Hafen erreichte, fuhr er zum Abfertigungsgebäude der Italienfähren und betrat die nächste Telefonzelle. Erst als das Freizeichen von Kays Privatanschluss zu hören war, fiel Lundquist ein, dass es zwischen Griechenland und Australien eine beträchtliche Zeitverschiebung gab. Der Chef wurde neuerdings häufiger mitten in der Nacht geweckt, dachte er ohne viel Mitleid.

Trotz der großen Entfernung klang die Stimme des Alten sehr deutlich und sehr laut. „Ich weiß nicht, wer mich mitten in der Nacht anruft, aber wenn Sie es sind, Stan, dann haben Sie hoffentlich einen guten Grund!“

Lundquist musste lachen. „Guten Morgen, Sir. Wie geht es Ihnen?“

„Sparen Sie sich gefälligst Ihre scheinheiligen Fragen. Was gibt's?“

Lundquist informierte ihn knapp über die Vorfälle der letzten beiden Tage.

„Das heißt also, sie war heimlich hier. Teufel aber auch, warum macht sie denn so was?“ Kay atmete hörbar durch. „Da werden wir jetzt mal etwas energischer zur Sache gehen und das Versteckspiel aufgeben. Sie übrigens auch, Stan Lundquist! Wie ich Ihrem Kurzbericht entnehmen durfte, haben Sie die letzten beiden Tage lediglich am Strand herumgelungert. Damit ist jetzt Schluss. Knöpfen Sie sich Ihren Verfolger vor. Es handelt sich übrigens um einen gewissen David Mitchell. Zumindest nannte er sich hier in Canberra so. Auf Grund Ihrer Beschreibung haben wir ihn als einen Krankenpfleger der Inneren Station des St.-Anne's identifiziert. Er hat vor einer Woche ohne Angabe von Gründen gekündigt. Mehr kann ich Ihnen leider nicht über den Kerl sagen, er hat nämlich offensichtlich kein Vorleben. Die Referenzen, die er bei seiner Anstellung vor drei Monaten vorgelegt hat, sind gefälscht. Außerdem hat er hier möbliert gewohnt und alle Spuren seiner Anwesenheit gründlich beseitigt. Er ist kein Amateur, passen Sie also auf.“

„Ich werde mir Mühe geben, Sir. Wir haben zudem den Vorteil, dass er von Greens Existenz nichts weiß.“

„Hoffen wir's“, meinte Kay skeptisch. „Und noch etwas, Stan. Gehen Sie mit Mitchell ein wenig vorsichtig um, er könnte unsere einzige Spur sein.“

Lundquist hielt den Hörer noch einige Sekunden nachdenklich in der Hand, nachdem Kay aufgelegt hatte. Dann wählte er die Nummer von Idwood Green. Der Engländer nahm sofort ab.

„Na, war Ihr Chef begeistert?“

„Ja, vor allen Dingen über den Zeitpunkt des Anrufs. Aber Spaß beiseite. Wir sollen uns meinen Schatten – er heißt David Mitchell – zur Brust nehmen.“

„Dazu sollten wir uns wohl treffen. Bloß wo?“ Green überlegte kurz. „Hm, so könnte es gehen. Kaufen Sie sich eine Karte für die Fähre nach Ancona, und zwar für morgen früh. Passen Sie auf, dass Mitchell das mitkriegt und sich auch eine Karte kauft, sonst fahren wir alleine mit dem Schiff und Ihren Chef ereilt ein Herzinfarkt.“

„Wieso gerade Ancona?“

„Die Fähre fährt fünfundzwanzig Stunden, Zeit genug, sich mit Mitchell eingehend zu unterhalten. Zudem sollten wir in Betracht ziehen, dass er Schwierigkeiten macht. Dann bieten sich nachts auf offener See ganz andere Möglichkeiten an zu reagieren – und schließlich, wir steigen in einem anderen Land aus, was von Vorteil sein kann, weil die Fähre griechisches Hoheitsgebiet ist. Es gibt noch einen weiteren Grund für diese Reise, aber darüber reden wir erst auf dem Schiff.“

Lundquist war zornig. „Sie denken aber auch an alles, wie? Haben Sie sich etwa auch schon überlegt, mit welcher Waffe wir ihn töten könnten, Sie …, Sie …“

„Sprechen Sie sich ruhig aus, mein Lieber. Ich habe lediglich versucht, alle möglichen Schwierigkeiten auszuloten. Das tue ich immer, seitdem ich diesen Job habe. Und vermutlich lebe ich deswegen noch. Meinetwegen können Sie Mitchell aber auch mit Ihrem Mobiltelefon winken und ihn fragen, ob er Sie verfolgt, weil die McKinley heimlich in Canberra war, oder deshalb, weil Sie den Eidiebstahl entdeckt haben."

„Schon gut, entschuldigen Sie. Sie haben ja Recht, langsam muss man mit allem rechnen. Wir treffen uns also morgen auf der Fähre?"

„So ist es. Ich werde mit dem Auto nach Igoumenitsa fahren, um schon dort die Fähre zu erwischen. Ich bin also bereits an Bord, wenn Sie zusteigen."

„Dann also bis morgen, Green."

„Warum sagen Sie eigentlich nicht Idwood zu mir?"

Lundquist lachte. „Okay, Idwood. Ich freue mich, Sie endlich mal persönlich kennen zu lernen."

„Iassou."

Der Australier wollte noch fragen, was das auf Englisch bedeutete, aber sein Gesprächspartner hatte bereits aufgelegt.

San José, Costa Rica

Der Abend brach herein, und die leichte Abkühlung, die er mitbrachte, war auch an diesem Tag von vielen Menschen in der mittelamerikanischen Hauptstadt herbeigesehnt worden. Seit zwei Wochen litt Costa Rica unter enormen Temperaturen mit hoher Luftfeuchtigkeit, die das alltägliche Leben zur Qual werden ließen. Vor allem in den heruntergekommenen Häusern am Rande der Stadt warteten die Menschen sehnlichst auf eine Wetteränderung. Siebzehn Tote hatte die Hitze bereits gefordert, und die immer spärlichere Trinkwasserversorgung und die katastrophalen hygienischen Verhältnisse ließen bei einem Andauern des gegenwärtigen Klimas das Schlimmste befürchten.

In dem großen weißen Herrenhaus im Kolonialstil unweit der amerikanischen Botschaft traten solche Probleme nicht auf. Thermopanefenster und eine ausgezeichnete Klimaanlage sorgten für ein konstantes Innenklima. Die Mittelamerika-Zentrale der *PanAmericanFruit Company* residierte auf einem kleinen Hügel inmitten eines großen, gepflegten Parks. Hinter den großen Fenstern im oberen Stockwerk brannte noch Licht.

Greg Salewski saß an einem schweren Mahagonischreibtisch und arbeitete. Er wurde in einer Stunde zu einer Party beim costa-ricanischen Innenminister erwartet und skizzierte einige Probleme, die er am Rande dieses gesellschaftlichen Ereignisses unbedingt mit Seiner Exzellenz Antonio Cuatrecasas erörtern wollte.

Greg Salewski war Vizepräsident der *PanAmericanFruit Company* und Generalbevollmächtigter des Konzerns für Mittelamerika. Er hatte in Harvard Wirtschaftswissenschaften studiert und war dank seines immensen Fachwissens und der nötigen Skrupellosigkeit in weniger als sechs Jahren bis in die Konzernspitze aufgestiegen. Vor zwei Jahren hatte ihn die New Yorker Zentrale nach Costa Rica geschickt, um die Monopolstellung des Lebensmittelgiganten in Mittelamerika zu festigen.

Der Grundbesitz der *PanAmericanFruit* war unter seiner Leitung weiter gewachsen, was sich nicht zuletzt dadurch erklärte, dass er mit seinen Geschäftspartnern wenig zimperlich umsprang. Widerspenstige Kleinbauern, die ihr Land auf keinen Fall verkaufen wollten, wurden dabei auch schon einmal durch die firmeneigene Schlägertruppe so lange in Angst und Schrecken versetzt, bis sie ihre Meinung änderten. Nach dem Verlust ihres Landes, das ihren Lebensunterhalt bedeutete, blieb ihnen meist keine andere Wahl, als sich für Niedriglöhne bei der *PanAmericanFruit* zu verdingen. Und in besonders hartnäckigen Fällen hatte sich bisher immer irgendein Politiker finden lassen, der als Gegenleistung für eine Villa in Florida einen Inhaftierungsgrund konstruierte und das in der Folge konfiszierte Land Greg Salewski zu günstigen Konditionen anbot.

Seit einigen Monaten hatte sich die Situation allerdings entscheidend verändert, und Salewski war nicht sehr glücklich darüber. Nach einer bemerkenswert gewaltarmen Revolution, an der sich auch die gemäßigten Militärs beteiligt hatten, war eine Linksregierung gewählt worden. Die Gerüchte über eine bevorstehende Verstaatlichung bedeutsamer Besitztümer, die sich seitdem in San José hielten, bereiteten Greg Salewski und der Zentrale in New York fundamentale Sorgen. Vor allem auch deshalb, weil es bisher nicht gelungen war, auf irgendeines der neuen Regierungsmitglieder Einfluss zu gewinnen. Umso wichtiger war deshalb die Teilnahme an der großen Party, die Innenminister Antonio Cuatrecasas heute Abend anlässlich der Verlobung seiner Tochter in seiner Residenz gab.

Es ging auf 21 Uhr zu. Salewski griff zum Haustelefon und bestellte seinen Wagen vor das Hauptportal. Bevor er das Büro verließ, kontrollierte er im Spiegel noch einmal den Sitz des maßgeschneiderten Abendanzugs. Dann ging er hinunter und nahm im Fond des schwarzen Lincoln Platz, den der Chauffeur gerade vorgefahren hatte.

Als der *PanAmericanFruit*-Manager die Eingangshalle der Ministerresidenz betrat, staunte er nicht schlecht. Es waren weit mehr Gäste bei dieser Verlobungsfeier, als er angenommen hatte. Vor der großen Freitreppe standen vier weiß gekleidete Köche hinter einem bombastischen kalten Büfett. Eine Menschentraube umlagerte die erlesenen Köstlichkeiten, und die Hauptperson des Abends hatte sich gerade eine Portion Parmaschinken mit Honigmelone auflegen lassen.

Laura Cuatrecasas sah wirklich bezaubernd aus. Zu ihrem dunklen Teint und den langen schwarzen Haaren trug sie ein trägerloses, weißes Abendkleid, das um den Busen herum so knapp und eng saß, dass es ihr und allen männlichen Betrachtern den Atem nahm.

Greg Salewski riss sich von ihrem Anblick los und hielt Ausschau nach ihrem Vater. Antonio Cuatrecasas stand mit einigen Gästen auf halber Höhe der großzügigen Rundtreppe, die in das Obergeschoss führte, und unterhielt sich angeregt.

„Einen Drink, Señor?"

Ein Kellner mit einem Tablett voller Martinis stand neben Salewski. Der Amerikaner zögerte kurz. Dann legte er ihm ein großzügiges Trinkgeld auf das Tablett und sagte: „Einen Moment, bitte. Tun Sie mir den Gefallen und übergeben Sie dem Gastgeber eine Nachricht von mir." Er schrieb etwas auf ein Notizblatt, faltete es zusammen und legte es zu dem Trinkgeld.

„Sicher, Señor, vielen Dank." Zielstrebig verschwand der Kellner in Richtung Treppe.

Zehn Minuten später sprach er Greg Salewski wieder an. „Seine Exzellenz bittet Sie, in einer halben Stunde in der Bibliothek zu sein."

Salewski atmete auf und nahm sich einen Martini.

Um 22.32 Uhr klopfte er an die hohe Eichentür der Bibliothek.

„Herein."

Der Innenminister saß auf einem schweren Ledersofa und lächelte ihm jovial entgegen. „Ich hoffe, unser kleines Fest gefällt Ihnen, Señor Salewski."

„Ich bitte Sie, Exzellenz, wie könnte es nicht? Allein der Anblick Ihrer Tochter macht den Besuch bei Ihnen zu einem Erlebnis. Ich kann nicht umhin zuzugeben, dass ich ihren Verlobten beneide."

„Sie sind ein Charmeur. Ich werde Ihr Kompliment an meine Tochter weitergeben, wenn Sie gestatten. Allerdings vermute ich, dass Sie mich nicht sprechen wollten, um über die Schönheit von Laura zu plaudern."

Salewski nickte. „Das ist allerdings richtig, Exzellenz. Ich habe um diese Unterredung gebeten, weil ich ein Problem mit Ihnen erörtern möchte. Ich werde mich bemühen, Sie nicht allzu lange von Ihren Gästen fernzuhalten."

Der Minister machte eine gewährende Geste. „Bitte, Señor Salewski, was haben Sie auf dem Herzen?"

„Exzellenz, seit mehreren Wochen halten sich hartnäckig Gerüchte über weitreichende Enteignungs- und Verstaatlichungspläne der neuen Regierung. Sie gehören dieser Regierung an. Ich wäre Ihnen sehr verbunden, wenn Sie sich dazu äußern könnten."

Cuatrecasas blickte ihn an. „Ich kann mir schon denken, dass Sie etwas beunruhigt sind. Ihrem Konzern gehört schließlich halb Costa Rica. Sehen Sie, Sie sind lange genug in unserem Land, um die Menschen und die politische Lage genau genug zu kennen. Ich brauche Ihnen deshalb nicht zu erläutern, dass die jetzige Regierung nur gewählt werden konnte, weil das Volk konsequent dafür eingetreten ist, das alte korrumpierte Regime abzulösen. Dabei kann man nur von Glück sagen, dass die Militärs dies nicht nur geduldet, sondern zu großen Teilen sogar aktiv unterstützt haben. Aber etwas Glück gehört immer dazu, finden Sie nicht? Hierbei möchte ich es das ‚Glück der Tüchtigen' nennen."

Greg Salewski begann zu ahnen, dass ihm sein Gegenüber mehr Widerstand entgegensetzen würde als erwartet.

„Nun, Señor Salewski, man soll sein Glück nicht versuchen, will heißen, die Regierung kann das Umbauprogramm, das sie anstrebt, nur behutsam angehen, um nicht unnötige Widerstände bei reaktionären Kräften zu provozieren. Diese Behutsamkeit findet allerdings dort ihre Grenzen, wo abzusehen ist, dass das Volk schnelle Veränderungen will. Wir wollen schließlich keine weiteren Aufstände riskieren, und dazu ist es unerlässlich, einige Punkte des Umbauprogramms unverzüglich anzugehen. Dazu gehören auch die von Ihnen angesprochenen Pläne zur Rückführung von Produktionsmitteln in Volkseigentum."

Salewski wurde sehr hellhörig. „Zählen Sie zu diesen Produktionsmitteln auch Grund und Boden?"

Süffisant lächelte der Minister. „Ach, Señor Salewski, jetzt stellen Sie sich dümmer, als Sie sind. Ihr Konzern hat in den letzten hundert Jahren und bis zum heutigen Tage, auch unter Ihrer Direktive, von vielen Kleinbauern Land aufgekauft und die Besitzlosen dann zu Niedrigstlöhnen auf ihrem ehemals eigenen Grund und Boden zur Gewinnmaximierung der *PanAmericanFruit Company* eingestellt. Glauben Sie, die Leute hätten das vergessen? Es liegt doch nur nahe, dass wir einen Teil dieses Landes wieder den ursprünglichen Eigentümern zur Verfügung stellen wollen."

Greg Salewski sah seinen Gesprächspartner durchdringend an. „Exzellenz, Sie sollten dabei allerdings nicht vergessen, dass ein Großteil der Infrastruktur Ihres Landes von der *PanAmericanFruit* finanziert und ausgebaut worden ist. Ich erinnere auch daran, dass Ihr Bruttosozialprodukt ohne unsere Präsenz lange nicht das wäre, was es heute ist."

Zornig musterte ihn Cuatrecasas. „Ich glaube, es ist nicht nötig, dass Sie mir erklären, wie der Begriff ‚Bananenrepublik' in aller Welt bekannt geworden ist. Die jetzige Regierung ist fest entschlossen, Risiken in Kauf zu nehmen, um die Identität des costa-ricanischen Volkes auch auf wirtschaftlichem Gebiet wiederherzustellen. Es gibt auch noch andere Finanzquellen, aus denen wir schöpfen können."

Salewski lächelte ihn kalt und herablassend an. „Das würde ich mir an Ihrer Stelle allerdings nicht so einfach vorstellen, Exzellenz. Ich persönlich glaube von den hehren Zielen Ihrer Regierung nicht einmal die Hälfte. Sie können davon ausgehen, dass wir alle Hebel in Bewegung setzen werden, um zu verhindern, dass Sie unseren Spielraum hier einengen; und Sie wissen, unsere Hebel sind sehr lang."

Einen Moment lang saß Cuatrecasas regungslos auf dem Ledersofa und blickte den Manager starr an. Dann erhob er sich abrupt. „Ich muss mich jetzt wieder um meine Gäste kümmern, Señor. Betrachten Sie unsere Unterredung als beendet. Alles Wichtige ist ohnehin gesagt." Er deutete zur Tür.

Salewski verließ wortlos die Bibliothek, ging mit schnellen Schritten die große Treppe hinunter und ließ sich von seinem Chauffeur zurückfahren.

Trotz der vorgerückten Stunde wählte er in seinem Büro die Telefonnummer der New Yorker Konzernzentrale. Das Gespräch, das er mit dem Konzernchef, Alexander Anaheim, führte, sollte noch weit reichende Konsequenzen haben.

II. Kortikalreaktion

Canberra, Australien

Am Morgen nach Lundquists Anruf aus Korfu war Adrian Kay schon sehr früh in seinem Büro, um die Post zu sichten und die anfallenden organisatorischen Aufgaben zu erledigen. Gegen 10 Uhr ließ er sich zum Hauptquartier der Auslandsabteilung fahren, wo sein Freund Daniel Harris residierte.

Die Dame in Harris' Vorzimmer kannte er fast so lange wie ihn selbst. Isobel Cummings war achtundfünfzig Jahre alt und der gute Geist des eingefleischten Junggesellen. Kay lächelte sie freundlich an.

„Guten Morgen, Isobel. Wie geht's, wie steht's? Ist Ihr Chef schon da?"

„Danke der Nachfrage, Mr. Kay. Mr. Harris ist in seinem Büro und instruiert gerade zwei Mitarbeiter. Sie werden aber gleich fertig sein. Bitte nehmen Sie noch ein paar Minuten Platz."

Kay hatte die Erfahrung gemacht, dass es besser war, Mrs. Cummings nicht unnötig zu verärgern und setzte sich deshalb ergeben in einen Sessel. Als kleine Entschädigung für den Zeitverlust fasste er den Entschluss, eine dieser ausgezeichneten Brasilzigarren in Brand zu setzen. Als die ersten Qualmwolken aufstiegen, warf ihm die Cummings einen vernichtenden Blick zu und stand dann auf, um das große Zimmerfenster zu öffnen. Kay amüsierte sich königlich und paffte mit wachsendem Genuss weiter.

Als sich sechs Minuten später die Tür zu Harris' Büro öffnete und die beiden Agenten ihren Chef verließen, war seine

Sekretärin hinter den dichten Schwaden kaum noch zu erkennen. Kay erhob sich und betrat mit der Zigarre im Mund das elegant eingerichtete Arbeitszimmer seines Freundes.

Der begrüßte ihn seufzend. „Warum musst du sie eigentlich immer ärgern? Jetzt wird sie mir wieder den ganzen Tag damit in den Ohren liegen, was ich doch für schlecht erzogene Freunde habe."

„Sie hat so etwas an sich, dass mich fünfzig Jahre jünger macht." Kay schien sich diebisch über seinen Streich zu freuen. „Vor der Standpauke kann ich dich allerdings erretten, alter Junge. Ich wollte dich nämlich fragen, ob du Lust hast, wieder einmal Außendienst zu machen?"

Harris' Stimmung hob sich schlagartig. „Das ist eine famose Idee. Natürlich begleite ich dich. Lass uns gehen; du kannst mir im Auto erklären, worum es geht." Er ergriff Kays Oberarm und schob ihn unternehmungslustig zur Tür.

Im Vorzimmer blieb er kurz an Isobel Cummings' Schreibtisch stehen. „Ich bin heute bis auf weiteres außer Haus, Isobel. Sollte etwas Dringendes sein, versuchen Sie es bitte über das Funktelefon im Auto oder über mein Mobiltelefon."

Isobel Cummings nickte und versuchte gleichzeitig, Adrian Kay mit Blicken zu erdolchen. Harris schob ihn aus dem Vorzimmer hinaus.

„Bloß schnell weg, sonst wirft sie dir noch ihren PC ins Kreuz!", meinte er und schloss die Tür. Lachend gingen die beiden grauhaarigen Herren die breite Treppe zum Hauptportal hinunter.

Nachdem sie im Fond von Kays Dienstwagen Platz genommen hatten, wurden sie jedoch schnell wieder ernst. Kay ließ die automatische Trennscheibe herunter und wies seinen Chauffeur an. „Fahren Sie uns bitte zum St.-Anne's-Hospital,

Dawson." Während er die Scheibe wieder hochgleiten ließ, blickte ihn Harris neugierig an.

„Lass mich raten! Lundquist hat dich heute Nacht wieder geweckt."

Kay nickte.

„Und? Haben die beiden die McKinley gesprochen?"

„Jein. Lundquist ist mit seinem Verfolger Dave Mitchell nach Korfu ausgewichen, um ihn abzulenken. Green hat es allerdings geschafft, ein paar Worte mit ihr zu wechseln. Sie hat abgestritten, hier in Canberra gewesen zu sein."

„Aber?", fragte Harris, der den Unterton heraushörte.

„Wenn ich Lundquist am Telefon richtig verstanden habe, ist Green felsenfest davon überzeugt, dass sie ihn angelogen hat."

Harris runzelte die Stirn. „Da Lundquist ihre Akte in Professor Callaghans Karteischrank gefunden hat und ihre Eizellen in dessen Abteilung eingefroren waren, können wir wohl davon ausgehen, dass sie zumindest das Hospital besucht hat. Bleibt die Frage offen, ob sie außer diesem Besuch noch einen anderen Anlass für ihre Heimlichtuerei hat."

„Darüber habe ich auch schon nachgedacht", erwiderte Kay. „Aber bisher können wir nur reine Hypothesen aufstellen. Und um das zu ändern, werden wir in ein paar Minuten diesem Professor Callaghan auf den Zahn fühlen."

Zehn Minuten später standen sie in Callaghans Vorzimmer. Seine Sekretärin behandelte sie zunächst recht hochnäsig. „Der Herr Professor befindet sich noch in der Vorlesung. Außerdem pflegt er ohne vorherige Vereinbarung niemanden zu empfangen."

Adrian Kay war entschlossen, diesen Besuch nicht unnötig in die Länge zu ziehen. Er trat hart an ihren Schreibtisch heran, zog mit der rechten Hand seinen Dienstausweis aus der Innentasche des Sakkos und hielt ihn ihr unter die Nase. „Gnädigste, ich befürchte, der Professor wird heute von dieser Gewohnheit abrücken müssen. Andernfalls bliebe mir keine andere Wahl, als ihn vorzuladen. Und das wollen wir doch vermeiden, oder nicht?"

Die Vorzimmerdame blickte Kay entsetzt an. „Äh, sicher, ja ... ich wusste ja nicht ... Bitte nehmen Sie doch dort drüben Platz. Professor Callaghan muss in wenigen Minuten kommen."

„Vielen Dank", erwiderte Kay unvermutet freundlich. „Und lassen Sie sich bitte bei Ihrer Arbeit nicht stören." Er deutete mit dem Kinn auf das Keyboard ihres Computers.

Sie wollten sich gerade setzen, als die Tür aufging und ein hagerer Mann in einem frisch gestärkten weißen Kittel hereinkam. Er hatte schütteres graues Haar und trug eine dunkle Hornbrille auf seiner scharf geschnittenen Adlernase.

Die Sekretärin fuhr sofort von ihrem Sitz auf. „Herr Professor, diese beiden Herren möchten Sie dringend sprechen." Sie deutete dabei auf Kay und Harris.

Mit unfreundlicher Miene musterte der Professor die beiden Männer und fragte dann: „Hatten Sie einen Termin vereinbart?"

Kay trat auf ihn zu und wiederholte die Prozedur mit seinem Ausweis. „Wir haben ein paar Fragen an Sie, Herr Professor, und die Angelegenheit duldet leider keinen Aufschub. Wir wären Ihnen deshalb sehr verbunden, wenn Sie uns einige Minuten Ihrer kostbaren Zeit opfern würden."

Der verbindliche Ton stimmte den Mediziner offensichtlich gnädiger. „Ich bitte Sie, meine Herren, wenn es so dringend ist. Folgen Sie mir." Mit diesen Worten öffnete er die Tür zu seinem Arbeitszimmer und ging hinein. Er ließ sich hinter einem teuren Eichenschreibtisch nieder und bedeutete seinen Besuchern, Platz zu nehmen.

„Um was geht es denn nun?“, fragte er gelassen.

„Wir hätten gerne ein paar Informationen über eine Ihrer Patientinnen“, begann Kay sanft. Dan Harris fühlte eine gewisse Vorfreude. Die Verhöre seines Freundes waren meist ein besonderer Genuss.

Callaghan musterte Kay pikiert. „Sie müssten eigentlich wissen, dass mir meine ärztliche Schweigepflicht solche Auskünfte verbietet. Ihr Anliegen verwundert mich deshalb.“

Kay ließ sich nicht verwirren „Wir interessieren uns für eine Dame namens Martha McKinley.“

Callaghan hatte sich erstaunlich gut im Griff, denn bis auf ein kurzes Weiten der Augen zeigte er keine Reaktion. „Martha McKinley? Hm, der Name sagt mir zunächst nichts. Aber wenn Sie erlauben, sehe ich rasch in der Patientenkartei nach, ob der Name dort auftaucht.“

„Das wäre sehr freundlich von Ihnen, Professor.“ Kay machte einen dankbaren Eindruck.

Callaghan stand auf und bemühte sich ins Vorzimmer zu dem schweren Karteischrank, in dem sich auch Stan Lundquist informiert hatte. Er blätterte etwa zwei Minuten in den Akten herum, schloss den Schrank wieder und kehrte zu seinem Schreibtisch zurück.

„Es tut mir Leid, meine Herren, aber mit einer Patientin dieses Namens kann ich nicht dienen.“

Jetzt ist er reif, dachte Harris und blickte erwartungsvoll zu Adrian Kay hinüber.

Der legte auch sofort einen Zahn zu. „Professor Callaghan, wir wissen definitiv, dass Mrs. McKinley vor etwa zehn

Wochen hier in Canberra war. Uns ist weiterhin bekannt, dass eine Karteikarte über sie existiert. Ich bin wirklich erstaunt, dass Sie sie nicht gefunden haben. Vielleicht haben Sie nicht richtig gesucht?"

Callaghan starrte ihn an. „Aber was erzählen Sie denn da? Ich muss doch sehr bitten! Und was soll das heißen, Sie wissen, dass eine Karteikarte dieses Namens existiert? Wollen Sie meine Worte in Zweifel ziehen?"

„Ja, das will ich allerdings", erwiderte Kay kühl. „Und jetzt sage ich Ihnen noch etwas: Wir sind nicht zum Spaß hier, und vor allen Dingen nicht, um uns irgendwelche Bären aufbinden zu lassen. Dazu steht zu viel auf dem Spiel. Ich weise Sie darauf hin, dass wir vorhaben, diese Unterredung diskret zu behandeln. Falls Sie sich allerdings weiter so unkooperativ verhalten wie bisher, können wir das Ganze auch an eine etwas größere Glocke hängen."

Callaghan fragte erregt: „Wollen Sie mir etwa drohen?"

„Nein, das habe ich gar nicht nötig. Ich verlange von Ihnen eine wahrheitsgemäße Aussage, weil es in dieser Angelegenheit um mehr geht, als Sie sich vielleicht denken. Ich werde nicht zögern, alle Möglichkeiten auszuschöpfen, die mir unsere Gesetze erlauben, um die Wahrheit von Ihnen zu erfahren."

Callaghan blickte ihn eine Weile forschend an. Der entschlossene Ausdruck in Kays Gesicht schien ihm zu denken zu geben. Langsam und jedes Wort abwägend antwortete er: „Sehen Sie mir bitte mein Zögern nach. Immerhin ist die von Ihnen erwähnte Dame eine sehr bedeutende Persönlichkeit. Sie hat mich bei allem, was mit ihrem Besuch zusammenhing, um absolute Diskretion gebeten." Er machte eine kurze Pause. „Mrs. McKinley war, wie Sie bereits sagten, vor gut zweieinhalb Monaten, am 3. Juni genau, hier."

„Aus welchem Grund?“, wollte Kay wissen.

„Nun, sie wollte sich detaillierte Informationen über die Technik und die Erfolgsaussichten einer In-vitro-Fertilisation beschaffen, und unsere Abteilung hat einen sehr guten Ruf auf diesem Gebiet, wie Sie vielleicht wissen.“ Er schaute Kay verbindlich an.

„Sehr schön, Professor. Ich freue mich, dass Sie anfangen, Ihr Versteckspiel aufzugeben. Aber jetzt bitte auch die ganze Wahrheit.“ Nach dieser Eröffnung fuhr Kay sofort schwereres Geschütz auf. „Wenn Sie mit der Dame lediglich geredet haben, wie Sie behaupten, wie kommt es dann, dass ihre tiefgefrorenen Eizellen in der Gefrieranlage Ihrer Abteilung lagern?“

Callaghan brauchte einen Moment, um diesen Schlag zu verdauen. „Woher ... mein Gott!“

„Sprechen Sie ruhig weiter, Professor. Sie wollten fragen, woher wir das wissen. Nun, auch der Geheimdienst weiß mitunter etwas Wichtiges. Und jetzt möchte ich von Ihnen eine Antwort auf meine Frage haben!“, forderte er den Chefarzt auf.

Callaghan wirkte plötzlich sehr nervös und rückte sich mit einer fahrigen Handbewegung die Hornbrille zurecht. „Gut, Mr. Kay, also ... wir haben ihr während ihres Kurzaufenthaltes auch Eizellen entnommen und eingefroren. Sie hatte mich darum gebeten, denn sie wollte in der Gewissheit nach England zurückkehren, dass das Verfahren angelaufen ist, das sie der Erfüllung ihres Traumes von einem eigenen Kind näher bringt.“

Nachdenklich blickte ihn Kay an. Dann deutete er auf den Telefonapparat auf Callaghans Schreibtisch. „Gestatten Sie, dass ich ein kurzes Gespräch führe?“

Der Professor nickte verblüfft. „Äh, bitte, selbstverständlich.“

Harris beobachtete interessiert, wie Kay die Wählscheibe drehte, und war bemüht, ernst zu bleiben, als er bemerkte, dass es sich um seine eigene Privatnummer handelte.

Als Harris' automatischer Anrufbeantworter nach zwei Freizeichen ansprang, meldete sich Kay in dienstlichem Ton: „Hier spricht Kay. Schicken Sie uns bitte einen Wagen ins St.-Anne's-Hospital und bereiten Sie das Gästezimmer im Keller vor. Wir bringen einen Gast mit." Nach diesen Worten legte er auf.

Der Mediziner starrte ihn an. „Was soll das bedeuten? Wollen Sie mich etwa … "

Kay unterbrach ihn barsch. „Sie haben meine Geduld lange genug strapaziert, mein Lieber. Glauben Sie, wir ließen uns von Ihnen zum Narren halten? Sie sollen uns die Wahrheit sagen! Sie haben keine einfachen Eizellen eingefroren, sondern bereits befruchtete Mehrzellstadien!"

Callaghan saß wie erstarrt in seinem Sessel. Kleine Schweißperlen waren auf seine Stirn getreten. In diesem Moment hatte Daniel Harris einen Geistesblitz und schob eine Frage nach. „Zur Befruchtung von Eiern braucht man im Normalfall Spermien. War Mrs. McKinleys Ehemann auch hier?"

Während Adrian Kay seinem Freund Lob zublinzelte, nickte Callaghan geschlagen. „Ein paar Tage vorher."

Sofort setzte Harris nach. „Eine solche Aktion bedarf ja einer gewissen Vorbereitung. Woher kannte Mrs. McKinley Sie eigentlich, Professor?"

„Ihr Hausarzt und langjähriger Freund, Professor Rufus Kline, hat den Kontakt vermittelt und die Vorbereitungen organisiert. Wir haben zusammen studiert." Callaghan wirkte nervöser, als es der Anlass bisher rechtfertigte.

Angesichts des bereits angeschlagenen Gegners entschloss

sich Kay zu einem Schuss ins Blaue. „Wem haben Sie die befruchteten Eier eingesetzt, Callaghan?“

Der Arzt zuckte zusammen. „Ich ... was sagen Sie denn da?“

„Ich spreche von Tatsachen, Professor. In Ihrem Tiefkühltank wurde ein halbes Acht-Zell-Stadium eingefroren. Wo befindet sich die andere Hälfte?“

„Ich weiß nicht, was Sie meinen“, presste Callaghan hervor und wischte sich einige Schweißperlen von der Stirn.

Kay war sich seiner Sache jetzt sicher. „Die übrig gebliebene Hälfte, Professor Callaghan, ist jedenfalls nicht mehr da“, sagte er in sanftem Ton.

Der Chefarzt schien eine Weile zu brauchen, bis er die Bedeutung dieses Satzes verstanden hatte. „Was soll das heißen, nicht mehr da?“

„Vielleicht wurde sie gestohlen?“

Donald Callaghan wurde aschfahl. „Das wäre ja grauenhaft. Aber sagen Sie mir um Himmels willen endlich, woher Sie all diese Informationen haben, über meine Abteilung, über die tiefgefrorenen Eizellen, den Diebstahl!“

Kay lächelte viel sagend. „Sie werden es bald selbst herausfinden“, sagte er, denn Lundquist würde nach Beendigung dieses Falles nicht mehr ins Hospital zurückkehren. „Wem also haben Sie die nicht eingefrorenen Eizellen von Martha McKinley implantiert?“

Callaghan antwortete stockend: „Eine Studentin namens Ann Dougan hat die Leihmutterschaft übernommen. Der gesamte Eingriff ist komplikationslos verlaufen und auch die Schwangerschaft macht normale Fortschritte.“

Kay atmete hörbar auf. Geschafft, dachte er. „Wenn Sie uns jetzt noch die Adresse dieser Ann Dougan mitteilen würden, wären wir Ihnen äußerst verbunden.“

Callaghan sagte leise: „Ich glaube, sie ist vor zwei Wochen umgezogen. Die neue Adresse ist 734 Wilmington Crescent."

Kay erhob sich von seinem Stuhl. „Ihre Mitarbeit war etwas stockend, Professor, und ich muss Ihnen noch etwas mitteilen. Hören Sie mir bitte genau zu, denn ich sage es nur einmal, aber dafür eindringlich. Alles, was wir eben besprochen haben, unterliegt der strengsten Geheimhaltung. Sollten Sie sich nicht daran halten, werde ich Sie dafür umfassend zur Rechenschaft ziehen, haben Sie verstanden?"

Callaghan nickte stumm.

Kay und Harris verließen das Büro und gingen hinunter zum Wagen. Sie hatten kaum Platz genommen, als Kay bereits zum Autotelefon griff. „Jeffrey? Hier ist Kay. Schnappen Sie sich zwei Leute und suchen Sie Ann Dougan, Studentin, wohnhaft 734 Wilmington Crescent. Bringen Sie sie so schnell wie möglich in mein Büro."

Zwanzig Minuten später saßen die beiden Freunde in Kays Büro. Nachdem Kay bei seinem Sekretär Kaffee bestellt hatte, lehnte sich Harris bequem zurück und schmunzelte.

„Soll ich dir sagen, woran du gerade denkst, Adrian?"

„Na, woran denn?"

„Du ärgerst dich darüber, dass deinen Leuten bei der Kontrolle der Passagierlisten Martha McKinleys Ehemann durch die Lappen gegangen ist."

„Du hast Recht, Dan, und ich wundere mich darüber. Ob er unter falschem Namen eingereist ist?"

„Das glaube ich nicht. Möglicherweise trägt er ja gar nicht denselben Namen. So was soll ja vorkommen."

„Es wäre vielleicht recht interessant, wenn wir die Familienverhältnisse der McKinleys etwas genauer durchleuchten würden."

Harris dachte kurz nach. „Das sollte kein Problem sein. Ich habe einen meiner besten Leute, Stephen Montgomery, in London sitzen. Er wird sich darum kümmern."

„Gut. Und er sollte auch Rufus Kline überprüfen."

Harris blickte Kay erstaunt an. „Rufus Kline? Ah, du meinst Mrs. McKinleys Hausarzt?"

Kay nickte.

„Ich werde Montgomery entsprechend anweisen", versprach Harris. „Aber sag mal, was hältst du eigentlich von diesem Professor Callaghan?"

„Nun, er log ganz gut", erwiderte Kay, „ich kenne schlechtere Schauspieler."

Harris nickte. „Alles hat er bestimmt noch nicht erzählt. Dazu schien er mir unangemessen nervös. Leihmutterschaft als solche ist ja schließlich nicht strafbar."

Kay hatte eine nachdenkliche Bemerkung auf der Zunge, als die Gegensprechanlage summte und sein Sekretär mitteilte, dass Jeffrey Thornton mit Ann Dougan eingetroffen sei.

„Ich lasse bitten, nur herein mit ihr." Kay blickte erwartungsvoll zur Tür.

Ann Dougan trat ins Büro. Sie trug eine modische Kurzhaarfrisur, war sehr gepflegt gekleidet und blickte Kay durch eine blau umrandete Brille forschend an.

„Bitte, nehmen Sie doch Platz, Ms. Dougan." Kay deutete auf den Besuchersessel vor seinem Schreibtisch. Er wartete, bis sie saß, und fuhr dann freundlich fort: „Zunächst möchte ich Sie um Vergebung bitten, dass wir Sie ohne Vorwarnung behelligen mussten, aber die Angelegenheit duldete keinen Aufschub."

„Ich bin, ehrlich gesagt, sehr zornig über die Art und Weise Ihres Vorgehens", antwortete Ann Dougan mit einer weichen, dunklen Stimme. „Ihr Mitarbeiter hat mich einfach aus einem Seminar geholt. Die Kommilitonen müssen ja denken, ich sei eine Schwerverbrecherin.“

„Das bedauere ich sehr, aber es war leider unvermeidbar, Ms. Dougan. Ich habe einige Fragen.“

Sie nickte ergeben.

„Wir haben erfahren, dass Sie vor kurzem eine Leihmutterschaft übernommen haben. Bitte, sorgen Sie sich nicht. Ich beabsichtige, diese Information streng vertraulich zu behandeln. Aber ich möchte gerne wissen, wie Ihnen diese, nun, nennen wir es einmal Aufgabe, vermittelt worden ist.“

Ann Dougan blickte verwirrt zwischen Kay und Harris hin und her. „Aber – ich –, habe ich irgendetwas Ungesetzliches getan?“

„Ms. Dougan, bitte! Wir haben andere Sorgen, als Sie in Schwierigkeiten zu bringen. Wir möchten lediglich wissen, *wie* Sie zu dieser Leihmutterschaft gekommen sind.“

„Ich … nach einer Seminarveranstaltung hat mich Professor Callaghan angesprochen und mich gefragt, ob ich einen gut dotierten Job annehmen möchte. Weil ich große Schwierigkeiten hatte, mein Studium zu finanzieren, denn die Studentenjobs werden immer rarer, war ich natürlich interessiert. Darauf hat er mir in seinem Büro erklärt, was ich zu tun hätte.“

„Wie kam er denn gerade auf Sie?“, wollte Harris wissen.

„Na ja, zuerst habe ich mich natürlich auch darüber gewundert und ihn gefragt. Er hat mir dann erklärt, dass er die potentiellen Kandidatinnen für diesen Job nach bestimmten Kriterien ausgewählt hatte und deutete an, dass er dazu offensichtlich die Studienunterlagen der eingeschriebenen Studentinnen durchgesehen hat.“

Kay nickte grimmig. „Ein netter Mensch, dieser Professor. Was hat er Ihnen sonst noch mitgeteilt? Kennen Sie den Namen der Frau, deren Kind Sie austragen?"

„Nein, darüber habe ich nichts erfahren. Nachdem ich mich nach ein paar Tagen Bedenkzeit einverstanden erklärt hatte, wurden mir lediglich technische Einzelheiten mitgeteilt."

„Wie viel Geld haben Sie erhalten?"

Ann Dougan wurde rot. „Fünfundzwanzigtausend Dollar", sagte sie leise.

„Haben Sie das Geld in bar erhalten?"

Sie nickte.

„Gut, Ms. Dougan, Sie haben uns sehr geholfen. Und daher werde ich auch meine Zusage auf Vertraulichkeit aufrechterhalten, obwohl die Entgegennahme einer Bezahlung, wie Sie ja vermutlich wissen, verboten ist. Gestatten Sie mir noch eine Frage aus rein persönlichem Interesse. Wie werden Sie mit dem Gedanken fertig, das Kind nach der Geburt abgeben zu müssen?"

Die junge Frau zögerte mit der Antwort. „Ich versuche, mich völlig rational darauf einzustellen, und hoffe, dass es nicht zu schwer wird. Außerdem muss ich einen Vertrag erfüllen. Das Geld habe ich zwar erhalten, musste aber einen Schuldschein unterschreiben. Wenn ich irgendwelche Schwierigkeiten machen sollte, muss ich das Geld wieder zurückzahlen, und das könnte ich nicht. Also muss ich die Situation als solche wohl akzeptieren."

„Verzeihen Sie, Ms. Dougan, ich hätte die Frage vielleicht nicht stellen sollen. Sie können jetzt gehen. Ich wünsche Ihnen wirklich alles Gute. Allerdings muss ich Sie bitten, dieses Gespräch auch in Ihrem eigenen Interesse vertraulich zu behandeln und mit uns in Verbindung zu bleiben. Leider darf ich Ihnen zu diesem Zeitpunkt nicht erklären, warum."

Sie sah sehr nachdenklich aus. „Gut, Mr. Kay, ich werde Ihnen vertrauen. Versprechen Sie, mir dies alles zu erklären, wenn Sie es dürfen?"

„Ja, das verspreche ich Ihnen." Er erhob sich, um ihr die Tür zu öffnen, als ihm noch etwas einfiel. „Noch eine kurze Frage. Hatten Sie in dieser Angelegenheit außer Professor Callaghan noch eine andere Kontaktperson?"

„Nein, Mr. Kay."

„Danke. Auf Wiedersehen, Ms. Dougan."

Nachdem die junge Frau die Tür geschlossen hatte, versuchte Harris, ein Fazit zu ziehen. „Also, mein Lieber, was haben wir denn bis jetzt? Die McKinley war heimlich hier, ihr Ehegatte war auch heimlich hier, dieser smarte Professor hat eine In-vitro-Fertilisation durchgeführt und eine Leihmutter angeheuert. Warum diese Heimlichtuerei?"

Kay zuckte mit den Schultern. „Tja, das wüsste ich auch gerne! Zunächst kann man ja vermuten, dass die McKinley sich wegen ihres Jobs eine Schwangerschaft nicht leisten kann und deshalb den Weg über die Leihmutter gewählt hat, aber sicher bin ich natürlich auch nicht. Wenn dem aber so ist, hat sie wahrscheinlich den Umweg über Australien gewählt, weil sie in England die Pressefritzen nicht aus den Augen lassen. Aber auch das ist reine Spekulation. Vielleicht wollte sie auch einfach nur vertuschen, dass sie eine Leihmutter für Geld angeheuert hat, denn das ist ja vom Gesetz nicht gedeckt."

„Das hört sich alles ganz einleuchtend an, was du da erzählst. Allerdings kann ich nicht so recht glauben, dass sie bezüglich der Leihmutterbezahlung so mit dem Gesetzesfeuer spielt. Die Aussage von Ann Dougan hörte sich für mich eher so an, als sei der smarte Professor Callaghan derjenige, der die finanzielle Seite abwickelt. Aber davon mal abgesehen, wer hat denn nun die Reagenzröhrchen mit den tiefgefrorenen Eizellen mitgehen lassen, und vor allen Dingen, warum?“

Kay seufzte. „Ich wollte, ich wüsste es, aber ich habe keine Ahnung.“

„Na, vielleicht bringt uns Lundquist einen Schritt weiter“, tröstete ihn Harris. „Wann wollte er sich denn wieder melden?“

„Wir haben keinen genauen Termin ausgemacht, ich kann nur warten.“

„In der Tat. Gib mir bitte Bescheid, wenn du etwas Neues weißt. Ich werde mich mal wieder in mein eigenes Büro zurückbegeben. Die liebe Isobel wird ohnehin schimpfen, dass ich so lange weg war.“

Kay lachte. „Gut, viel Glück, Dan. Ich melde mich bei dir.“

Als Harris die Tür geschlossen hatte, genehmigte sich Adrian Kay eine Zigarre. Er trat ans Fenster und blickte versonnen auf die hübsche Allee hinunter, die am Gebäude vorbeiführte. Irgendwie hatte er das ungute Gefühl, etwas Wichtiges übersehen zu haben. Das bisherige Bild war auf seltsame Weise unfertig. Es fehlten einige Bausteine. Er würde diese Steine suchen und sie irgendwann finden. Bis dahin konnte er nur hoffen, dass sich Lundquist bald meldete.

Kerkyra, Korfu, Griechenland

Es war ein Morgen wie aus dem Bilderbuch. Die aufgehende Sonne versteckte sich noch hinter den Bergen Albaniens und sorgte mit ihren ersten Strahlen für einen zartblauen Himmel. Vereinzelt waren schon Frühaufsteher auf den Beinen, deren Mopeds und Kleinlastwagen den verschlafenen Ort mit ihrem Geknatter aufweckten. Eine angenehme Kühle umfing Stan Lundquist, als er am Hafen das Taxi verließ, das ihn von der anderen Seite der Insel herübergebracht hatte. Die Temperaturen lagen noch unter 20 Grad und ließen nichts von der flirrenden Hitze des kommenden Tages ahnen. Lundquist atmete ein paar Mal tief durch und bedauerte sehr, dass sein Aufenthalt nur so kurz gewesen war. Hierher werde ich noch einmal für längere Zeit kommen, schwor er sich, ergriff seine Reisetasche und ging auf den Eingang des Zollgebäudes zu, in dem die Italienreisenden vor dem Betreten der Fähren abgefertigt wurden.

In der Halle herrschte eine sonderbare Stimmung, die Lundquist sofort gefangen nahm. An der Längsseite, vor den großen Fenstern, lagerten einige Dutzend junger Leute, die die Nacht vor der Abreise auf Decken und Thermomatten verbracht hatten. Einige waren schon wach, rieben sich die Augen oder versuchten, sich Haarbürste oder Kamm durch die zerzausten Frisuren zu ziehen. Die Abfertigungsschalter waren noch nicht besetzt, dafür standen zwei verschlafen wirkende Griechen hinter einer kleinen Theke an der Stirnseite der Halle und verkauften die ersten Tassen Kaffee, Sandwiches und Zigaretten. Es roch nach Abschied, Aufbruch und der großen, weiten Welt.

Lundquist blieb einige Minuten regungslos stehen, bevor er

auf die Bar zuging und sich einen Kaffee und ein Schinkenbrot kaufte. Dann ließ er sich auf seiner Reisetasche nieder, nahm das Frühstück ein, rauchte mit Genuss eine Zigarette und wartete dann wie alle anderen auf die Zollbeamten.

Zwanzig Minuten später nahmen zwei nachlässig uniformierte Männer in den Schalterhäuschen Platz. Sie machten den Eindruck, als seien sie gerade aus dem Bett gefallen. Die beiden milderten das Martialische des Begriffs „Staatsmacht" beträchtlich, dachte Lundquist, erhob sich und schloss sich dem Pulk der anderen Reisenden an, die bereits mit der Belagerung der Sperre begonnen hatten.

Er blickte zur Uhr. Kurz nach halb acht.

In einer guten Stunde sollte die Fähre von Igoumenitsa mit Idwood Green an Bord hier eintreffen. Lundquist hatte allerdings während seines kurzen Besuchs in Griechenland gelernt, dass feste Termine wie etwa Fahrpläne lediglich auf dem Papier existierten. Wenn die Fähre erst um 9 Uhr käme, was wäre daran so schlimm? Hauptsache, sie kommt überhaupt. Σιγα, σιγα, immer mit der Ruhe! So viel Griechisch hatte er schon gelernt.

Zehn Minuten später passierte der lange Australier die Sperre und trat auf den großen geteerten Platz am Hafenbecken hinaus, wo sich alle Reisenden sammelten, um auf das Schiff zu warten. An der Außenseite des Abfertigungsgebäudes bemerkte er einen weiteren Zollbeamten, der ein schmales Eisentor im Absperrzaun geöffnet hatte und dort die Auto- und Motorradfahrer kontrollierte.

Langsam füllte sich der Platz. Stan setzte sich auf einen Poller und blickte auf die Bucht von Kerkyra hinaus. Von der Fähre war noch nichts zu sehen. Mehr Sorgen bereitete ihm die Tatsache, dass er Dave Mitchell bisher noch nicht entdeckt hatte. Nicht auszudenken, wenn der Lunte gerochen hat und gar nicht mitfährt, dachte Lundquist, dann stehen wir aber schön dumm da. Er beschloss, sich noch einen Kaffee zu kaufen, und ging zu einem kleinen Kiosk hinüber, wo Erfrischungen und Souvenirs angeboten wurden. Dabei ließ er seinen Blick über die wartenden Menschen gleiten.

Von Mitchell keine Spur. Ziemlich ratlos kehrte der lange Australier zu dem Poller zurück und schlürfte nachdenklich seinen Kaffee. Plötzlich ging ein leichtes Raunen durch die Wartenden. Lundquist blickte auf die Bucht hinaus. An ihrer Einfahrt, etwa eine halbe Seemeile entfernt, war der blaue Rumpf der *Ionian Star* aufgetaucht. Das große Fährschiff näherte sich mit fünfunddreißig Minuten Verspätung dem Hafen von Kerkyra.

Wenig später schaute Stan fasziniert dem Anlegemanöver des Stahlkolosses zu. Er kannte Leute, die beim Einparken ihres Autos weitaus größere Schwierigkeiten hatten als dieser Kapitän, das Riesenschiff rückwärts genau vor die Auffahrrampe der Kraftfahrzeuge zu steuern. Etwa drei Meter vor der Betonmauer kam das haushohe Heck des Schiffes zum Halt. Mehrere kleine Ledersäcke flogen in hohem Bogen über die Achterreling auf den Kai. An diesen Gewichten waren dünne Taue befestigt, mit deren Hilfe die Hafenarbeiter die mächtigen Anlegetrossen überholten und an den Pollern festmachten. Die Heckklappe begann sich zu öffnen, und fünf Minuten später rollten sechs Autos und ein Reisebus heraus. Danach durften die ersten Kraftfahrzeuge vom Kai aus in den Schiffsbauch hineinfahren.

Lundquist hatte bereits über die Gangway das Innere der Fähre erreicht und meldete sich bei einem der Stewards, die den Reisenden mit Kabinenbuchung den Weg zu ihren Unterkünften zeigten. Der Australier drückte dem jungen Mann ein Trinkgeld in die Hand, als sie die Kabinentür erreicht hatten, und betrat den kleinen Raum. Er stellte seine Tasche auf der Koje ab und beschloss, die Abfahrt des Schiffes von Deck aus zu verfolgen.

Zwanzig Minuten später legte die *Ionian Star* ab. Lundquist genoss die kühle Morgenbrise und ließ einen letzten langen Blick über die grüne Silhouette der griechischen Insel gleiten. Dann ging er hinunter in die Snackbar, um noch etwas zu frühstücken.

Als das Spiegelei mit Speck vor ihm stand und er den ersten Bissen zwischen den Zähnen hatte, raunte eine amüsierte Stimme neben ihm: „So sieht also der australische Geheimdienst in vollem Einsatz aus."

Lundquist drehte den Kopf und blickte in das braun gebrannte, stoppelbärtige Gesicht von Idwood Green. Die leicht gewellten, dunkelblonden Haare des Engländers waren von der Sonne gebleicht.

Lundquist grinste ihn an. „Na, Sie haben es gerade nötig. Wenn Ihre Königin Sie jetzt sehen könnte, würde sie sich ganz schön wundern, was für Leute im Secret Service Dienst tun."

Green musterte ihn noch einen Moment aufmerksam und sagte dann freundlich: „Freut mich, Sie persönlich kennen zu lernen, Stan." Er reichte ihm die Hand.

„Ich freue mich auch, Idwood."

„Okay, nun essen Sie endlich weiter, sonst wird Ihr Ei kalt. Was macht übrigens Mitchell?"

„Ich denke, ich soll weiteressen? – Na schön, Sie werden es nicht glauben, aber ich habe ihn heute Morgen leider noch nicht entdecken können."

Green kratzte sich mit bedenklichem Gesicht an der

Schläfe. „Das wäre natürlich ein Reinfall erster Güte." Stirnrunzelnd beschied er dann: „Jetzt sind wir einmal hier an Bord und können erst in fünfundzwanzig Stunden in Ancona wieder aussteigen. Wir haben also genug Zeit, um uns gründlich nach diesem Bürschlein umzusehen. Ich schlage vor, dass Sie nach dem Essen an Deck gehen und ein Sonnenbad nehmen. Sie sehen noch ziemlich blass aus. Ich werde derweil durchs Innere des Schiffes streifen und mich dort umsehen. Etwa zu jeder vollen Stunde treffen wir uns kurz hier unten. Wenn er an Bord ist, müssen wir ihn finden."

„Und wenn nicht?"

Green zuckte ratlos mit den Schultern. „Dann stehen wir ohne Schirm im Regen." Er drehte sich um und schlenderte aus der Bar hinaus.

Lundquist schlang sein Frühstück hinunter und stieg dann auf der Steuerbordseite eine Treppe zum Mitteldeck hinauf. Die Sonne begann, über den Bergen Albaniens ihre Kraft zu entfalten. Er ließ sich in der Nähe der Deckstür auf einer Holzbank nieder, lehnte sich zurück und ließ die warmen Strahlen in sein Gesicht fallen. Er hatte sich vorgenommen, jede Stunde einen anderen Teil der Decks zu beobachten.

Idwood hatte inzwischen das Büro des Zahlmeisters erreicht. Er klopfte kurz an und trat dann hinein.

„Guten Morgen", grüßte er und fuhr dann in verbesserungswürdigem, aber dennoch recht geläufigem Griechisch fort: „Ich suche meinen Bekannten; er wollte in Kerkyra zusteigen. Leider konnte ich ihn nirgends entdecken. Könnten Sie mir vielleicht helfen, seine Kabinennummer herauszufinden? Sein Name ist Mitchell, Dave Mitchell."

Der Zahlmeister nickte zuversichtlich. „Na, das dürfte nicht so schwer sein. Moment, bitte." Er zog ein großes Buch aus der

Schublade seines Schreibtisches und suchte die Reservierungen für diese Fahrt. Mehrmals fuhr er mit dem Finger die Namen hinter den Kabinennummern ab. Dann schüttelte er den Kopf.

„Tut mir Leid, mein Herr. Ich kann Ihren Bekannten nirgends finden. Sind Sie sicher, dass er eine Kabine gebucht hat?“

Green schien enttäuscht. „Normalerweise macht er das immer. Na ja, ich werde mich halt ein wenig im Schiff umschauen müssen. Vielen Dank für Ihre freundliche Hilfe.“

Der Engländer verließ das Büro. Das wäre auch zu einfach gewesen, dachte er auf dem Weg zum Duty Free Shop; dann schlenderte er an den Einkaufsläden im Mitteldeck vorbei, betrat jede Toilette und die beiden Duschräume und warf noch einen Blick auf die Speisekarte im Restaurant. Schließlich begab er sich zurück in die Bar und bestellte ein Bier. Vier Minuten später sah er Stan Lundquist draußen am Fenster vorbeigehen.

Der Australier blickte kurz herein und schüttelte den Kopf. Er hatte also auch nichts gefunden.

„Das ist ja vielleicht eine Bärenscheiße“, knurrte Green, leerte sein Bier und nahm dann die nächste Runde durch das Schiff in Angriff.

Als er um 13 Uhr zum dritten Mal in der Bar auftauchte, saß Lundquist vor einer Tasse Kaffee und nickte ihm verschmitzt zu. Green ging wortlos wieder hinaus und erwartete seinen Kollegen vor dessen Kabinentür. Als sie die Tür von innen geschlossen hatten, schaute er Lundquist erwartungsvoll an.

„Jetzt erzählen Sie mir bloß nicht, Sie hätten ihn gefunden.“

„Doch, sicher. Wir Australier haben so was eben drauf.“

„Ho, ho, ho“, machte Green. „Und, wo treibt er sich herum?“

„Sie werden sich wundern. Er liegt auf dem oberen Achterdeck inmitten einer Meute von Trampern und hat sich ziemlich abenteuerlich zurechtgemacht. Ich musste zweimal hingucken, bis ich ihn erkannt habe.“

„Gar nicht so unpfiffig, der Bursche. Da fällt er am wenigsten auf. Vielleicht hat er auch irgendwie Lunte gerochen und will sich absichern. In der Meute ist er vor einem Übergriff weitaus besser geschützt, als wenn er in einer Kabine hocken würde.“

Lundquist blickte Green fragend an. „Was machen wir also?“

Der Engländer dachte einen Moment schweigend nach und sagte dann: „Vielleicht habe ich eine Idee. Warten Sie hier auf mich, ich bin, so schnell es geht, zurück.“ Er verließ die Kabine.

Stan machte es sich in der Koje bequem und rauchte eine Zigarette. Nach vierzig Minuten wurde er langsam unruhig. Was mochte der Engländer bloß so lange aushecken?

Nach über einer Stunde klopfte es an der Kabinentür. Lundquist war vorsichtig. Er zog eine kleinkalibrige Beretta aus einem Geheimfach seiner Reisetasche, entsicherte sie und öffnete dann einen Spalt die Tür. Ein ziemlich abgerissener Typ mit einem abscheulichen Schlapphut stand draußen im Gang.

„Was wollen Sie?“, fragte Lundquist kurz angebunden.

„Ich begehre Einlass!“, erwiderte eine Stimme, die ihm doch sehr bekannt vorkam.

„O nein, wie sehen Sie denn aus?“ Lundquist sicherte die Pistole und öffnete die Tür ganz.

Idwood Green nahm den Hut ab und kam herein. Er sah aus wie ein Bahnhofspenner. Die Jeans, die er trug, war an mehreren Stellen durchlöchert, und das karierte Hemd war farblich nicht zu definieren. Außerdem hatte er einen konturlosen, speckigen Rucksack über der rechten Schulter hängen und eine Art Schlafsack unter dem anderen Arm.

Fassungslos starrte ihn Lundquist an. „Wo haben Sie denn diese Klamotten her?"

„Was heißt hier Klamotten?", gab Green grinsend zurück. „Das ist topmodisch, zumindest gemessen am Kaufpreis. Die Sachen gehörten bis vor fünf Minuten einem jungen Schweden, der auf dem Vorderdeck lagerte. Ich habe mir den ganzen Plunder für eine aberwitzig hohe Miete bis morgen von ihm geliehen."

„Und wie läuft *er* jetzt herum?" Lundquist schwante Fürchterliches.

„Gar nicht", beruhigte ihn Green. „Im Mietvertrag war die Bedingung enthalten, dass er bis morgen früh in meiner Kabine bleibt. Ich habe ihm eine Flasche Ouzo spendiert und ihn eingeschlossen."

„Und wie geht es jetzt weiter?"

„Nun, ich werde mir ein Plätzchen zum Schlafen suchen", verkündete Green unternehmungslustig.

„Lassen Sie mich raten: Auf dem Achterdeck neben Mitchell?"

„Das haben Sie aber brillant herausgearbeitet. Beschäftigt der australische Geheimdienst nur so clevere Burschen wie Sie?"

„Nein, ich bin der Einzige. Deshalb bin ich auch hier. Die anderen hätten geistig nicht mit Ihnen mithalten können."

Sie grinsten sich an. Dann schulterte Green das Ding, das

Lundquist für einen Rucksack hielt, und ging zur Tür. Dort blickte er sich noch einmal um. „Bleiben Sie nach Einbruch der Dunkelheit in Ihrer Kabine, Stan. Erstens vermeiden Sie dadurch, von irgendwelchen zwielichtigen Damen belästigt zu werden, und zweitens fände ich es praktisch, Sie wären hier, wenn ich mit Mitchell komme." Er bückte sich, streifte ein Hosenbein hoch und zog ein Klappmesser aus der Socke. Nachdem er sich davon überzeugt hatte, dass die Mechanik ordnungsgemäß funktionierte, steckte er es wieder in den Strumpf zurück und öffnete die Tür.

„Viel Glück", wünschte Lundquist. Green trat auf den Gang hinaus und zog die Tür zu.

Knapp zwei Stunden später entschloss sich der Australier, noch ein kurzes Sonnenbad zu nehmen und dabei die Situation auf dem Achterdeck zu erkunden. Sein englischer Kollege hatte es tatsächlich geschafft. Er lag etwa anderthalb Meter von Mitchell entfernt mit nacktem Oberkörper auf seinem Schlafsack und schien zu schlafen. Lundquist entschied, sich die Zeit bis zum Einbruch der Dunkelheit mit einem Restaurantbesuch zu vertreiben.

Gegen 23 Uhr machte Idwood Green die Flasche Ouzo auf, die er sich am Nachmittag im Duty-Free-Shop gekauft hatte. Er war inzwischen wie Mitchell und die anderen Leute um ihn herum in den Schlafsack gekrochen, denn seit Sonnenuntergang pfiff ein ziemlich frischer Wind über das Oberdeck. Er nahm einige hörbare Schlucke aus der Flasche und schüttete den Rest unauffällig über seinen Schlafsack. Es roch stark nach Anis. Green rülpste herzhaft und begann danach mit Inbrunst zu schnarchen. Mitchell musste den Eindruck gewinnen, dass er bis zum Stehkragen voll war.

Kurz vor Mitternacht schliefen alle ringsherum. Green

wälzte sich unruhig herum und begann halblaut und falsch zu singen. Keinen Meter von ihm entfernt war Mitchell offensichtlich noch wach, denn er stieß Green an und sagte in drohendem Ton: „Halt die Klappe, Mann, wie soll man da einschlafen?“

Green wälzte sich herum und einen Augenblick später fühlte Mitchell eine Messerspitze an der Kehle.

„Du sollst gar nicht schlafen“, zischte der Engländer, „sondern mir zuhören. Wir beide machen jetzt einen kleinen Spaziergang, und wenn du aufmuckst, stech ich dich ab, klar?“

Mitchells Gesicht zeigte weder Furcht noch Erschrecken, während er antwortete: „Okay, okay, bleib ganz ruhig, Mann! Ich gehe ja mit.“

Er schien Greens Angriff für eine Folge übermäßigen Alkoholkonsums zu halten. Der Engländer vermutete, dass sein Gegner erst einmal die weiche Tour probieren würde, um seinen Auftrag nicht zu gefährden. Mitchell erhob sich vorsichtig, während Green ihm nachdrücklich das Messer in die Seite bohrte. „Los jetzt, steck die Hände tief in die Hosentaschen und geh langsam voran!“

Fünf Minuten später erreichten sie den Gang zu Lundquists Kabine. Mitchells Schritte wurden langsamer. „Wohin gehen wir denn eigentlich?“, wollte er wissen.

„Nicht fragen, weitergehen!“, befahl Green. Vor Lundquists Kabine forderte er Mitchell auf, stehen zu bleiben.

„Und jetzt klopf leise an!“

Als Lundquist die Tür einen Spalt öffnete, übernahm Mitchell mit einer Schnelligkeit die Initiative, die ihm leider keiner zugetraut hatte. Er warf sich mit voller Wucht gegen die Tür. Lundquist wurde von dem Schlag in das Zimmer geschleudert. Mitchell sprang hinterher und schlug mit der rechten Hand die

Tür wieder zu, und Green, der gerade zustechen wollte, trieb das Messer mit voller Kraft in das Türblatt. Von innen riss Mitchell die Tür wieder auf und schlug Green eine Faust ins Gesicht. Der Engländer taumelte an die gegenüberliegende Wand und musste zulassen, dass sein Gegner mit großen Sprüngen den Gang entlangfloh.

Stan Lundquist tauchte benommen in der Tür auf. „Alles in Ordnung, Idwood?“

Der Engländer blutete aus der Nase. „Soll das ein Witz sein? Los, hinterher!“ Sie rannten den Gang hinunter.

Als sie das Achterdeck erreichten, war Mitchell nicht zu sehen. Green deutete auf seinen Schlafplatz. „Sein Rucksack ist weg! Ich bin sicher, dass er jetzt bewaffnet ist. Seien Sie vorsichtig! Suchen Sie die Steuerbordseite ab, ich übernehme Backbord.“ Er rannte davon.

Lundquist erreichte über eine steile Treppe das Unterdeck und lief leise den Gang zum Vorderschiff entlang. Er passierte gerade einen Verbindungskorridor zur Backbordseite, als er schnelle Schritte hörte. Sofort änderte er die Richtung und schlich auf leisen Sohlen hinüber. An der Ecke des Ganges blieb er stehen und spähte vorsichtig um die Ecke. Im gleichen Moment hörte er ein dumpfes Ploppen und sah schreckensstarr, wie Idwood Green etwa fünfundzwanzig Schritte von ihm entfernt zusammenbrach. Mitchell hatte aus einer Feuerlöschernische auf ihn geschossen und kam nun, mit der schallgedämpften Waffe in der Hand, auf die Ecke zu, hinter der Lundquist stand. Direkt davor führte die Backbordtreppe zum Mitteldeck hinauf. Es gab nur zwei Möglichkeiten.

Gespannt horchte Lundquist auf Mitchells Schritte. Sie wurden plötzlich schneller, so als bremste er trippelnd ab, um die Treppe zu nehmen. Lundquist wartete auf das Geräusch, mit dem Mitchells Fuß die erste Eisenstufe betrat, und sprang dann mit einem wahren Panthersatz um die Ecke. Er erwischte mit der rechten Hand ein Fußgelenk und zog ruckartig. Mitchell verlor das Gleichgewicht und fiel der Länge nach auf die Treppe. Die Pistole schepperte an Lundquists Kopf vorbei. Mitchell riss sich los, hetzte weiter die Treppe hoch und verschwand auf dem Mitteldeck.

Mit der erbeuteten Waffe in der Hand jagte der Australier hinterher. Er erreichte das Mitteldeck gerade rechtzeitig, um zu sehen, dass Mitchell durch eine seitliche Außentür nach achtern ins Freie stürmte. Als Lundquist ihm folgte, nahm ihm nicht nur der kalte Nachtwind den Atem. Er sah, wie Mitchell an einem Ausleger der außenbords hängenden Rettungsboote bis in die Höhe des Oberdecks hinaufkletterte, um von dort auf das Dach des Restaurants zu springen. Er hatte den Sprung gut taxiert, aber als er drüben landete, trat er auf einen losen Tampen, mit dem einige Rettungsringe an der Dachkante festgemacht waren. Mitchell verlor den Halt und kippte rückwärts vom Dach.

Nur Lundquist war Zeuge, wie Mitchell mit dem Rücken auf die Außenreling des Mitteldecks fiel. Das grauenhafte Geräusch, mit dem das Rückgrat brach, explodierte in Lundquists Gehirn. Entsetzt musste der Australier zusehen, wie der leblose Körper Mitchells über die Reling rutschte und acht Meter tiefer im Wasser versank.

Keuchend lehnte Lundquist an der kalten Metallwand des Mitteldecks. Ihm war hundeelend. Welch ein Ende! Von einer Sekunde zur anderen und völlig lautlos. Nicht einmal geschrien hatte Mitchell.

Es dauerte einige Minuten, bis sich der Australier einigermaßen von diesem Schock erholt hatte. Plötzlich fiel ihm Green wieder ein. Ihm wurde erneut ziemlich flau.

Nicht auszudenken, wenn …

Lundquist spähte angestrengt über Deck, konnte aber niemanden sehen. Mit aller Kraft schleuderte er Mitchells Waffe über Bord. Dann stürzte er die Treppen hinunter ins Unterdeck.

Keine Spur von Idwood! Dort wo der Engländer zu Boden gegangen war, erkannte Lundquist einen dunklen Fleck auf dem gemusterten Teppichbelag. Der Australier sprintete zu seiner Kabine zurück. Als er die Tür öffnete, fiel ihm ein Stein vom Herzen. Sein Mitstreiter saß auf der Koje und hantierte mit einem Verband.

„Idwood, mein Gott, ich dachte, Sie wären tot! Sind Sie schwer verletzt? Ich habe nur gesehen, dass Sie wie vom Blitz getroffen zusammengebrochen sind."

„So schnell werden Sie mich nicht los! Mitchells Geschoss hat mir nur ein schönes Stück Haut aus dem Oberarm gerissen." Green biss die Zähne zusammen, als er sich den Verband verknotete. „Was ist eigentlich mit dem Kerl? Ist er entwischt?"

Lundquist ließ sich neben Green auf die Koje fallen. „In gewisser Weise schon. Auf der Flucht das Kreuz gebrochen." Er verstummte.

„Scheiße!", kommentierte Idwood Green seltsam gelassen.

Lundquist nickte. „Das kann man wohl sagen! Außerdem dachte ich gerade daran, dass er unsere einzige Spur war. Kay lässt mich füsilieren, wenn er das erfährt."

Der Engländer schien von dieser Aussicht nicht besonders berührt, stattdessen bemühte er sich, sein Hemd wieder anzuziehen. Lundquist sah ihm einen Moment fassungslos zu, dann brach es aus ihm heraus.

„Sagen Sie doch mal was dazu, Sie Klotz! Was machen wir denn jetzt, verdammt noch mal?“

Green schloss gerade den letzten Knopf. „Wir fahren nach London.“

„So, nach London also? Und was sollen wir Ihrer Meinung nach dort tun?“

Der Engländer blickte Lundquist fast gut gelaunt an. „So, Stan, jetzt beruhigen Sie sich erst mal, okay? Dann erklär ich's Ihnen.“

Lundquist zuckte ergeben mit den Schultern.

„Na, also. Wir haben noch eine Chance. Als Sie von Piräus aus nach Korfu gestartet sind, war ich auch im Hafen, um sicher zu sein, dass Mitchell Ihnen tatsächlich folgt. Bevor er an Bord gegangen ist, hat er von einer Telefonzelle aus ein Gespräch geführt.“

„Und?“, fragte Lundquist gespannt.

Green lächelte. „Ich besitze ein hervorragendes Opernglas und habe die Telefonnummer mitgeschrieben, die er gewählt hat. Es war ein Anschluss in London.“

Lundquist starrte ihn konsterniert an. „Das hätten Sie mir ja auch früher erzählen können!“

„Wann denn, he?“

„Schon gut, schon gut.“ Lundquist versuchte sich auf die neue Situation einzustellen. „Also, fahren wir eben nach London und suchen Mitchells Gesprächspartner.“

Green grinste. „Ich hoffe doch, dass der bereits ermittelt ist, wenn wir eintreffen.“

Der lange Australier war inzwischen durch nichts mehr zu erschüttern. „Das heißt, Sie haben den Secret Service schon informiert?“

„Was denken Sie denn? So, und jetzt sollten wir versuchen,

noch eine Mütze voll Schlaf zu nehmen. Der Tag wird lang werden.“

Die *Ionian Star* legte um 10 Uhr in Ancona an. Green und Lundquist lungerten schon eine Stunde vorher in der Nähe des Ausgangs herum, um möglichst schnell von Bord zu kommen. Stan hatte ein flaues Gefühl im Magen, das sich erst legte, als sie die Pass- und Zollkontrolle hinter sich hatten. Offensichtlich war Mitchells Verschwinden noch nicht bemerkt worden.

Auf dem Platz vor dem Hafengebäude stand ein bunt lackierter, ausrangierter Eisenbahnwaggon, in dem die Tourist Information untergebracht war. Idwood nervte den jungen Mann hinter der Informationstheke so lange, bis er sich ans Telefon hängte und die Abflugzeit der Nachmittagsmaschine von Mailand nach London herauszufinden suchte. Um 17.35 Uhr startete noch ein *Alitalia*-Flug. Green hinterließ ein großzügiges Trinkgeld und eilte aus dem Waggon hinaus.

„Los, Stan, die Maschine kriegen wir noch“, rief er, während er bereits ein Taxi heranwinkte. Sie ließen sich zum nächsten Autoverleih fahren, wo Green das schnellste Auto mietete, das gerade zur Verfügung stand, einen mittelblauen Alfa Romeo Spider.

Er fuhr wie ein Henker, aber immerhin standen sie um 16.50 Uhr im Mailänder Flughafen am *Alitalia*-Schalter und kauften sich die Tickets nach London. Um 18.50 Uhr Ortszeit setzte die Maschine in Heathrow auf.

New York, USA

Wie ein Anachronismus liegt die kleine Trinity Church im Schatten des World Trade Centers in Südmanhattan, umgeben von der nimmermüden Geschäftigkeit des größten Finanzzentrums der Erde. Die Schar ausländischer Besucher, die an diesem Vormittag nach einer kurzen Andacht auf den Trinity Place hinaustrat, wurde übergangslos in ein Inferno von Lärm, Abgasen und hastenden Menschen gestürzt. Schräg gegenüber, an der Kreuzung Broadway und Wall Street, hatte ein Verkehrsunfall zusätzlichen Aufruhr und ein nahezu unüberschaubares Chaos verursacht.

Zwei Straßen nördlich davon, in der Cedar Street, stand der gläserne Büroturm, über dessen Eingangsportal in großen Lettern der Schriftzug *PAFCO – PanAmericanFruit Company* prangte. Im zwanzigsten Stockwerk stand Alexander Anaheim am Fenster seines holzgetäfelten Büros und betrachtete aus der Vogelperspektive das Treiben rings um die kleine Kirche. In zehn Minuten begann eine wichtige Vorstandssitzung des Obst- und Getreidegiganten. Die jährliche Prognose des Landwirtschaftsministeriums stand kurz vor ihrer Veröffentlichung, und verschiedene Strategien mussten erarbeitet werden, die es erlaubten, auch auf kurzfristige Börsenbewegungen unverzüglich zu reagieren.

Alexander Anaheim leitete die *PAFCO* seit mehr als acht Jahren, und die Geschäfte gingen hervorragend, auch wenn hier und da mitunter kleinere Schwierigkeiten auftraten. Anaheim dachte über das Telefongespräch nach, das er gestern abend mit Greg Salewski geführt hatte. Die Obstplantagen in Mittelamerika gehörten zu den kostengünstigsten und einträglichsten Produktionsstätten der *PAFCO*, und es schien ihm unerlässlich, Salewski von New York aus nach besten Kräften zu unterstützen. Er würde diesen Punkt am Ende der Sitzung als Tischvorlage auf die Tagesordnung bringen, um den anderen Vorständlern den Ernst der Lage klarzumachen.

Anaheim nahm die Arbeitsmappe und ging hinüber in den feudal eingerichteten, abhörsicheren Konferenzsaal. Seine achtzehn Vorstandskollegen waren bereits eingetroffen und diskutierten in kleinen Gruppen die anstehenden Entscheidungen. Anaheim ließ sich am Kopfende des langen Mahagonitisches nieder und wartete, bis die anderen ebenfalls auf ihren Sesseln Platz genommen hatten. Dann eröffnete er formell die Sitzung, um in kurzen, prägnanten Sätzen die einzelnen Punkte der Tagesordnung zu erläutern. Anschließend wurde die Diskussion freigegeben.

Dreieinhalb Stunden später hatte der *PAFCO*-Vorstand dank der präzisen, mitunter autoritären Leitung Alexander Anaheims sein heutiges Arbeitspensum erledigt. Der Vorstandsvorsitzende bemerkte, dass sich die Atmosphäre zusehends entspannte und erhob sich aus seinem Sessel.

„Meine Herren, einen Moment noch, bitte. Ich möchte Ihre Aufmerksamkeit auf die Probleme lenken, die sich in der letzten Zeit in Mittelamerika aufgebaut haben. Wir sollten uns dringend mit Lösungsmöglichkeiten beschäftigen, bevor sich Situationen ergeben, die sich nicht mehr kontrollieren lassen."

Marcus Mooney, der Chef der Finanzabteilung, meldete sich zu Wort. „Könnten Sie Ihre Befürchtungen etwas konkretisieren, Alex? Welche Probleme genau meinen Sie?"

„Nun, ich spreche über unsere Großplantagen und Produktionsbetriebe in Costa Rica. Wie Sie wissen, ist die Position der *PAFCO* durch den Regierungswechsel eher geschwächt worden. Unser geschätzter Kollege Greg Salewski hat die

Situation bisher noch im Griff. Er hat mich allerdings gestern Abend angerufen, weil er absieht, dass sich das politische Klima in näherer Zukunft sehr zu unseren Ungunsten auswirken könnte."

„Hatte er dazu genauere Informationen?", wollte Mooney wissen. Auch die anderen Vorstandsmitglieder hörten jetzt aufmerksam zu.

„Allerdings", erwiderte Anaheim mit Nachdruck. „Er hat gestern mit Innenminister Cuatrecasas über die kurz- und mittelfristigen Pläne der Regierung gesprochen. Der Minister hat bestätigt, was gerüchtehalber in San José umherging: Die Linksregierung scheint fest entschlossen, ihre Enteignungs- und Verstaatlichungspläne im großen Rahmen in die Realität umzusetzen, und, was in diesem Zusammenhang das Wichtigste ist, sie ist offenbar nicht gewillt, der *PAFCO* in irgendeiner Weise eine Sonderstellung einzuräumen."

Die Anwesenden äußerten sich unmutig.

„Das ist ja unglaublich", schäumte Mooney, „was glauben die denn eigentlich, wer sie sind? Ihre hohe Auslandsverschuldung wird sie dazu zwingen, diesen Entschluss noch zu revidieren. Ein erheblicher Teil des costa-ricanischen Bruttosozialproduktes wird durch *PAFCO*-Betriebe erwirtschaftet. Damit sollte sich doch genügend Druck erzeugen lassen, um die Kerle zu zwingen, ihre Finger von unserem Besitz zu lassen."

Anaheim machte eine zweifelnde Handbewegung. „Der Minister hat Salewski zu verstehen gegeben, dass sie einen wirtschaftlichen Einbruch in Maßen in Kauf nehmen wollen, um, ich zitiere: ‚– dem Volk seine Identität auch auf wirtschaftlichem Gebiet wiederzugeben –'"

„Hören Sie auf, Alex, ich kann es nicht hören. Das bedeutet nämlich im Klartext, dass diese Bande das Land wieder in den verkommenen Zustand zurückfallen lässt, in dem es früher war. Sehen Sie sich doch an, wie es in den Teilen des Landes aussieht, in denen die *PAFCO* nicht für Ordnung sorgt. Diese Bauern sind viel zu faul, um die Produktion stringent und gewinnbringend durchzuorganisieren."

Die anderen äußerten Zustimmung. Auch Anaheim schloss sich an. „Außerdem sollten wir bedenken, dass die costa-ricanische Produktion einen wichtigen Finanzposten der *PAFCO* repräsentiert; niemand weiß das besser als Sie, Marcus. Ich möchte Sie deshalb bitten, bis zur nächsten Sitzung in drei Tagen fundierte Vorschläge zu erarbeiten, wie wir dieser Entwicklung entgegentreten können."

Der Leiter der Planungskommission, Milton D. Klug, unterbrach ihn. „Wie schätzen Sie denn die Möglichkeiten ein, die US-Regierung in solche Strategien einzubeziehen?"

„Nun, das Außenministerium hat schon deutlich gemacht, dass die bilateralen Beziehungen durch restriktive Maßnahmen gegen US-Unternehmen deutlich belastet würden. Ich persönlich bin allerdings nicht sicher, dass solche offiziellen Meinungsbekundungen viel bewirken, wenn ich an Salewskis Telefonat denke."

„Das ist auch meine Meinung", stimmte Klug zu. Dann zögerte er einen Moment, bevor er weitersprach. „Inwieweit lässt sich denn eine Einflussnahme auf die politischen Strukturen in San José unterhalb der Regierungsebene vorstellen?"

Anaheim nickte vorsichtig. „In dieser Hinsicht werden bereits einige Kontakte geknüpft. Aber dies ist noch nicht spruchreif." Er dachte an Edward Walthamstow, dessen Name jedoch auf den offiziellen Sitzungen des Aufsichtsrats möglichst nicht erwähnt werden sollte.

Walthamstow leitete eine *PAFCO*-Abteilung, die in den offiziellen Geschäftsbüchern nicht auftauchte. Er plante und organisierte Aktionen, die nicht unbedingt durch die jeweiligen Gesetze abgedeckt wurden, öffnete Kanäle, durch die Geld an die richtigen Quellen floss, und stellte die Verbindungen zu kompetenten Mitgliedern der Regierungsadministration her.

Marcus Mooney hatte eine weitergehende Frage. „Nehmen wir einmal an, San José würde tatsächlich die ausländischen Großunternehmen vergraulen. Glauben Sie, die US-Regierung könnte darauf warten, dass das entstehende Investitionsvakuum durch fremde, unkontrollierbare Finanzmittel gefüllt wird?"

Zweifelnd wiegte Anaheim den Kopf. „Ich vermute, Sie spielen auf eine mögliche Militäroperation an. Also, erstens glaube ich nicht, dass die amerikanische Regierung so weit gehen würde. Costa Rica ist nicht Grenada. Den möglichen Vorteilen stehen unübersehbare internationale Verwicklungen gegenüber. Um solche Maßnahmen durchzusetzen, müsste man schon sehr hart argumentieren. Zweitens, und für mich entscheidender, ist es nicht sehr wahrscheinlich, dass die Chinesen, Japaner, Russen oder sonst wer in Costa Rica im großen Stil tätig werden. Soweit uns bekannt ist, erfährt San José große Unterstützung durch die britische Regierung."

„Was versprechen sich die Engländer denn davon?", warf Milton D. Klug ein.

Mooney ergriff das Wort. „Alle Anzeichen deuten darauf hin, dass es informelle Absprachen zwischen London und San José gibt, die den Briten beträchtliche Investitions- und Handelsmöglichkeiten im gesamten mittelamerikanischen Raum eröffnen, sofern sie Costa Rica während der ökonomischen Durststrecke finanziell unter die Arme greifen."

Klug fasste zusammen. „Sie wollen also sagen, dass es sich

die Regierung in San José ohne die britische Wirtschaftshilfe nicht leisten könnte, sich die *PAFCO* durch ihre Verstaatlichungsprogramme zum Gegner zu machen?“

Mooney nickte. „Es wird ihnen auch so schwer genug fallen, aber das ist offenbar der Preis, den sie für die Unabhängigkeit von den USA bezahlen wollen. Dennoch, ohne die Engländer wäre das Ganze wohl nicht durchzuziehen.“

„Aber das würde uns ja die Möglichkeit eröffnen, mit den Briten über eine Mischfinanzierung zu verhandeln, was uns im Gegenzug eine Sonderstellung innerhalb des costa-ricanischen Umbauprogramms sichern könnte.“

Alexander Anaheim schaltete sich wieder ein. „Überschätzen Sie diese Möglichkeit nicht, Milton. Die *PAFCO* stellt in der Ideologie der costa-ricanischen Regierung und wohl auch in der Stimmung des gemeinen Volkes den Prototyp der Wirtschaftsstruktur dar, die man beseitigen will. Ich bezweifle deshalb, dass eine Beteiligung der *PAFCO* an der britischen Wirtschaftshilfe überhaupt Verhandlungsgegenstand werden könnte. Außerdem, und dies ist ein wichtiger Aspekt, müssen Sie sich die politische Situation in Großbritannien vor Augen halten. Die Regierung muss sich nach neuen und stabilen Märkten umsehen, um die Arbeitslosenquote irgendwie zu drücken. Sie wird nicht bereit sein, sich ein Stück dieses Kuchens abschneiden zu lassen. Sie kann sich dabei darauf berufen, dass die britische Regierung offiziell gar nicht als Geldgeber auftritt, sondern die *Imperial Bank* als größte Geschäftsbank des Landes.“

„Lassen sich denn nicht irgendwelche anderweitigen Verbindungen knüpfen und Maßnahmen ergreifen, um die Briten zumindest an den Verhandlungstisch zu bringen?“

Anaheim äußerte sich zurückhaltend. „Wir sind in dieser

Hinsicht bereits tätig geworden und hoffen, in absehbarer Zeit erste Ergebnisse präsentieren zu können. Ja, meine Herren, ich glaube, wir kommen jetzt ohnehin zu keinen weiteren konkreten Übereinkünften. Ich hoffe aber, dass klar geworden ist, wie dringend wir uns diesem Problem widmen müssen. Deshalb bitte ich Sie nochmals, bis zur nächsten Sitzung einige strategische Überlegungen anzustellen, wie wir einer Lösung näher kommen. Damit möchte ich die heutige Sitzung schließen."

Als Anaheim den Sitzungssaal verließ, um in sein Büro zurückzukehren, hörte er seine Vorstandskollegen weiterdiskutieren. Er schloss die Tür und betrat sein Büro. Auf dem riesigen Schreibtisch hatte seine Sekretärin eine Notiz bereitgelegt.

Walthamstow bat um unverzügliche Kontaktaufnahme.

London, Großbritannien

Bis Idwood Green und Stan Lundquist die Ausweis- und Zollkontrollen in Heathrow hinter sich gebracht hatten und nach zähem Warten ihr Gepäck vom Förderband nehmen konnten, war es 20 Uhr geworden. Sie beschlossen, in der Flughafenbar einen Begrüßungsdrink zu nehmen, bevor sie zum Hauptportal marschierten, um ein Taxi zu ergattern. Nachdem sie ihre Reisetaschen verstaut hatten und im Fond des großen schwarzen Diesels saßen, wies Green den Fahrer an, Richtung Stadtmitte zu fahren.

Kurz vor Chiswick, wo die A4 auf die M4 trifft, meinte Green gähnend: „Hören Sie, Stan, es ist kurz nach halb neun. Abbott wird ohnehin nicht mehr im Büro sein. Außerdem müsste ich mich mal um meine Verletzung kümmern. Was halten Sie davon, wenn wir direkt zu mir fahren, vielleicht noch einen Happen essen gehen, und uns dann eine Mütze voll Schlaf genehmigen? Meinetwegen können wir uns ja in aller Frühe auf den Weg machen, um uns Mitchells Gesprächspartner vorzunehmen, wer immer es auch sein mag."

Der lange Australier war auch nicht mehr besonders motiviert. „Eine gute Idee."

Green beugte sich zum Fahrer. „Nehmen Sie bitte die A406. Wir möchten nach Edgware in die Station Road."

Der Fahrer nickte und schien sich über die gute Fuhre zu freuen, denn bis Edgware waren noch einige Meilen zurückzulegen.

Um 21 Uhr bog er in die Station Road ein und ließ sich von Green die Hausnummer nennen. Lundquist blickte neugierig aus dem Fenster. Schräg gegenüber sah er die alte und malerische Underground-Station des Londoner Vorortes. Die Straße selbst wurde vom warmen Licht echter Gaslaternen beleuchtet, und in den ebenerdigen Geschossen der meisten Häuser bemerkte er hell erleuchtete Ladenlokale und mehrere Pubs.

Inzwischen hatte das Taxi vor einer Gastwirtschaft mit dem Namen *The Old Oak Tree* gehalten. Green entlohnte den Fahrer und stieg aus. Er machte eine ausladende Handbewegung und fragte: „Na, Stan, wie gefällt Ihnen Edgware? Sieht es hier nicht aus wie ganz früher?" Begeisterung schwang in seiner Stimme mit.

„Doch, wirklich, es ist sehr schön hier", erwiderte Lundquist ehrlich.

Idwood zog einen Schlüssel aus der Tasche und öffnete die Haustür direkt neben dem Eingang des *Old Oak Tree*. „Immer herein, mein Freund." Der Hausflur war eine Sehenswürdigkeit mit Marmortreppen und Eichengeländern. Sie stiegen die Stufen hinauf, und Lundquist hatte sich gerade gefragt, ob Green vielleicht über dem Dach wohnte, als dieser die oberste Wohnungstür aufschloss.

Die Wohnung war ein Traum. Vier oder fünf verwinkelte Zimmer mit teilweise schrägen Wänden waren mit teuren alten Möbeln eingerichtet. Direkt neben der Eingangstür imponierte dem Australier ein handbemalter deutscher Bauernschrank, der zur Garderobe umfunktioniert worden war. Am Kopfende der Küche, in deren Mitte eine kohlebefeuerte Kochstelle mit bunten Keramikklappen stand, öffnete Green eine große Glastür. Sie führte hinaus auf einen etwa acht mal zehn Meter großen, mit allerlei Grünzeug bepflanzten Dachgarten. In der Ferne breitete sich das Lichtermeer der englischen Hauptstadt aus.

Lundquist war begeistert. „Hier kann man es aushalten, Idwood."

„Freut mich, dass es Ihnen gefällt. Machen Sie es sich bequem und fühlen Sie sich wie zu Hause. Ich muss mich jetzt endlich mal um meinen Arm kümmern."

„Warten Sie, ich helfe Ihnen." Die Wunde war doch tiefer, als Lundquist angenommen hatte. Er desinfizierte sie gründlich und legte sorgfältig einen neuen Verband an. Green hatte die Prozedur mit unbewegtem Gesicht über sich ergehen lassen.

„Danke, Stan. Es schmerzt zwar im Moment wieder heftiger, aber ich fühle mich doch irgendwie wohler. In einer knappen Woche sieht die ganze Sache schon wieder besser aus. Was halten Sie davon, wenn wir uns unten im *Old Oak Tree* vor dem Schlafengehen noch ein paar Watneys hinter die Binde kippen?"

„Viel", antwortete Lundquist kurz und bündig.

Anderthalb Stunden später fielen sie ziemlich angeheitert ins Bett.

Doch schon um halb acht in der Frühe war Idwood wieder auf den Beinen und weckte Lundquist mit einer Tasse Kaffee. Kurz nach acht verließen die beiden Agenten das Backsteinhaus und überquerten die Station Road in Richtung Bahnhofsparkplatz. Green machte ein erwartungsfrohes Gesicht.

„Warum freuen Sie sich denn so?“, wollte Lundquist wissen.

Green deutete auf einen petrolfarbenen Xedos 6. „Ich habe ihn im Urlaub ein wenig vermisst“, antwortete er. Kurz darauf ließ er genüsslich den Sechszylinder an und gab Gas.

Der lange Australier bedauerte nachträglich, dass er kein Taxi genommen hatte, aber dafür erreichten sie das Regierungsviertel bereits nach knappen fünfzehn Minuten. Lundquist stand leichter Schweiß auf der Stirn. „Schönes Auto“, lobte er, während er sich beeilte, so schnell wie möglich auszusteigen.

Green lachte ihn an. „War's zu schnell? Tut mir Leid, aber das musste heute sein. Ab jetzt fahre ich langsamer, wenn Sie neben mir sitzen.“

Sie machten einen kurzen Spaziergang durch den St. James's Park und standen zehn Minuten später im Vorzimmer von Sir Ronald Abbotts Büro.

Die Sekretärin meldete sie per Sprechanlage.

„Na, endlich. Nur herein mit den beiden“, antwortete Abbott.

Sir Ronald Abbott war ein distinguierter Herr von etwa sechzig Jahren, trug kurz geschnittene graue Haare und einen konservativen dunklen Maßanzug.

„Ich freue mich, Sie zu sehen, meine Herren. Wann sind Sie eingetroffen?“

„Gestern Abend“, erwiderte Green.

„Haben Sie neue Information von diesem, wie hieß er gleich, Mitchell, erhalten können?“

Green setzte seinen Chef über die Vorkommnisse auf der *Ionian Star* in Kenntnis. Abbott hörte aufmerksam zu und sah die beiden dann nachdenklich an.

„Der Tod dieses Dave Mitchell ist ohne Zweifel äußerst bedauerlich. Allerdings lässt Mitchells Reaktion darauf schließen, dass der Beschattung von Dr. Lundquist doch einige Bedeutung zukommt. Da der Beginn dieser Beschattung offenbar mit Ihrer Entdeckung der fehlenden Eizellen zusammenfällt, darf man wohl vermuten, dass sich hinter diesem, eh, Eidiebstahl eine Affäre größeren Ausmaßes verbirgt.“ Er blickte Lundquist fragend an.

„Ich stimme Ihnen in allen Punkten zu, Sir Ronald. Wie Sie sich sicher denken können, habe ich lange darüber nachgedacht, wie Mitchell auf mich aufmerksam geworden ist. Die einzige Möglichkeit scheint mir die zu sein, dass er das Labor, oder sagen wir besser, die Abteilung von Professor Callaghan observiert hat. Da drängt sich natürlich der Verdacht auf, dass er von dem Probendiebstahl zumindest gewusst, wenn nicht sogar ihn selbst ausgeführt hat.“

Idwood Green schaltete sich ein. „Wenn wir annehmen, dass sich hinter der ganzen Sache eine größere Affäre verbirgt, müssen wir uns natürlich fragen, welche Rolle die McKinley dabei spielen könnte. Mich verblüfft doch sehr, dass sie ihren Besuch in Australien vertuschen will, und ich stelle mir drei Fragen. Erstens, warum tut sie das? Zweitens, was war der Zweck ihres Besuches in Canberra? Drittens, welche Vorteile könnten die Diebe aus dem Besitz der Eizellen ziehen?“

Abbott nickte. „Nun, ich denke, die Beantwortung der

ersten Frage fällt uns leichter, wenn wir eine Antwort auf die zweite haben. Dazu böte sich die Möglichkeit an, Mrs. McKinley etwas genauer zu befragen."

„Davon möchte ich im Moment noch abraten", fiel Lundquist ein. „Ich will Martha McKinley natürlich nichts unterstellen, aber es wäre denkbar, dass sie selbst in die Angelegenheit verstrickt ist. Und da ich noch hoffe, dass Kay in Canberra durch die Befragung von Professor Callaghan einiges in Erfahrung gebracht hat, würde ich vorschlagen, dass wir erst mit ihm Rücksprache halten."

„Eine gute Idee, Dr. Lundquist." Auffordernd deutete Abbott auf das Telefon.

Lundquist blickte zur Uhr und lächelte. „Da hat er ja diesmal Glück, dass ich ihn nicht wieder aus dem Bett werfe." Er wählte die Nummer von Adrian Kays Büro. Der Sekretär nahm ab.

„Hallo, hier ist Stan Lundquist in London. Ich möchte den Chef sprechen."

Abbott und Green hatten den Mithörlautsprecher angestellt und warteten gespannt auf Adrian Kays Stimme.

„Hier ist Kay."

„Hier ist Stan Lundquist, Sir. Ich bin in London im Büro von Sir Ronald. Er und Idwood Green sitzen neben mir."

„Ich grüße Sie, meine Herren", sagte Kay freundlich.

„Die Herren lassen Sie auch grüßen", erwiderte Lundquist.

„So, und nun erklären Sie mir doch einmal, was Sie eigentlich in London treiben, Stan", forderte Kay seinen Mitarbeiter auf.

„Unser Gesprächspartner konnte sich wegen eines Unglücksfalles leider nicht zu unserem Problem äußern, Sir."

„Das haben Sie ja fein umschrieben. Was sagt man dazu?

Die einzige Spur, und die beiden Kerle haben nichts Besseres zu tun, als ..."

„Es war ein Unfall, Sir", unterbrach ihn Lundquist mit bestimmtem Ton.

„Nun echauffieren Sie sich doch nicht gleich, ich glaub's Ihnen ja. Aber deswegen weiß ich immer noch nicht, was Sie nach London getrieben hat. Das Wetter sicher nicht."

„Natürlich nicht, Sir", erwiderte Lundquist geduldig. „Mitchell hat in Piräus ein Telefongespräch nach London geführt, und Dr. Green konnte die Nummer notieren. Vielleicht kann uns Mitchells Gesprächspartner irgendwie weiterhelfen."

„Na, das ist doch wenigstens ein Lichtblick. Wissen Sie schon, um wen es sich handelt?"

„Nein, aber Sir Ronald wird uns gleich informieren."

„Nun, dann habe ich auch einige Informationen für Sie, mein Junge. Professor Callaghan war so freundlich, sich mit uns zu unterhalten. Mrs. McKinley war am 3. Juni bei ihm. Er hat ihr Eizellen entnommen und mit dem Samen ihres Mannes befruchtet, der drei Tage vor ihr hier war. Das Ehepaar McKinley hat sich für fünfundzwanzigtausend Dollar eine Leihmutter gemietet, ein Mädchen namens Ann Dougan."

Lundquist hatte die unrunde Stelle der Geschichte sofort erkannt. „Wie lange lief denn der Kontakt zwischen den McKinleys und Callaghan vorher schon? Man fliegt ja nicht eben nach Australien und lässt sich einfach so mal Eizellen entnehmen."

„Sie haben ja mitgedacht! Das lässt für die Zukunft hoffen. In der Tat haben vorher Kontakte bestanden, und zwar über Martha McKinleys Hausarzt und langjährigen Bekannten Professor Rufus Kline. Callaghan und er haben zusammen studiert. Callaghan machte übrigens den Eindruck, als hätte er einiges zu verbergen. Ich vermute, dass Kline in London auch die vorbereitende Behandlung durchgeführt hat, denn, wie Sie so schön sagten, mein lieber Stan, man kann sich nicht ‚einfach so' mal Eizellen entnehmen lassen."

„Sie auf keinen Fall, Sir." Lundquist konnte es sich nicht verkneifen.

Kay schwieg einen Moment verblüfft. Dann meinte er: „Sie sind ein Spaßvogel, Dr. Lundquist. Erzählen Sie Sir Ronald noch ein paar solcher Kalauer, damit er Sie des Landes verweist. Wenden Sie sich dann vertrauensvoll an mich, ich werde mich dafür verwenden, dass Sie eine Einreiseerlaubnis für Australien erhalten. Und nun machen Sie sich an die Arbeit und suchen Mitchells Gesprächspartner, damit Sie auch mal ein Ergebnis vorweisen können. Vielleicht können Sie sich dazu durchringen, mir dieses dann mitzuteilen. Grüßen Sie Sir Ronald nochmals." Übergangslos legte er auf.

Abbott betrachtete Lundquist wohlwollend. „Ihr Chef scheint Sie sehr zu mögen, Dr. Lundquist."

„Meinen Sie?"

„Spaß beiseite, meine Herren", unterbrach Idwood. „Mit Kays Informationen lassen sich meine ersten beiden Fragen leidlich beantworten. Martha McKinley hat in Canberra eine In-vitro-Fertilisation durchführen lassen, um das Kind durch eine Leihmutter austragen zu lassen. Das hätte sie natürlich auch in London haben können. Offenbar befürchtete sie, dass die Presse die ganze Sache in der Öffentlichkeit breittreten könnte. Das würde auch einigermaßen schlüssig erklären, warum sie ihren Besuch geheim halten will."

„So weit, so gut, Idwood. Durch die Existenz Dave Mitchells erscheint diese halbwegs normale Angelegenheit aber in einem anderen Licht."

„Stimmt. Und damit wären wir bei Frage drei. Und deren Beantwortung kommen wir nur über Mitchells Gesprächspartner näher." Er blickte Abbott an. „Sir, haben Sie auf Grund meines Anrufes aus Piräus irgendetwas über den Inhaber der Telefonnummer erfahren können?"

Abbott nickte und nahm einen dünnen Schnellhefter aus seinem Schreibtisch. „Der Anschluss gehört einem gewissen John Ferguson-Smith, wohnhaft 21 Queens Gate Terrace in Knightsbridge. Ich habe den Computer nach Vorstrafen und Ähnlichem suchen lassen, aber er hat, was das betrifft, eine völlig weiße Weste. Weiteres hatte ich bisher noch nicht veranlasst; nach dem Tod Mitchells scheint mir dies aber jetzt angebracht. Wir werden uns etwas mit seinem Privatleben beschäftigen. Wollen Sie ihn aufsuchen?"

„Allerdings", erwiderte Idwood bestimmt, „und zwar jetzt gleich. Deswegen sind wir schließlich nach London gehetzt." Er erhob sich.

Green und Lundquist hatten gerade die schwere Holztür von Abbotts Büro geöffnet, als der noch eine Frage stellte. „Ach, übrigens, wie war eigentlich Ihr Urlaub, Dr. Green?"

Idwood warf ihm einen bitterbösen Blick zu, denn das Gesicht des Chefs schien ihm eine Nuance zu heiter, als dass er in der Frage wirkliche Teilnahme hätte vermuten dürfen.

Zehn Minuten später steuerte Green den Xedos über die Kensington Road an der Südseite des Hyde-Parks entlang in Richtung Westen. Er hantierte am Kassettenrekorder herum und wenige Sekunden später erfüllte klassische Musik das Innere des Autos. Green pfiff mit Inbrunst mit. „Gefällt es Ihnen, Stan?", fragte er.

„Leider interessiere ich mich nicht sehr für Musik", musste Lundquist zugeben, „aber es klingt sehr gut. Was ist es?"

Green drehte am Regler, um mehr Bässe zu hören. „Das ist der dritte Satz des 5. Klavierkonzerts von Beethoven, mit Maurizio Pollini am Klavier. Schade, dass der gute Ludwig nicht noch mal kurz vorbeischauen kann. Ich wär mal richtig gespannt, was der heutzutage so komponieren würde. Klassik ginge ja rein definitionsmäßig gar nicht." Der Engländer begann wieder die Melodie mitzupfeifen und klopfte den auffällig akzentuierten Sechsachteltakt auf dem Lenkradkranz mit. Lundquist lächelte.

Sie passierten die Royal Albert Hall und kurz danach bog Green links ab. Etwa dreihundert Meter weiter, unweit des Imperial College, zweigte die Queens Gate Terrace ab. Green brachte den Wagen gegenüber von Nummer 21 zum Stehen. Sie stiegen aus und gingen über die Straße zu dem Haus, in dem John Ferguson-Smith wohnte. Es handelte sich um einen aufwendig renovierten Altbau mit großen Erkern und allerlei Stuckwerk.

„Ich möchte nicht wissen, was hier die Miete kostet", meinte Green, während er auf den Klingelknopf drückte. Niemand meldete sich.

„Vielleicht ist er nicht zu Hause."

„Probieren wir es eben woanders." Hartnäckig betätigte Idwood einen der anderen Klingelknöpfe. Der Türsummer ertönte und die beiden Agenten betraten das Haus. Sie stiegen die breite steinerne Wendeltreppe hinauf. Im vierten Stock öffnete eine gepflegt gekleidete Dame die Wohnungstür.

„Was wünschen Sie, bitte?"

„Wir hatten einen Termin mit Mr. Ferguson-Smith, Madam", erklärte Green höflich. „Leider öffnet er nicht. Wissen Sie zufällig, ob er das Haus schon verlassen hat?"

Die Dame zuckte bedauernd die Achseln. „Es tut mir Leid,

dass ich Ihnen nicht helfen kann, mein Herr. Ich habe praktisch keinen Kontakt mit Mr. Ferguson-Smith und weiß auch nicht, ob er im Hause ist.“

„Da kann man nichts machen. Entschuldigen Sie die Störung“, erwiderte Green. Die Dame schloss die Tür. Green wollte gerade an der nächsten Wohnungstür klingeln, als sie hörten, wie im Stockwerk unter ihnen eine Tür aufgeschlossen wurde. Übergangslos setzte sich der Engländer in Bewegung und eilte lautlos die Treppe hinunter.

Ein älterer Herr bemühte sich gerade, zwei schwere Einkaufstaschen in die Wohnung neben Ferguson-Smith zu tragen. Green sprach ihn vorsichtig an.

„Guten Tag. Wir hatten eine Verabredung mit Mr. Ferguson-Smith, aber er scheint nicht zu Hause zu sein. Haben Sie ihn zufällig heute schon gesehen?“

Der Mann drehte sich um und musterte Green aufmerksam. „So, eine Verabredung hatten Sie? Ich befürchte, dass Sie da umsonst gekommen sind. Ferguson-Smith ist vorgestern mit zwei großen Reisetaschen in einem Taxi davongefahren. Wahrscheinlich ist er nach New York geflogen.“

Green stutzte. „Wie kommen Sie denn, bitte, auf New York?“

„Er hat öfter in New York zu tun. Ich glaube, er hat sogar eine Zweitwohnung dort. Er hat mich nämlich irgendwann mal gebeten, ihm Post nachzuschicken.“

„Sie haben ihm Post nachgeschickt? Wissen Sie die Adresse noch?“

„Darf ich fragen, warum Sie das alles wissen wollen?“

Green griff in die Brusttasche seiner Jacke und wedelte mit einem Ausweis vor dem Gesicht des Mannes herum. „Wir sind von Scotland Yard. Da hat es eine dumme Sache in Mr.

Ferguson-Smiths Firma gegeben und wir würden ihm gerne einige Fragen stellen. Er könnte ein wichtiger Zeuge sein. Wenn Sie sich an die New Yorker Adresse erinnern würden, wären wir vielleicht in der Lage, ihn telefonisch zu erreichen."

Stan Lundquist, der inzwischen hinter Green stand, war gespannt, ob der Alte auf diesen hanebüchenen Unsinn hereinfiel.

„Ja, wenn das so ist. Warten Sie mal, ich werde nachschauen, ob ich die Adresse noch finde." Er verschwand in der Wohnung.

Green blickte Lundquist an und sagte leise: „Jetzt hilft nur Daumen drücken."

Kurze Zeit später tauchte der Alte in der Tür auf. „Hier ist die Adresse. Hoffentlich hilft sie Ihnen weiter."

„Ganz sicher. Vielen Dank", meinte Green und betrachtete zusammen mit Lundquist den zerknitterten Zettel. *John Ferguson-Smith, 208 East 34th Street, New York 10031, New York.*

„Das ist in der Nähe der Medical School", meinte Stan.

Idwood blickte ihn erstaunt an. „Woher wissen Sie das denn?"

Lächelnd erwiderte der lange Australier: „Ich habe an der Columbia University in New York promoviert und kenne mich einigermaßen aus."

Sie gingen langsam die Treppe hinunter und kehrten zu Greens Auto zurück.

„Was machen wir jetzt?", fragte der Engländer.

„Ich weiß es auch nicht", bekannte Lundquist. „Am besten wäre es natürlich, wir würden nach New York fliegen und ihn da befragen. Wenn man bloß wüsste, wann er nach London zurückkehrt."

Green dachte einen Moment nach und erwiderte dann:

„Was halten Sie davon, wenn wir erst einmal eine Kleinigkeit zu Mittag essen? Vielleicht kommt uns dabei eine Erleuchtung."

„Keine schlechte Idee", stimmte Lundquist zu.

Green fuhr zu einem unscheinbaren Restaurant in einer Seitenstraße der Regent Street, wo sie zwei überdimensionale Steaks verputzten. Allerdings waren sie hinterher auch nicht klüger, was in der Angelegenheit Ferguson-Smith jetzt zu unternehmen sei. Sie beschlossen, zurück zu Abbott zu fahren und die Sache mit ihm zu besprechen.

Als sie Abbotts Vorzimmer betraten, fiel Yvonne Hartfield, seiner Sekretärin, sichtbar ein Stein vom Herzen. „Ein Glück, dass ihr kommt, Idwood. Sir Ronald versucht seit gut einer Stunde händeringend, euch zu finden." Sie öffnete ihnen die Tür.

Abbott erhob sich augenblicklich von seinem Sessel. „Da sind Sie ja endlich. Ich hatte Sie suchen lassen. Wenn Sie sich doch bloß zur Benutzung Ihres Mobiltelefons bequemen könnten. Bitte, nehmen Sie Platz." Er verschränkte die Hände hinter dem Rücken und ging langsam zum Fenster. Während er den Park betrachtete, fragte er leise: „Haben Sie Ferguson-Smith gefunden, meine Herren?"

Idwood Green, der seinen Chef schon länger kannte, hatte das unbestimmte Gefühl, dass irgendetwas schief gelaufen war. „Nein, Sir", antwortete er vorsichtig, „er ist offensichtlich verreist. Allerdings hat uns sein Nachbar eine Adresse in New York geben können, unter der Ferguson-Smith angeblich zu erreichen ist."

Da Abbott keinen Ton von sich gab, fuhr Idwood fort: „Wir sind uns nicht ganz schlüssig, was wir jetzt unternehmen sollen. Aufgrund der bisherigen Vorfälle hielte ich es allerdings für angebracht, ihm nachzufliegen. Uns ist nicht eingefallen, wie wir anderweitig Hinweise auf Mitchells Motiv erhalten könnten."

Einen Moment herrschte Stille in Sir Ronalds Büro. Idwood sah Stan stirnrunzelnd an. Worüber mochte der Chef bloß brüten?

Langsam wandte sich Abbott um und sah sie ernst an.

„Martha McKinley ist verschwunden."

„Was sagen Sie da? Verschwunden? Seit wann?"

„Darüber gibt es keine genauen Informationen. Allerdings ist sie seit gestern Morgen nicht mehr gesehen worden."

Ganz glauben wollte Lundquist die Nachricht noch nicht. „Woher wissen Sie das denn? Hat ihr Mann Vermisstenanzeige erstattet?"

Abbott lächelte etwas gequält. „Nein, ihr Mann weilt zur Zeit in Frankreich. Er ist ein sehr beschäftigter Architekt und beaufsichtigt ein größeres Projekt in der Nähe von Clermont-Ferrand. Nein, nein, unser Verbindungsmann in der *Imperial Bank* hat mitgeteilt, dass der Vorstand in Sorge ist, weil sie nicht in der Bank erschienen ist, ohne wie üblich Nachricht zu geben, und auch telefonisch nicht zu erreichen war." Abbott machte eine kurze Pause. „Außerdem warte ich auch schon seit zwei Stunden vergeblich auf sie."

Green zog die rechte Augenbraue hoch. „Entschuldigen Sie, Sir, soll das heißen, Sie haben sie hierher bestellt?"

„Nicht ganz, Dr. Green. Sie hat vorgestern Abend bei meiner Sekretärin angerufen und für heute, 11.30 Uhr, um einen Gesprächstermin gebeten."

Idwood musterte seinen Chef nachdenklich: „Darf ich fragen, Sir, ob es einen bestimmten Grund dafür gibt, dass Sie uns bisher nicht über diesen Anruf unterrichtet haben?"

„Sie dürfen, Dr. Green. Ich pflege Verabredungen mit Leuten, die zum Beraterstab des Premierministers gehören, grundsätzlich nicht vorher anzukündigen."

„Sie gestatten, dass ich Ihrer Logik in diesem speziellen Falle nicht ganz folgen kann, Sir", bemerkte Green aufsässig.

„Das ist mir ziemlich egal, und ich habe auch nicht vor, meine Entscheidungen mit Ihnen zu diskutieren. Wir haben jetzt andere Probleme. Fahren Sie zu Mrs. McKinleys Wohnung und sehen Sie zu, dass Sie herausfinden, wo sie ist. Ich werde Ihnen vier Männer der Spurensicherung unterstellen, vielleicht können Sie sie gebrauchen."

„Was geschieht, wenn sie lediglich für eine Nacht außer Haus war und heute zurückkehrt? Sie wird nicht sehr erfreut sein, wenn wir in ihrer Wohnung herumschnüffeln."

„Zerbrechen Sie sich nicht meinen Kopf, Dr. Green. Ich übernehme die volle Verantwortung für diese Aktion. Außerdem darf ich Ihnen sagen, dass Mrs. McKinley mit hundertprozentiger Sicherheit mit dieser Maßnahme einverstanden ist."

„Woher wollen Sie das so genau wissen, Sir?"

„Das werde ich Ihnen nicht auf die Nase binden. Und jetzt machen Sie sich gefälligst auf den Weg."

„Jawohl, Sir", antwortete Green betont unterwürfig. „Nur eine Frage noch, bitte. Was passiert mit Ferguson-Smith?"

Stan Lundquist schaltete sich ein. „Ich möchte einen Vorschlag machen, Sir Ronald. Wenn Sie erlauben, begleite ich Dr. Green zu Mrs. McKinleys Wohnung. Morgen früh könnte ich dann nach New York fliegen und Ferguson-Smith alleine suchen, falls wir Mrs. McKinley bis dahin nicht gefunden haben."

Abbott nickte. „Gut, Dr. Lundquist, Ihr Vorschlag hört sich

vernünftig an. So, und nun machen Sie sich an die Arbeit, meine Herren." Er deutete zur Tür.

Green und Lundquist verließen das Büro und eilten die Treppe hinunter.

„Was sagt man dazu?", fragte Idwood, als er den Sechszylinder in Bewegung setzte. „Da hat er einen Termin mit der McKinley und sagt kein Sterbenswörtchen davon."

„Das scheint Sie ja mehr zu beschäftigen als die Tatsache, dass die Dame verschwunden ist."

„Na, finden Sie das etwa nicht merkwürdig, Stan? Immerhin reden wir seit Tagen über nichts anderes als Martha McKinley."

„Ob sie Dreck am Stecken hat und abgehauen ist?", fragte der Australier respektlos.

„Das werden wir hoffentlich gleich herausfinden." Green deutete nach vorn durch die Windschutzscheibe. Sie waren soeben auf den Montrose Place abgebogen. „Die Spürhunde sind auch schon da." Er parkte den Xedos hinter einem mittelblauen Ford. Als er ausstieg, öffnete sich auch die Fahrertür des Fords und ein untersetzter Mann mit Nickelbrille begrüßte Green mit Handschlag.

Lundquist trat hinzu.

„Trevor, darf ich Ihnen Stan Lundquist vom australischen Geheimdienst vorstellen? Stan, das ist Trevor Engston."

Die Männer schüttelten sich die Hände, während Green fortfuhr: „Lundquist und ich werden erstmal nachschauen, ob sie nicht doch zu Hause ist. Warten Sie mit Ihren Leuten so lange hier, Trevor."

Stan folgte Idwood über die Straße bis zu einem dreistöckigen Altbau, ähnlich dem Haus, in dem John Ferguson-Smith wohnte.

„Den McKinleys gehört das ganze Gebäude“, erklärte Green. „Dürfte einen Haufen Geld gekostet haben. Aber die beiden haben es ja.“ Er betätigte den Klingelknopf. Als sich nach mehrfachen Versuchen nichts tat, winkte Green zu Engston hinüber.

Die Spurensicherer verließen den Ford und überquerten, mit mehreren Taschen bepackt, die Straße.

„Na, Green, ist die Tür zu? Was würden Sie eigentlich machen, wenn Sie uns nicht hätten?“, fragte Engston grinsend.

„Mein Gott“, stöhnte Green, „der Bursche wird auch immer eingebildeter. Nun machen Sie schon auf. Wir haben zu arbeiten. Oder überfordert Sie dieses Sicherheitsschloss?“

„Wollen Sie mich ärgern? Eine Flasche Whisky, wenn ich unter einer Minute bleibe?“

Green hob abwehrend die Hände. „O nein, nicht mit mir. Auf Sie bin ich schon mal reingefallen.“ Er wandte sich zu Lundquist. „Da habe ich auch mit ihm gewettet, und dann stellte sich heraus, dass die Tür nur angelehnt war.“

Engston beschäftigte sich konzentriert mit dem Schloss. Nach siebenundvierzig Sekunden öffnete er einladend die Tür. „Bitte, treten Sie doch ein, meine Herren. Ich wirke auf Türschlösser wie auf Frauen: unwiderstehlich!“

„Benutzen Sie bei Frauen auch einen Dietrich?“, fragte Green, während er an Engston vorbei ins Haus trat.

Sie suchten alle drei Stockwerke ab. Die untere Etage war als reiner Arbeitsbereich konzipiert; teure Büroeinrichtungen, viele Bücherregale, Computer und Telefone. Im zweiten Stockwerk residierte offensichtlich Walter McKinley; einige Zeichenbretter und verstreute Rollen mit Plänen ließen dies vermuten. Dafür machte die Einrichtung im oberen Stock einen sehr weiblichen Eindruck. Der umfangreich ausgestattete Toilettentisch im Einzelschlafraum räumte die letzten Zweifel aus.

„Trennung von Tisch und Bett“, fasste Green zusammen. „Trevor, sehen Sie sich erst mal hier oben gründlich um. Aber verwüsten Sie um Himmels willen nicht alles.“

Die Spurensicherer packten ihre Taschen aus und machten sich routiniert an die Arbeit. Idwood lief wie ein schnüffelnder Hund überall herum, zog hier und da eine Schublade auf, blickte eine Zeit lang durch die wallenden Gardinen zum Fenster hinaus auf die gegenüberliegenden Häuser und sah sich danach die Küche an. Plötzlich hörte er Engstons Stimme aus dem Ankleidezimmer.

„Nanu, was haben wir denn da?“ Der Leiter der Spurensicherung kam mit einem wunderschönen Kater auf dem Arm aus dem Zimmer heraus.

„Wo haben Sie den denn gefunden?“

„Er saß auf dem Teppich hinter der Tür und hat mich angemaunzt, als ich hereinkam“, antwortete Engston. „Hübsch, nicht? Es ist ein Siamese.“

„Donnerwetter, tadellos getrennt“, meinte Green anerkennend und ging in die Küche zurück.

Engston blickte Lundquist stirnrunzelnd an. „Gehen Sie zum Schein auf alles ein, was er will. Wenn wir zurück sind, werde ich sofort mit unserem Betriebsarzt sprechen.“ Grinsend wandte er sich mit dem Kater auf dem Arm wieder dem Ankleidezimmer zu.

Mitten in der Bewegung hielt er jedoch inne, denn Green kehrte mit einem gefüllten Fressnapf in der Hand zurück. „Setzen Sie den Kater mal ab, Trevor“, meinte er. Engston blickte Lundquist bedeutungsvoll an und machte mit der freien Hand eine eindeutige Bewegung zum Kopf. Dann setzte er den Siamesen ab. Das edle Tier lief sofort zu Idwood Green und machte sich begierig über das Futter her. Der Engländer schaute befriedigt zu.

„Darf ich jetzt weiterarbeiten?“, fragte Engston ironisch. „Sie können ja währenddessen den Kater noch ein wenig streicheln.“

Verzweifelt blickte Green zu Lundquist. „Warum ist man nur von lauter Amateuren umgeben?“ Dann fixierte er den Chef der Spurensicherung. „Würden Sie mir wenigstens zustimmen, wenn ich behaupte, dass dieses Tier einen sehr gepflegten Eindruck macht?“

Engston nickte verständnislos. „Durchaus. Aber warum fragen Sie das?“

„Der Fressnapf in der Küche war leer, aber nicht gespült. Wie wir gerade gesehen haben, hatte der Stubentiger einen mächtigen Hunger. Glauben Sie, dass die McKinley irgendwohin fährt, ohne dafür zu sorgen, dass ihr Haustier genügend Nahrung hat?“

Stan Lundquist blickte seinen englischen Kollegen beeindruckt an. „Wie dieser Siamkater eben gefressen hat, lässt vermuten, dass er mindestens einen Tag Kohldampf geschoben hat.“

„Den Eindruck hatte ich allerdings auch“, erwiderte Idwood. „Das hieße, dass die McKinley in der Tat seit mindestens gestern Mittag nicht mehr zu Hause war. Sehen wir zu, ob wir noch weitere Anhaltspunkte finden können.“ Er ging in Richtung Küche davon.

Eine Dreiviertelstunde später trafen sie sich alle in Martha McKinleys Wohnraum.

„Ihre Meinung, Trevor?“, fragte Green knapp.

„Ich habe selten eine so ordentliche Wohnung gesehen.

Kein Aschenbecher benutzt, kein schmutziges Geschirr, alle Abfalleimer sauber wie mein Zahnputzbecher. Der Schreibtisch ist ein Wunder an Organisation, selbst ihre Kleider hängen völlig gerade im Schrank. Mit anderen Worten: keine weiteren Anhaltspunkte." Engstons Mitarbeiter bestätigten die Feststellungen.

„Stan?"

„Mir ist auch nichts aufgefallen. Ich bin ziemlich ratlos."

Green dachte einen Moment nach. Dann meinte er: „Trevor, sehen Sie sich noch mal in Martha McKinleys Schreibtisch um. Vielleicht finden Sie irgendwelche Telefonnummern von Freunden oder Bekannten, die sie möglicherweise gerade besuchen könnte. Stan und ich wechseln schon mal in Walter McKinleys Gemächer."

Zwanzig Minuten später kam Engston nach. Er hielt einen handbeschriebenen Zettel in der Hand.

„Wir haben kein Telefonverzeichnis oder ähnliches gefunden", bedauerte er. „Ich habe lediglich einige wiederkehrende Nummern aus dem Ordner notiert, in dem sie ihre Privatpost abheftet. Hier." Er übergab Green den Zettel und fragte dann erstaunt: „Warum gucken Sie denn so?"

Green massierte sich nachdenklich den Stoppelbart, den er immer noch nicht abrasiert hatte, und erwiderte: „Apropos Privatpost: Wo ist eigentlich der Briefkasten?"

Er wartete die Antwort nicht ab, sondern verließ wortlos Walter McKinleys Wohnung und lief die Treppe hinunter. In der kleinen Eingangshalle lagen einige teure Teppiche, und in den Ecken standen drei Bodenvasen mit erlesenen Schnittblumen. Green sah sich die Haustür genauer an. Es war kein Briefkasten vorhanden. Die Post wurde durch einen Klappschlitz hereingeschoben und fiel dann einfach auf den Teppich.

Der Engländer wollte sich gerade wieder abwenden, als er etwas Weißes unter der kleinen, antiken Kommode bemerkte, die direkt hinter der Tür stand. Er bückte sich und förderte einen Briefumschlag zutage. Er war an Mrs. Martha McKinley adressiert und ungeöffnet. Absender war die Zentrale der Caledonian Bank in Edinburgh.

„Offensichtlich Geschäftspost", meinte Green, als er wieder in Walter McKinleys Wohnung zurückgekehrt war und Trevor Engston den Brief übergeben hatte. „Nehmen Sie ihn zu Ihren Unterlagen, Trevor. Sie können ihn Sir Ronald selbst aushändigen, wenn Sie Ihren Bericht abliefern." Dann suchten sie in den beiden unteren Etagen weiter.

Eine halbe Stunde später trafen sie sich in der Eingangshalle. Engston wirkte ratlos.

„Die Suche hat nichts hergegeben", bekannte er. „Bei der Menge ihrer Kleider lässt sich noch nicht einmal abschätzen, ob irgendetwas fehlt, das sie als Gepäck mitgenommen haben könnte." Die anderen waren der gleichen Meinung.

Stan resümierte: „Wir wissen also nicht, wo sie sein könnte; das Einzige, was wir definitiv wissen, ist, dass sie seit gestern Morgen nicht mehr gesehen wurde und dass der Kater einen mächtigen Hunger hatte."

„Moment mal", sagte Green plötzlich. „Trevor, geben Sie mir noch einmal den Brief, den ich hier unten gefunden habe." Er riss Engston den Umschlag fast aus der Hand und betrachtete die Briefmarke.

„Das war es, was mir aufgefallen war, verdammt! Ich habe die ganze Zeit darüber nachgedacht." Er reichte Lundquist den Brief. „Der Poststempel ist von gestern."

„Und was schließen Sie daraus?", fragte der Australier verständnislos.

„Dass der Brief erst heute Morgen zugestellt wurde, und ich frage mich, wo die andere Post von heute ist."

„Woher wollen Sie denn wissen, ob heute überhaupt weitere Briefe angekommen sind?"

„Hören Sie, Stan, ich bin nur ein einfacher, kleiner Beamter, und selbst ich bekomme jeden Tag Post, und sei es Reklame oder Rechnungen oder Kontoauszüge. In diesem Haus wohnen zwei Menschen, die vielerlei Geschäften nachgehen. Ich kann mir nicht vorstellen, dass es da bei einem Brief am Tag bleibt. Trevor, toben Sie mit Ihren Männern nochmal nach oben und sehen sich die Privatpost der McKinley an, vor allem die Datumsstempel."

„Ich hab schon verstanden", verkündete Engston und setzte sich in Bewegung.

Lundquist blieb mit Green in der Halle zurück. „Ja aber", meinte er, „wenn heute Morgen Post zugestellt wurde, und wir weiterhin davon ausgehen, dass die McKinley mindestens seit gestern nicht mehr hier war, wer hat dann die Post hier unten weggenommen? Ihr Mann ist in Frankreich."

„Das ist genau die richtige Frage", stimmte Green zu, „und der Kater hatte Hunger. Und deshalb werden wir den Briefträger suchen, der diesen Zustellbezirk versorgt. Der wird mit Sicherheit sagen können, wie viel Post er heute Morgen durch diesen Schlitz hereingeworfen hat."

Trevor Engston kam gerade die Treppe heruntergeeilt. „Absolutely nothing", verkündete er aufgeregt. „Die letzten Eingänge tragen das Datum von vorgestern."

„Okay", meinte Green. „Packen Sie hier zusammen, Trevor. Wir sehen uns im Büro." Er sah Stan an. „Auf zur Hauptpost!", meinte er unternehmungslustig.

Eine knappe Stunde später hatten sie den Briefträger, einen

Roger Huntsworth, vernommen. Er schwor Stein und Bein, dass er jeden Tag einen beträchtlichen Stapel an Briefen bei den McKinleys abzuliefern hatte und dass dies auch an diesem Morgen nicht anders gewesen sei.

Als sie wieder im Xedos saßen und zur St. James's Gate zurückfuhren, machte Idwood ein nachdenkliches Gesicht. „Wo, zum Kuckuck, ist die Post geblieben? Wenn die McKinley seit gestern nicht mehr zu Hause war, wer war dann im Haus?"

„Vielleicht war sie heute Morgen kurz da?", gab der Australier zu bedenken.

„Dann hätte sie bestimmt die Katze gefüttert", beharrte Idwood dickköpfig. „Außerdem kann ich mir bei ihrer übertriebenen Ordnung keinen Grund vorstellen, aus dem sie die Eingänge nicht wie üblich in ihren Ordner abgeheftet hätte."

„Das leuchtet mir irgendwie ein", stimmte Lundquist zu. „Aber was machen wir jetzt?"

„Wir versuchen, Sir Ronald dies alles klarzumachen. Mal sehen, was er davon hält."

Zwanzig Minuten später wussten sie es.

„Mitunter sind Sie durchaus zu gebrauchen, Dr. Green. Ich stimme Ihnen in der Bewertung Ihrer Beobachtungen rückhaltlos zu." Abbott drückte einen Knopf seiner Sprechanlage und wartete, bis sich seine Sekretärin meldete. „Miss Hartfield, veranlassen Sie bitte eine verdeckte Fahndung nach Martha McKinley, Aufsichtsratsvorsitzende der *Imperial Bank Corporation*. Nur über die Secret-Service-Kanäle, haben Sie verstanden?"

„Ich habe verstanden", erwiderte Yvonne Hartfield. „Fahndung nach Martha McKinley."

„Danke, Miss Hartfield."

Abbott wandte sich wieder Green und Lundquist zu. „Was gedenken Sie jetzt zu unternehmen?"

Idwood Green antwortete zuerst. „Ich werde mich noch mal nach Kensington begeben und mich in der Nachbarschaft der McKinleys umhören. Ich will wissen, wer sie wann zuletzt gesehen hat. Außerdem möchte ich anregen, ihren Mann von ihrem Verschwinden zu unterrichten. Vielleicht weiß er etwas."

„Gut, Dr. Green. Hören Sie sich am Montrose Place um. Ich werde Ihre Anregung aufgreifen und Walter McKinley informieren. Und Sie, Dr. Lundquist?"

„Ich werde morgen früh nach New York fliegen und John Ferguson-Smith suchen. Ich will endlich wissen, warum Mitchell mich verfolgt hat."

„Viel Glück", wünschte Abbott. „Melden Sie sich bitte sofort, wenn Sie etwas erfahren haben. Egal, in was Mrs. McKinley verstrickt ist, wir müssen sie finden. Ich werde unterdessen die unangenehme Aufgabe erledigen, den Premierminister zu unterrichten. Drücken Sie uns allen die Daumen, meine Herren."

Eine halbe Stunde später saßen Green und Lundquist in der Dachgartenwohnung in Edgware. Idwood machte einen sehr nachdenklichen Eindruck.

„Ich kann mir nicht helfen, Stan, irgendwie läuft die ganze Sache aus dem Ruder. Das Verschwinden der McKinley wirft ein völlig anderes Licht auf Ihre Beobachtungen in Canberra. Bisher hatte ich vage vermutet, dass man die McKinley irgendwie erpressen wollte. Aber warum wird sie dann entführt?"

„Moment mal, glauben Sie, man hätte sie entführt?"

„Können Sie eine andere Interpretation der bisherigen

Erkenntnisse liefern? Sir Ronald geht offensichtlich auch davon aus, sonst hätte er keine Fahndung veranlasst. So weit kenne ich ihn."

„Hm, vielleicht kann uns dieser Ferguson-Smith schlauer machen. Da fällt mir ein, darf ich mal telefonieren? Ich muss in New York Quartier machen."

„Sicher, nur zu!"

Lundquist zog ein abgegriffenes Notizbuch hervor und blätterte darin herum. „Mein alter Studienkollege Morton Steiner wohnt noch in New York. Vielleicht kann ich bei ihm unterkommen. Ich hasse Hotels."

Der Australier griff zum Telefon und wählte die 0101.

Drei Minuten später stand die Transatlantikverbindung. Morton Steiner hatte abgenommen.

„Hi, Mort, alte Kanone, hier ist Stan Lundquist."

„Stan, du Nasenbär, wie geht's? Lange nichts mehr von dir gehört. Wir sollten öfter als einmal im Jahr miteinander telefonieren."

„Hör zu, Mort, ich habe in NY zu tun und wollte dich fragen, ob ich für zwei bis drei Tage bei dir wohnen kann."

„Kein Problem, wann willst du denn kommen?"

„Morgen", erwiderte der Australier lachend.

„Morgen? Ach, du dicker Terminkalender! Du hast Glück, dass du mich noch erwischst; ich fahre in etwa zwei Stunden in die Apalaches. Kleiner Kurzurlaub, verstehst du? Das Labor geht mir im Moment wahnsinnig auf die Gonaden. Was machen wir denn da? Pass auf, ich hinterlege meine Wohnungsschlüssel bei der Polizeiwache Bleeker Street und sage den Cops, ein gewisser Stan Lundquist, ein zwielichtiges Subjekt aus Canberra, sei abholberechtigt. Also vergiss deinen Pass nicht, okay? Und fühl dich bei mir wie zu Hause. Ich bin in zehn Tagen wieder zurück. Vielleicht sehen wir uns noch. Ich würde mich gerne mal wieder mit dir unterhalten."

„Danke, Mort, du bist ein wahrer Kumpel. Ich glaube zwar nicht, dass ich in zehn Tagen noch da bin, aber das Treffen sollten wir auf jeden Fall nachholen. Ich hole also deinen Schlüssel in der Bleeker Street ab."

„Richtig. Ich wünsche dir ein paar schöne Tage im *Big Apple*. Bist du eigentlich immer noch in Ernestine Clayton verliebt?"

Stan Lundquist durchlief ein unmerkliches Zittern. Er brauchte einen Moment, bis er antworten konnte. „Ach, Mort, vorbei ist vorbei, okay? Alles ist zu lange her. Grüß mir die Apalaches. Und vielen Dank für den Wohnungsschlüssel. Ich hoffe, ich seh dich bald mal wieder."

„Schon gut, brich dir keinen ab. Schöne Tage in New York. Bis bald, hoffentlich."

Lundquist legte auf.

Idwood Green sah ihn forschend an. „Alles klar mit der Unterkunft?"

„Ja, Idwood, ich fliege also morgen Vormittag. Hoffentlich sehen wir uns bald wieder!"

Lächelnd legte ihm Green eine Hand auf die Schulter. „Gehen wir noch einen trinken?"

„Ich bitte darum", antwortete Stan und sah dem Engländer in die Augen. Selten genug traf man einen Menschen, den man mit Überzeugung als Freund bezeichnen konnte.

San José, Costa Rica

Diego Arajuela kontrollierte noch einmal das Transparent, das er zusammen mit einem Freund während der heutigen Demonstration entfalten würde. *Imperialisten raus aus Costa Rica. Alle Macht dem Volke.*

Diego Arajuela und seine Freunde waren guter Hoffnung. Immerhin hatte die bis vor kurzem verbotene politische Opposition demokratische Wahlen und den Sturz der Junta bewirken können. Die neue Regierung ließ sich allerdings ziemlich viel Zeit mit den angekündigten Veränderungen. Da war es nötig, Druck zu machen. Die heutige Demonstration sollte ihren Beitrag dazu leisten.

Diego Arajuela sah sich um. In der Hauptstraße von San José drängten sich die Menschen, obwohl kein Generalstreik ausgerufen worden war. Ein gutes Zeichen.

Es war kurz vor halb elf. Um 11 Uhr war auf dem Zentralplatz eine Kundgebung geplant, bei der die Spitzen der politischen Opposition sprechen sollten. Alle erwarteten, dass die Regierung aufgefordert würde, unverzüglich die angekündigten wirtschaftlichen und kulturellen Umbaupläne in die Tat umzusetzen. Alles ging viel zu langsam. Was nutzte die beste demokratische Wahl, wenn sich nichts änderte?

Der Demonstrationszug strebte dem Kundgebungsplatz entgegen. Diego Arajuela fühlte eine ungeheure Euphorie in sich wachsen. Endlich hatte sich das costa-ricanische Volk aufgerafft, um die Bevormundung durch die menschenverachtenden Praktiken der ausländischen Großkonzerne zu beenden. Es wurde auch Zeit. Seit mehr als sechzig Jahren wurde sein Volk ausgebeutet und für die Bilanzen der Konzerne in Armut und Abhängigkeit gehalten. Es war unfassbar, dass dieser Aufstand nicht schon Jahrzehnte früher stattgefunden hatte.

Die Kundgebung war ein Erlebnis für sich. Die Redner sprachen den Leuten aus den Herzen. Frenetischer Beifall brandete auf.

Nach Beendigung der Ansprachen setzten sich die Menschen wieder in Bewegung. Durchweg waren ähnliche Parolen zu lesen wie die, die auf Diego Arajuelas Transparent standen. Die Demonstranten näherten sich dem Präsidentenpalais. Zur Absicherung des gesamten Straßenblocks war die Miliz eingesetzt. Sie versperrte auch die Hauptstraße.

Diego Arajuela, der ziemlich weit vorne im Zug marschierte, hoffte, dass sich seine politischen Freunde nicht provozieren ließen und die Diskussion mit den Milizionären suchen würden.

Etwa zehn Minuten später feuerten die Milizionäre Gummigeschosse auf die vorderste Reihe der Demonstranten ab. Einige brachen zusammen und wurden von Freunden zur Seite der Straße getragen.

Welch ein Affront! Auf welcher Seite standen die Angehörigen der Miliz eigentlich? Gehörten sie nicht auch zu den Ausgebeuteten?

Zornige Rufe wurden laut und kulminierten in Parolen wie: *Tod den Feinden der Revolution!*

Besorgt drängte sich Diego Arajuela weiter nach vorne, getrieben von der Sorge, dass diese Veranstaltung einen anderen als friedlichen Verlauf nehmen könnte.

Die Konfrontationen hatten unterdessen an Schärfe gewonnen. Erste Handgreiflichkeiten fanden statt. Die Miliz war offensichtlich nicht gewillt, auch nur einen Meter zurückzuweichen. Immer häufiger ertönten Schüsse. Die Soldaten waren inzwischen auf normale Munition umgestiegen und feuerten Warnsalven über die Köpfe der Demonstranten ab.

Die vordersten hatten nur noch geringe Chancen. Von hinten wurde gedrückt und geschoben.

Weg mit den Imperialisten!

Aus der Richtung des Präsidentenpalais drangen immer mehr Soldaten. Einige Demonstranten begannen Steine zu werfen. Die Soldaten, die mit Schutzschildern ausgestattet waren, blockten den ersten Ansturm ab.

Die Volksseele begann zu kochen. Mit welchem Recht standen diese Uniformierten da? Konnten sie die Revolution aufhalten?

Einige Demonstranten der ersten Reihe wurden festgenommen. Der Zorn der anderen steigerte sich schnell. Die Auseinandersetzungen nahmen zu. Die Soldaten gaben jetzt gezielte Schüsse ab.

Diego Arajuela fragte sich gerade, ob all dies überhaupt nötig wäre, wo doch alle, egal ob Zivilisten oder Militär, in der gleichen Situation waren, als ihn eine verirrte Kugel in die Brust traf. Er merkte nicht mehr, dass sich mehrere seiner Freunde über ihn beugten und ihn verzweifelt anschrien, er solle doch irgendetwas sagen.

Diego Arajuela war tot.

Ihm entging, dass elf weitere Mitdemonstranten im Feuer der Miliz fielen und einhundertundsiebzehn Personen verhaftet wurden, bevor die Soldaten die Demonstration aufgelöst hatten.

III. Pronuclei

New York, USA

Stan Lundquist landete bereits kurz nach Mittag auf dem John F. Kennedy Airport. Er hatte es sich nicht nehmen lassen, den Transatlantikflug mit der Concorde zu unternehmen. Lester Famborough, der in Canberra für die Spesenabrechnung zuständig war, würde ohnehin die Hände über dem Kopf zusammenschlagen, wenn er ihm seine Reisekostenaufstellung präsentierte. Da kam es auf die paar Dollar mehr für den Überschallflug auch nicht an. Dafür hatte der Flug nach New York aber nur dreieinhalb Stunden gedauert, und der Service an Bord des schlanken weißen Vogels war auch nicht ohne.

Der Marsch durch die unendlichen Katakomben des Riesenflughafens bis zur Passkontrolle dauerte allerdings geschlagene vierzehn Minuten. Die farbige Zollbeamtin hatte es auch nicht besonders eilig, und so dauerte es weitere fünfzehn Minuten, bis Lundquist die Sperre passiert hatte. Er machte sich auf den Weg zum Gepäckband und wartete auf seine Reisetasche. Zwei Zigarettenlängen später stand er endlich vor dem Haupteingang des International Arrival Building. Er nahm eine erste Nase des typischen New Yorker Geruchs und sofort war die Erinnerung wieder da. Vor gut achteinhalb Jahren hatte er zum ersten Mal hier gestanden, als er in diesem Moloch von Stadt eingetroffen war, um seine Doktorandenstelle an der Columbia University anzutreten.

Lundquist nahm seine Tasche auf und gab einem der auf der Straße stehenden Taxikoordinatoren ein Zeichen, dass er ein Yellow Cab mieten wollte. Wenig später war er an der Reihe.

„Manhattan, East Third Street.“

Der Fahrer nickte kurz, blickte ihn durch den Rückspiegel an und fragte: „’ne bestimmte Strecke?“

„Ja, fahren Sie über den Highway 25 und die Queensboro Bridge und dann die Second Avenue hinunter.“ Stan hatte das Gefühl, als wäre er nach Hause zurückgekehrt.

Der Taxifahrer fuhr los. Eine knappe Minute später begann er zu erzählen: dass er Exilrumäne sei und dass in zwei Tagen der New-York-Marathon stattfände, und dass deswegen ganz NY schon wie im Fieber sei, und so weiter, und so weiter. Lundquist lächelte freundlich, machte aber schon nach zwei Minuten die Ohren zu. Der Bursche würde reden, bis sie am Ziel angekommen waren, und das erhöhte zwangsläufig, wenn auch aus unerfindlichen Gründen, das Trinkgeld.

Der lange Australier wanderte in Gedanken einige Jahre zurück und dachte an die wunderbare Zeit an der Columbia; an die netten Typen im Labor, mit denen er viel zusammen erlebt hatte und zu denen auch Morton Steiner gehörte, in dessen Wohnung er nun einige Tage wohnen würde. Und plötzlich war auch der Klumpen im Hals wieder da, als er sich Ernestine Clayton vorstellte. Nachdem er nach Australien zurückgekehrt war, hatte es sehr lange gedauert, bis er sich wieder gefasst hatte nach der Trennung von ihr. Was sie jetzt wohl machen würde?

Der Fahrer hielt inzwischen bereits am Mauthäuschen der Queensboro Bridge, um die drei fünfzig für die Überfahrt zu bezahlen. Dabei klagte er über die immer größer werdenden Staus vor den Gebührenschaltern im ganzen Stadtgebiet.

Stan hörte wieder weg. Er blickte aus dem Fenster und

bedauerte fast ein wenig, dass er keinen normalen Linienflug genommen hatte. Dann wäre er erst nach Einbruch der Dunkelheit eingetroffen, und die abendliche Einfahrt nach Manhattan über die Queensboro war ein Erlebnis für sich. Die bunt beleuchteten Wolkenkratzer sahen einfach atemberaubend aus. Aber auch ohne dieses Lichtspektakel kam es ihm vor, als sei er in einer anderen Welt gelandet.

Kurze Zeit später wurde er unsanft aus seinen Träumen geweckt, denn das Taxi war in die Second Avenue eingebogen und hatte seitdem mit den immens großen Schlaglöchern zu kämpfen, die in allen Straßenbelägen Manhattans zu finden waren. Zwar hatte es vor einigen Jahren mal einen Reporter der *New York Times* gegeben, der einigen städtischen *pothole repair teams*, Schlaglochausbesserungskommandos also, zwei Wochen lang auf den Fersen geblieben war und dabei feststellen durfte, dass sie im Schnitt die stattliche Anzahl von zweieinhalb Schlaglöchern pro Tag aufzufüllen in der Lage waren, aber Lundquist vermutete, dass der eigentliche Grund für den grauenhaften Straßenzustand eher die chronisch erbärmliche Lage der öffentlichen Kassen war.

Der Taxifahrer begleitete Lundquists Gedankengänge mit gotteslästerlichen Flüchen und versuchte dabei einhändig, den größten Löchern einigermaßen auszuweichen. Als sie die 14. Straße überquerten, fiel Lundquist ein, dass Morton Steiner den Wohnungsschlüssel bei der Polizeiwache Bleeker Street hinterlegt hatte. Der Fahrer nahm die Information über das neue Fahrtziel gelassen hin, bog von der Second Avenue ab und kämpfte sich durch den dichter werdenden Verkehr über den Broadway. Vor der Polizeiwache hielt er in der zweiten Reihe.

„Warten Sie, es dauert nicht lange“, bat Lundquist und stieg aus. Ein ziemlich mürrischer Sergeant händigte ihm Morton Steiners Schlüssel aus, nachdem er Stans Reisepass ausgiebig studiert hatte.

Der Taxifahrer schmetterte gerade irgendeine Opernarie, als Stan wieder zustieg. „Und jetzt in die Third Street, o Caruso!“ Der Fahrer sang ohrenbetäubend weiter, bis er zehn Minuten später vor Morton Steiners Haus anhielt.

„Da haben Sie sich aber 'ne nette Gegend ausgesucht“, meinte er und deutete mit dem Kinn ein Stück die Straße hinunter. Dort parkten etwa dreißig schwere Motorräder und ein Transparent an einem Haus schräg gegenüber bat um Unterstützung: *Support your local Hell's Angels.*

Na, das kann ja heiter werden, dachte Lundquist. Er bezahlte den Taxifahrer – schlappe fünfundfünfzig Dollar – und stieg aus. Als er an dem Mietshaus hochblickte, musste er lächeln. Als typisches New Yorker Backsteinhaus strahlte auch dieses eine Art zufriedener Verkommenheit aus. Das Rot der Steine war so gut wie nicht mehr zu erkennen, die Feuerleitern waren verrostet und die Fenster annähernd blind. Stan drückte die Haustür auf, roch die vertraute Mischung aus Moder, Schweiß, Urin und Kaffee und stieg die ausgetretene Holztreppe hoch. Im dritten Stockwerk warf er im schwachen Licht einer einsamen, zaghaft flackernden Glühbirne nochmals einen Blick auf den Schlüsselanhänger: Morton Steiner, App. 21. Also noch einen Stock weiter.

In Mortons Wohnung sah es aus wie in ihrer gemeinsamen Studentenbude vor acht Jahren. Die Deckenfarbe war an mehreren Stellen abgeblättert und Mortons Küche schien ein bevorzugtes Übungsziel der US Air Force zu sein. Stan konstatierte, dass er zusehends sentimentaler wurde und gab sich einen Ruck. Schließlich hatte er hier eine dringende Aufgabe vor sich. Er nahm ein schnelles Duschbad in Mortons gusseiserner Badewanne, zog sich einen leichten grauen Anzug an und band eine Krawatte um. Dann suchte er in seiner Brieftasche nach der Adresse von John Ferguson-Smith. Ein neues Apartmenthochhaus an der Ecke First Avenue und 34. Straße, direkt neben dem NYU Medical Center, das Lundquist noch von früher kannte. Bevor er Morton Steiners Residenz verließ, barg er die kleinkalibrige Beretta-Pistole aus dem Geheimfach seiner Reisetasche und drückte sie an die Magnetplatte seines Spezialgürtels. Dann ging er zu Fuß zur First Avenue hinüber, um sich ein Yellow Cab zu stoppen.

Zehn Minuten später stieg er vor dem Hauptportal des Medical Center aus und marschierte zur Ecke 34. Straße. Auf der anderen Straßenseite reckte sich der moderne Wohnturm in den bedeckten Himmel. Lundquist überlegte, wie er den Portier, den er in der Loge am Eingang entdeckt hatte, ablenken konnte, denn er hatte nicht vor, sich hochoffiziell bei Ferguson-Smith anmelden zu lassen und diesem Gelegenheit zum Nachdenken oder eventuell gar zur Flucht zu geben. Er überquerte die Straße und schlenderte ein Stück die First Avenue hinauf. Dann hatte er eine Idee. So konnte es vielleicht gehen.

Er machte kehrt und hielt nach einem Taxi Ausschau. Aus Richtung Süden kamen gleich drei. Lundquist trat auf die Straße und winkte kurz. Als das zweite Yellow Cab hielt, warf er einen Blick hinein auf den Fahrer. Es war ein junger Puertoricaner, der ihn unter seinen schwarzen Locken hervor lässig anblickte.

„Was is, Buddy?", fragte er. „Willste Taxi fahrn oder schöne Fahrer begaffen?"

Genau der Richtige, dachte Lundquist. „Hör zu, Mann, ich hab 'n Problem. Ich muss irgendwie in das Luxusgebäude da vorne kommen, ohne dass mich der Portier bemerkt. Mein Schuss wohnt da, und ihr Alter …“

„Schieb dir deine Scheißstory hinten rein, Mann! Sag mir, was du von mir willst, dann sag ich dir, ob fünfzig Bucks dafür genug sind.“

Gewonnen, dachte Lundquist. Er erklärte dem Fahrer, was er von ihm erwartete und drückte ihm einen Fünfzigdollarschein in die Hand. Dann überquerte er die Kreuzung und bewegte sich dicht an der Mauer des Apartmenthauses auf den Eingang zu.

Das Haus lag etwas zurückgesetzt ungefähr acht Meter vom Bürgersteig entfernt und ein gepflasterter Weg führte von der Straße durch ein weißes Kiesbeet bis zum Eingang. Lundquist postierte sich hart neben der Portalecke.

Zwanzig Sekunden später stoppte der Puertoricaner das Taxi mit quietschenden Reifen direkt vor dem Eingang und begann wild zu hupen. Dann stieg er aus und machte eine fragende Handbewegung in Richtung Portiersloge. Als sich nicht gleich etwas rührte, ließ er sich wieder auf den Fahrersitz fallen und betätigte erneut energisch sein Signalhorn.

Und gleich darauf erfüllte sich auch Lundquists Hoffnung. Dem Portier, der kein Taxi bestellt hatte, platzte der Kragen. Er kam aus dem Hauseingang heraus und lief laut schimpfend und gestikulierend auf das Taxi zu. Der Puertoricaner stieg aus und begann seinerseits zu schimpfen.

Lundquist huschte ins Haus hinein.

Draußen gab der Taxifahrer erstaunlich schnell klein bei und fuhr davon. Als der Portier ins Haus zurückkehrte, hatte Stan Lundquist über die Treppe bereits das erste Stockwerk erreicht. Ferguson-Smith bewohnte ein Apartment in der neunzehnten Etage, und deshalb wechselte Lundquist von der

Treppe zum Lift. Kurz darauf stand er vor Ferguson-Smiths Tür.

Er nahm die Beretta vom Gürtel und steckte sie entsichert in seine rechte Sakkotasche. Er wollte gerade mit der linken Hand anklopfen, als er sah, dass die Apartmenttür nur angelehnt war.

Langsam schob Lundquist die Tür auf, zog die Waffe aus der Tasche und ließ seinen Blick durch den elegant und teuer eingerichteten Raum schweifen. Dann zuckte er zurück. Er hatte John Ferguson-Smith gefunden. Der Manager lag neben der Couch in einer großen Blutlache.

Stan warf einen kurzen Blick ins Treppenhaus, dann schlüpfte er in die Wohnung und schloss leise die Tür.

Ferguson-Smith war so tot, wie ein Mensch nur sein konnte. Vorsichtig sah sich der Australier im gesamten Apartment um, wobei er peinlich darauf achtete, nichts zu berühren. Kay würde ihn eigenhändig enthaupten, wenn er hier irgendeine Spur hinterließ.

Dann widmete er sich dem Toten. Die Taschen seines Anzugs waren leer, aber dann fühlte er etwas in einer kleinen Innentasche des Sakkos. Mit spitzen Fingern zog er ein braunes Notizbuch heraus und blätterte darin herum. Zwischen dem Einband und der ersten Seite lagen zwei Visitenkarten mit gleichem Aufdruck: *John Ferguson-Smith, Executive Manager, PanAmericanFruit Company, New York, London, Hong Kong.* Deshalb also noch das Apartment in New York. Stan blätterte weiter und besah sich die letzten Eintragungen. Es schien sich ausschließlich um geschäftliche Termine zu handeln. Der Australier wollte das Büchlein gerade wieder zuklappen, als er unter dem Datum des 17. August eine Notiz las, die nicht zu den anderen passte. Dort stand in akkuraten Buchstaben: *Doreen Gray: E0.*

Doreen Gray war offensichtlich ein Name, aber was, zum Teufel, bedeutete E0? Er würde darüber nachdenken, aber nicht hier und nicht jetzt.

Lundquist steckte die Beretta an den Gürtel und machte, dass er wegkam. Mit dem Taschentuch wischte er sorgfältig die Klinke ab. Dann fuhr er mit dem Lift wieder nach unten. Unauffällig passierte er die Portiersloge und bog um die Ecke in die First Avenue. Dort stoppte er ein Taxi und ließ sich zur Grand Central Station fahren.

Was für eine Welt! Mitchell tot, Ferguson-Smith ermordet, und Idwood und er waren noch keinen Schritt weiter. Und was den Diebstahl der Eizellen anging, herrschte ebenfalls noch blankes Unwissen. Er fühlte sich ziemlich leer.

Nachdem er das Taxi bezahlt hatte, stieg er die Treppe zur U-Bahn hinunter und fuhr bis zur Station Astor Place. Von dort aus machte er einen Spaziergang am permanenten Flohmarkt auf dem Cooper Square vorbei zurück nach Hause. Auf der Second Avenue kam er an einem Chinarestaurant vorbei, in dem er schon vor acht Jahren ab und zu gegessen hatte, und er versuchte sich zu erinnern, welche anderen Restaurants er mit der damaligen Labormannschaft häufig besucht hatte.

Als er sich in Morton Steiners Wohnung auf dem Sofa niedergelassen und die Beine hochgelegt hatte, überlegte er, in London anzurufen. Aber dann fiel ihm ein, dass dort fast Mitternacht war und Sir Ronald sicherlich nicht mehr im Büro sein würde.

Während Stan den Telefonhörer wieder ablegte, stand plötzlich Ernestine Claytons Bild vor seinem inneren Auge. In einer spontanen Eingebung griff er sich das Telefonbuch von Manhattan und schlug es unter C auf. Tatsächlich, da gab es jemanden mit dem relativ seltenen Namen seiner einstigen großen Liebe. Der Drang war unwiderstehlich und im nächsten Moment hatte er den Telefonhörer in der Hand. Er tippte die Nummer aus dem Telefonbuch in die Tasten und wartete.

„Clayton."

Diese Stimme, er würde sie nie vergessen. „Hallo, hier ist Stan Lundquist", sagte er hoffnungsvoll.

Die Stille in der Leitung war beängstigend. Dann endlich hörte er sie flüstern: „Stan Lundquist? Der Stan Lundquist? Mein Stan Lundquist?"

Sein Herz tat vor Freude einen kapitalen Sprung. „Ja, Ernie, dein Stan Lundquist. Ich bin in New York."

„O mein Gott. Weißt du, wie lange ich nichts mehr von dir gehört habe? Über sechs Jahre, sechs lange Jahre. Wo bist du?"

„Ich wohne im Moment in Morton Steiners Apartment in der East Third Street."

„Ach, du lieber Himmel, das ist ja nur ein paar Ecken von mir weg." Sie wirkte plötzlich ziemlich hilflos.

„Ernie, wir könnten uns treffen, wenn du möchtest." Atemlose Stille. Dann vernahm er ein leises „Ja, Stan". Von einem Moment zum anderen fühlte er sich leicht und beschwingt. „Was hältst du davon, wenn wir unser Wiedersehen mit einem Essen feiern? Ich bin eben durch St. Mark's Place gegangen und habe ein interessantes afghanisches Restaurant gesehen. Der Name ist *Khyber Pass*. In einer halben Stunde?", sprudelte es aus ihm heraus.

„Ich freue mich so sehr, Stan. Beeil dich bitte und lass mich nicht warten, hörst du?"

„Ich beeile mich, versprochen. Bis gleich, Ernie." Stan legte auf und fuhr sich mit der Hand über die Augen. Verdammt, wer hätte das gedacht! Hoffentlich war es wirklich eine gute Idee gewesen, sie anzurufen. In ihm herrschte der gleiche Aufruhr wie vor Jahren. In fliegender Hast zog er sich Jeans und T-Shirt an, wühlte einen Pullover aus der Reisetasche und rannte die Treppe hinunter. Die Strecke bis St. Mark's Place legte er im leichten Trab zurück.

Sie war trotzdem eher da als er und kam ihm lachend entgegengelaufen.

„Oh, Stan, du bist es wirklich." Strahlend flog sie ihm an den Hals. Sie hielten sich lange fest, bevor sie die paar Schritte bis zum Restaurant zurücklegten.

Das Essen schmeckte himmlisch, und vor allem die dünnen Auberginenscheiben in Curry-Jogurt waren ein Gedicht. Aber eigentlich war das Essen zweitrangig, denn in ihrem Zustand hätten sie mit der gleichen Begeisterung auch irgendeinen quaddeligen Cheeseburger verspeisen können.

Ernestine aß sehr langsam und blickte ihn immer wieder zärtlich an. Sie war noch hübscher geworden, als er sie in Erinnerung hatte. Ihr dunkelbraunes Haar trug sie kürzer als damals, aber ihre Nase war immer noch ein wenig zu klein und reckte sich keck nach oben, und soweit er das bei ihrem Flatterkleid beurteilen konnte, war ihre Figur nach wie vor eine Augenweide.

„Ich glaube fast, du hast mir gefehlt", sagte sie leise.

Stan legte das Besteck ab und strich dann mit dem Zeigefinger zart über ihre rechte Hand, die einen metallenen Trinkbecher umfasst hielt. „Du mir auch, Ernie. Was hast du die ganze Zeit getrieben?"

„Du weißt ja, wie das ist", antwortete sie mit einem leichten Schulterzucken. „Wenige Monate nach deiner Rückkehr nach Australien bin ich als Postdoc nach Salt Lake City gegangen und danach war ich in Palo Alto. Ich bin erst seit ein paar Monaten wieder hier in New York."

„Wieder an der Columbia University?“

Sie nickte. „Ich hab endlich eine eigene Arbeitsgruppe und zusätzliche Forschungsgelder von der NIH. Es läuft ganz gut im Moment.“

„Also ist dein Traum in Erfüllung gegangen, oder?“

Sie sah ihn an, und Lundquist hatte den Eindruck, dass ein feuchter Schimmer über ihren Augen lag. Nach einer kurzen Weile sagte sie: „Und du, Stan Lundquist? Haben sich deine Träume auch erfüllt?“

Er lächelte. „Heute Abend auf jeden Fall! Im Gegensatz zu damals, als ich nach Canberra zurückgegangen bin. Ich wollte, du wärest mitgekommen – aber die Aufklärung der Transmembrantopologie einiger Zelladhäsionsmoleküle war wohl wichtiger.“

Ernie sah ihn immer noch an und blieb stumm. Deshalb fuhr Stan fort: „Glaub mir, Ernie, ich versteh das. Wirklich. Als Wissenschaftler muss man solche Prioritäten setzen, sonst ist man keiner – zumindest kein guter. Aber mordstraurig war ich schon. Ich hab dich nämlich geliebt.“

Endlich ließ sie den Becher los, ergriff stattdessen seine Hand und hauchte einen Kuss darauf. Aus dem feuchten Schimmer ihrer Augen war eine einzelne Träne geworden, die ihr eigenartig verloren über die Wange lief.

Stan runzelte die Stirn. „Außerdem war mir dieser Mensch – wie hieß er doch gleich? Lester? Genau: Lester! –, also, der war mir schon suspekt. Ich war trotz der zwei traumhaften Wochen während des Kongresses in Maine nie sicher, ob er nicht einer der Gründe war, aus denen du hier bleiben wolltest.“

Sie ließ seine Hand los. „Lester? Jetzt mach aber mal ’nen Punkt! Der stand doch nie zur Debatte!“

Stan grinste. „Und? Wo ist er abgeblieben?"

„Im Nirwana."

„Und all die anderen Männer?"

„Was heißt hier ‚all die anderen'? Ab und zu mal einen zur Regulierung des Hormonhaushalts."

„Aha. Und jetzt bin ich dran?"

Sie nahm wieder seine Hand und seufzte leise. „Ach, Stan, ich befürchte, dies hier ist ein anderer Fall."

„Du befürchtest –?"

Sie nickte. „Wie geht es denn jetzt bloß weiter? Ich habe irgendwie Angst, dass wir von jetzt auf gleich wieder so belämmert dastehen wie vor sechs Jahren."

„Hm, nun ja, vielleicht überlegst du mal, ob es in Australien auch irgendeine Universität gibt, an der du arbeiten möchtest. Zum Beispiel könnte ich dir den Haushalt führen oder dir den Arm aus der Sonne legen oder so was."

Ernestine sah ihn ungläubig an. Dann begriff sie langsam, was er gesagt hatte. Sie fiel ihm um den Hals und suchte seinen Mund. Der Kuss dauerte nahezu zehn Minuten.

„So, jetzt ist mir wohler", verkündete sie und lächelte ihn mit leuchtenden Augen an. „Aber was meinst du mit ‚Haushalt führen'? Was für einen Haushalt? Ich bin doch immer im Labor!"

Stan lachte. „Wenn du sowieso nie da rauskommst, dann könnte das Gebäude mit dem Labor ja erst recht in Canberra stehen statt hier."

Ernie nahm sein Gesicht zwischen ihre Handflächen und gab ihm einen Kuss auf die Nase. „Na ja, einen kleinen Unterschied wird es schon machen", sagte sie dann. „Aber vielleicht wär's den Versuch wert."

„Ich bin ganz sicher", nickte er.

„Und ich hege die Vermutung, dass ich dich liebe, Stan Lundquist! Was stellen wir jetzt an? Sollen wir bei MacSorley's vorbeigehen und uns wie in alten Zeiten zwei bis vier Dark Beers genehmigen?"

Lundquist nickte stumm und glücklich. Er hatte den eigentlichen Zweck seinen New-York-Besuchs völlig vergessen. Ernie war wieder bei ihm.

Übermütig liefen sie zu MacSorley's Pub und stellten sich an die Theke auf den knöcheltief mit Sägemehl bestreuten Fußboden. Auch das Bier schmeckte wie früher.

Eine knappe Stunde später waren sie in Ernestines kleiner, gemütlich eingerichteter Wohnung. Der Weg dorthin hatte ziemlich lange gedauert. Alle paar Meter waren sie stehen geblieben und hatten sich lange geküsst.

Ernie kochte erst mal Kaffee, wobei sich Stan des Eindrucks nicht erwehren konnte, dass sie das nur als eine Art Beschäftigungstherapie tat. Irgendwie wirkte sie auf einmal etwas verlegen, und erst als sie die gefüllten Tassen auf den Tisch stellte, verflüchtigte sich dieser Eindruck wieder. Sie nippte an ihrem Kaffee und blickte ihn zärtlich an.

„Komm, wir gehen duschen." Sie verschwand im Badezimmer. Als Stan Lundquist ihr nachkam, hatte sie nur noch ein kurzes Seidenhemd an, unter dem sich ihre Brüste abzeichneten. Als sie das letzte Kleidungsstück über ihren Kopf zog, riss sich auch Stan die Kleider herunter. Sie betrachtete seinen ein Meter achtundachtzig großen Körper mit Wohlwollen von oben bis unten, wobei ihr Blick immer wieder an den markanten Stellen seines Körpers hängen blieb.

„Ich beginne zu ahnen, was ich in den letzten sechs Jahren alles verpasst habe", sagte sie leise. Ihre Stimme zitterte.

Stan fühlte, wie sein Blut durch die Adern zu rasen begann,

auch durch die, die im Moment besonders wichtig waren. Ernie stieg in die Duschkabine, ließ das heiße Wasser auf ihren Körper prasseln und seufzte wohlig, als Stan hinter ihr unter die Dusche trat. Er stellte das Wasser ab und fing an, sie einzuseifen. Dann ging er zu einer intensiven Ganzkörpermassage über.

Es dauerte lange, bis sie sich im Bett wieder fanden und eine Zigarette rauchten. Ernestine brachte zwei gefüllte Gläser. „Magst du immer noch so gerne Irischen Whiskey?“

Er küsste sie auf den Bauch. „Hast du das nicht vergessen?“, fragte er gerührt.

Ernie lachte. „Glaub es oder auch nicht: Ich habe noch jede Minute unserer gemeinsamen Zeit im Kopf.“

Sie schmusten noch eine Weile herum und begannen dann, die Erinnerungen an die gemeinsame Laborzeit an der Columbia University hervorzukramen. Nach und nach drangen immer mehr Einzelheiten aus dem Dunkel des Langzeitgedächtnisses ins helle Bewusstsein, und schließlich erzählten sie sich um die Wette Anekdoten.

Noch einmal lachten sie über die verschiedenen Faux-pas, die Laborneulingen grundsätzlich unterlaufen, und mit deren Beschreibung man dicke Bücher hätte füllen können, und auch über diverse skurrile Abenteuer mit den Labormäusen.

„Weißt du noch, wie wir zum ersten Mal zusammen Mäusedienst hatten und in einem der Käfige die Wasserflasche aufgegangen war? Das arme Mäusepaar saß bis zum Bauch im Wasser. Wir haben eine Stunde gebraucht, bis sie wieder trocken waren und nicht mehr zitterten.“

Stan fielen noch ein paar andere Kuriositäten zu diesem Thema ein. Zum Beispiel, als Morton Steiner die Zellentwicklung in Mausembryonen zu untersuchen begann. Da mussten sie an jedem Morgen die Mäuseweibchen nach dem Schleimpropf in der Scheide absuchen, der sich nach einer erfolgreichen Befruchtung in der Nacht zuvor ausbildete, weil das für Morton die einzige Möglichkeit war, das genaue Alter der Embryos zu bestimmen. Stan erzählte gerade von dem dummen Gesicht der neuen Sekretärin, die sich neugierig erkundigt hatte, was sie denn da mit den Mäusen anstellten, als er merkte, dass Ernestine eingeschlafen war.

Er zündete sich noch eine Zigarette an und schloss die Augen. Irgendetwas spukte in seinem Kopf herum, noch nicht fassbar, aber vorhanden. Vorsichtig ging er seine letzten Gedanken noch einmal durch, dann legte er sich entspannt zurück und wartete darauf, dass sich der Nebel in seinem Kopf lichtete. Es dauerte etwa zehn Minuten, bis ihm klar war, womit sich sein Unterbewusstsein beschäftigt hatte.

Er war plötzlich ziemlich sicher, was die Buchstaben E0 hinter dem Namen Doreen Grays im Notizbuch von John Ferguson-Smith bedeuteten, und er spürte eine leichte Gänsehaut.

Stan stieg aus dem Bett, ging ins Badezimmer, suchte seine Sachen zusammen und kleidete sich an. Dann schlich er leise in die Küche, riss ein Stück Papier von einer Küchenrolle und kritzelte darauf eine Nachricht für Ernie.

„Wenn ich meine Arbeit erledigt habe, hole ich dich hier ab. Dann fahren wir nach Australien. Zusammen! Versprochen! Tausend Küsse, Stan."

Er schüttete sich noch drei Tassen Kaffee hinein und verließ um zwanzig nach sechs leise Ernestine Claytons Wohnung. Als er die Haustür zuzog und die fast menschenleere 8. Straße betrat, glaubte er, die Konturen des ganzes Falles zu ahnen. Er konnte nur beten, dass Idwood Green in London auch früh genug dahinterkam.

London, Großbritannien

Nachdem Idwood Green seinen australischen Freund in Heathrow verabschiedet hatte, fuhr er zurück in die Stadt, um sich in der Nachbarschaft der McKinleys etwas umzuhören. Kurz vor 11 Uhr stellte er seinen Wagen an der Ecke Chapel Street und Belgrave Square ab und ging die paar Meter zum Montrose Place zu Fuß. An der Einmündung blieb er einige Minuten nachdenklich stehen und musterte abschätzend die anderen Häuser in der kleinen, aber feinen Wohnstraße.

Auf jeder Seite des schmalen Platzes standen etwa zehn Gebäude. Green beschloss, mit dem Haus direkt gegenüber der McKinley-Residenz anzufangen, und drückte auf den untersten Klingelknopf. An der Tür der Hochparterrewohnung erwartete ihn eine elegant gekleidete grauhaarige Mittfünfzigerin.

„Guten Tag, Madam", grüßte Green höflich, zog einen Ausweis aus der Innentasche seiner Jacke und gewährte der Dame einen denkbar kurzen Blick darauf. Dann fuhr er fort: „Ich komme von Scotland Yard, Madam. Es besteht der dringende Verdacht, dass in einer der letzten beiden Nächte im Haus der McKinleys gegenüber ein Einbruch verübt wurde. Auch im Hinblick auf Ihre eigene Sicherheit wäre es deshalb äußerst dienlich, wenn Sie mir sagen könnten, ob Sie in den letzten Tagen irgendwelche Auffälligkeiten bemerkt haben."

Die Dame blickte Green erschrocken an. „Mein Gott, ein Einbruch, sagen Sie? Diese Banditen schrecken aber auch vor nichts mehr zurück. Man ist ja seines Lebens nicht mehr sicher. Wie viele waren es denn?"

Idwood liebte solche Gesprächspartner. Während er innerlich den Herrn um Geduld anflehte, antwortete er verbindlich:

„Ich bitte Sie, Madam, es besteht wirklich kein Anlass zu übertriebener Sorge. Es besteht ja lediglich ein Verdacht, der sich zur Zeit nicht anders überprüfen lässt, da die McKinleys in Urlaub sind.“

„Ach, tatsächlich? Lange sind sie aber noch nicht weg, denn ich habe Mrs. McKinley vor drei Tagen noch gesehen.“

„Das mag sein“, nickte Green, „ich glaube, sie sind erst vorgestern gefahren.“ Vor drei Tagen war sie also noch da, dachte er. Laut fragte er: „Haben Sie vielleicht gestern oder vorgestern Abend Licht im Haus gegenüber bemerkt oder irgendwelche Personen, die Sie hier vorher noch nicht gesehen haben?“

Die Dame dachte einen Moment nach. „Nein, tut mir Leid. Ich glaube, ich kann Ihnen nicht helfen.“

„Da kann man nichts machen“, bedauerte Green. „Vielen Dank für Ihre Mühe.“

„Ich bitte Sie, keine Ursache. Hoffentlich finden Sie die Strolche.“

Green nickte freundlich und beeilte sich, ins nächste Stockwerk zu kommen. Die Dame, die ihm die Tür öffnete und ihn misstrauisch beäugte, sah aus wie eine Doppelgängerin ihrer Nachbarin. Auch das Gespräch mit ihr nahm bis auf kleine Nuancen den gleichen Verlauf wie das vorangegangene. Das kann ja ein interessanter Tag werden, dachte Green, bevor er das dritte Stockwerk in Angriff nahm.

Nach knapp zwei Stunden war er mit den ersten zwei Häusern und mit einem Großteil seiner Nerven fertig. Gelobt sei, was hart macht, ermunterte er sich selbst und überflog feindselig die Namensschilder neben der dritten Haustür. Die unterste Klingel gehörte einer Melissa Addams. Green seufzte und drückte ergeben auf den Messingknopf. In seinem nächsten Leben würde er Bäcker oder Schreiner werden. Die arbeiteten wenigstens konsequent produktiv.

Melissa Addams reichte Idwood Green gerade bis zur Brust. Er schätzte ihr Alter auf mindestens fünfundsiebzig. Mit lebhaften Augen blickte sie ihn aufmerksam an.

„Guten Tag, Mrs. Addams." Die alte Dame war ihm auf Anhieb sympathisch. Irgendwie erinnerte sie ihn an seine eigene Großmutter.

„Guten Tag", antwortete Melissa Addams mit leiser Stimme. „Was kann ich für Sie tun, junger Mann?"

Green wiederholte die inzwischen oft geübte Einleitung. Die alte Dame musterte ihn und fragte dann: „Sie sind also von Scotland Yard?"

„Ja, das sagte ich bereits", erwiderte Green und fühlte sich dabei irgendwie unbehaglich. Er log eigentlich ungern jemanden an, vor allem jemanden, der ihm sympathisch war.

Melissa Addams blickte ihm nahezu eine Minute lang nachdenklich ins Gesicht. Idwood begann bereits, sich eine Stelle im Hausflur auszusuchen, an der er in den Boden versinken könnte, als die weißhaarige Frau die Tür weiter öffnete.

„Kommen Sie doch bitte herein, junger Mann."

Green musterte sie erstaunt und trat langsam über die Schwelle. Melissa Addams schloss die Tür und wies mit der Hand in das gegenüberliegende Zimmer. „Bitte, nicht so schüchtern."

Green betrat das Wohnzimmer. Als Liebhaber alter Möbel konnte er seine Begeisterung kaum verhehlen.

„Gestatten Sie, dass ich Sie zu Ihrer Einrichtung beglückwünsche, Mrs. Addams. Sehr hübsch, wirklich."

„Es freut mich, dass es Ihnen gefällt. Das findet man selten bei den jungen Leuten heutzutage. Die haben ja den neumodischen Schnickschnack lieber. Nehmen Sie doch Platz, bitte." Sie deutete auf einen lederbezogenen Ohrensessel am Fenster, während sie sich auf einer kleinen Kaminbank gegenüber niederließ.

„Sie werden sich sicher wundern, dass ich Sie so einfach hereinbitte", fuhr sie umständlich fort, „aber Ihr Besuch hat mir eine Entscheidung abgenommen, die ich seit zwei Tagen vor mir her schiebe."

„Und um welche Entscheidung handelt es sich dabei, wenn ich fragen darf?"

Melissa Addams seufzte. „Nun, Sie wissen ja sicher, dass alte Leute sehr unter Schlaflosigkeit leiden. Mir geht das nicht anders. Auch vor drei Nächten habe ich kaum Ruhe gefunden und saß die meiste Zeit auf dem Platz, auf dem Sie jetzt sitzen."

Green starrte sie an. Dann ruckte sein Kopf instinktiv herum: Von seinem Sessel aus blickte er direkt auf die schräg gegenüberliegende Haustür der McKinleys.

Melissa Addams verfolgte seine Bewegungen aufmerksam und nickte dann. „Ja, junger Mann ... wie heißen Sie eigentlich?"

„Green, Mrs. Addams, Idwood Green."

„Ja, Mr. Green, Sie ahnen wohl das Richtige. Dort drüben ist irgendetwas Schlimmes passiert. Mitten in der Nacht parkte ein Lieferwagen vor dem Hauseingang der McKinleys. Meine Augen sind zwar nicht mehr die besten, aber ich glaube, drei Männer gesehen zu haben, die mit Mrs. McKinley aus dem Haus herauskamen und dann mit dem Lieferwagen fortfuhren. Sie haben mir vorhin erzählt, dass die McKinleys in Urlaub gefahren sind. Das kann nicht stimmen. Sind Sie wirklich von Scotland Yard?"

Green entschied sich ehrlich zu sein. „Ich muss Sie um Verzeihung bitten, Mrs. Addams, dafür, dass ich Sie belogen habe. Sie haben Recht, ich bin nicht von Scotland Yard, ich arbeite für die Regierung. Da Sie mir vertrauen, vertraue ich Ihnen auch. Wir befürchten, dass Martha McKinley entführt worden ist. Ihre Beobachtungen sind deshalb von äußerster Wichtigkeit für mich, und ich danke Ihnen, dass Sie mich ins Vertrauen gezogen haben."

„Ich habe zu danken, Mr. Green. Werden Sie mich anzeigen, weil ich meine Aussage bisher noch nicht zu Protokoll gegeben habe?"

„Aber Mrs. Addams, was halten Sie denn von mir? Sie glauben ja gar nicht, wie froh ich darüber bin, dass Sie die ganze Angelegenheit nicht auf irgendeiner Polizeidienststelle ausposaunt haben. In dem Falle hätte ich seit gestern die Presse am Hals hängen."

Melissa Addams sah ihn dankbar an. „Dann habe ich also keinen Fehler begangen? Ich hatte mir schon die größten Vorwürfe gemacht."

„Dazu besteht im speziellen Fall kein Anlass. Können Sie mir noch irgendwelche Einzelheiten mitteilen? Ist Ihnen an den Männern oder an dem Lieferwagen etwas Besonderes aufgefallen?"

Die alte Dame dachte angestrengt nach. Endlich sagte sie: „Die Männer habe ich leider nur schemenhaft in Erinnerung. Wenn mich allerdings nicht alles täuscht, handelte es sich bei dem Lieferwagen um denselben Typ wie den, den unser Milchmann benutzt."

„Wer bringt Ihnen denn die Milch, Mrs. Addams?"

„*Harper's Dairy*. Das Geschäft ist, glaube ich, in der Brompton Road."

Green witterte Morgenluft. „Ausgezeichnet, ich werde herausfinden, was für ein Lieferwagen es war. Können Sie sich möglicherweise daran erinnern, ob das Fahrzeug eine helle oder dunkle Farbe hatte?“

„Sie werden lachen, Mr. Green, es war oben dunkel und unten hell.“

Der Engländer lächelte. „Sie haben mir und möglicherweise auch Mrs. McKinley sehr geholfen. Wenn Sie erlauben, mache ich mich jetzt an die Arbeit.“

Mühsam erhob sich die alte Dame von der Kaminbank. „Ich wünsche Ihnen viel Glück und Gottes Segen bei Ihrer Suche, Mr. Green. Wenn Sie mögen, besuchen Sie mich doch noch einmal.“

Green ergriff ihre Hand. „Ganz sicher. Schließlich muss ich Ihnen ja erzählen, wie die Suche verlaufen ist.“

Sie begleitete ihn zur Tür. Green war schon im Hausflur, als er sich noch einmal umdrehte. „Backen Sie eigentlich auch so einen phantastischen gedeckten Apfelkuchen wie meine Großmutter früher?“

„Bestimmt“, erwiderte sie fröhlich. „Dann müssen Sie Ihren Besuch aber vorher ankündigen, junger Mann. Gut Ding will Weile haben.“

Green machte eine grüßende Handbewegung und eilte im leichten Trab zurück zum Auto. Fünf Minuten später hielt er in der Brompton Street gegenüber von *Harper's Dairy.* Links neben dem großen Lebensmittelgeschäft bemerkte er eine Toreinfahrt. Er überquerte die Straße, durchmaß die Toreinfahrt und nahm den Firmenparkplatz in Augenschein.

Na wunderbar, dachte er. *Harper's Dairy* benutzte offensichtlich nur einen Typ von Lieferwagen, nämlich Ford Transits in der Kastenausführung ohne Fenster.

Während er kehrtmachte und die Brompton Street überquerte, fiel sein Blick auf ein Blumengeschäft, das ein paar Schritte entfernt lag. Er ging hinein und erkundigte sich bei der Verkäuferin, ob sie die Blumen auch versenden könnte. Als sie nickte, nahm er das Sortiment in Augenschein. Er deutete auf eine Vase mit roten Rosen und sagte: „Sieben Stück davon, bitte."

„An welche Adresse, Sir?"

„Mrs. Melissa Addams, 7 Montrose Place", erwiderte Green lächelnd.

Fünfzehn Minuten später betrat er sein Büro im Hauptquartier. Er griff sofort zum Telefonhörer und wählte die Nummer von Abbotts Sekretärin.

„Hallo, Yvonne, hier ist Idwood. Bitte leite auf denselben Kanälen wie im Falle McKinley eine Fahndung nach einem zweifarbigen Ford Transit ein, Kastenmodell, keine Fenster. Der Wagen ist oben dunkel und unten hell, aber das ist nicht unbedingt sicher. Das Kennzeichen ist unbekannt. Möglicherweise ist einer als gestohlen gemeldet."

„In Ordnung, Idwood, sofort."

„Halt, Moment, ich glaube, wir gehen kein Risiko ein, wenn du auch die Verkehrspolizei um Mithilfe bittest, möglichst ohne Zusatzinformation. Mit deinem Charme wirst du das schon schaffen."

„Alter Süßholzraspler! Ich werde sehen, was ich tun kann."

„Ach, Yvonne, ist der Chef übrigens zu sprechen?"

„Ja, er ist da."

„Gut, bis gleich."

Green legte auf und ging hinüber zu Abbott.

„Schön, dass Sie kommen, Dr. Green. Es gibt eine Neuigkeit zur Entführung von Martha McKinley."

Green ließ sich in den Besuchersessel fallen. „Nämlich?“, fragte er, während er eine Zigarettenschachtel aus der Tasche fischte und eines der Stäbchen in Brand setzte.

„Bitte, rauchen Sie doch ruhig“, grantelte Abbott missbilligend. „Aber zur Sache: Die ‚Nationale Befreiungsarmee von Costa Rica‘ hat dem *Mirror* heute Nacht ein Bekennerschreiben zugespielt und die Verantwortung für die Entführung übernommen.“

Green ließ fast die Zigarette fallen. „Wie bitte? Costa Rica? Was zum Kuckuck hat die McKinley mit Costa Rica zu tun? Und was verlangt diese ‚Befreiungsarmee‘ als Gegenleistung?“

„Mrs. McKinley ist als Aufsichtsratsvorsitzende der *Imperial Bank* die Chefin des größten ausländischen Kreditgebers der Regierung in San José. Die ‚Befreiungsarmee‘ fordert als Gegenleistung für die Freilassung von Martha McKinley eine Amnestie für alle Gefangenen, die während der blutigen Unruhen der letzten Wochen in San José interniert wurden.“

Green schüttelte fassungslos den Kopf. „Aber warum sollte die costa-ricanische Regierung diesen Forderungen nachkommen?“

„Nun, ich sagte ja bereits, dass die *Imperial Bank Corporation* momentan einer der größten Kreditgeber an Costa Ricas Regierung ist. Man könnte sagen, der dortige Staatshaushalt stünde auf äußerst wackligen Füßen, wenn die Bank ihre Kredite zurückfordern würde. Die Entführer versprechen sich von ihrer Aktion wohl, dass ihrer eigenen Regierung die Beziehungen zu Großbritannien deshalb wichtig genug sind, um ihre Forderungen zu erfüllen.“

„Gab es nicht vor einiger Zeit einen Regierungswechsel in Costa Rica?“

„Richtig. Costa Rica war bis vor einigen Monaten das, was

man allgemein als Bananenrepublik bezeichnet. Die Bevölkerung hatte von ihrer Ausbeutung wohl endgültig die Nase voll. Selbst die große Mehrzahl der Soldaten war auf der Seite des Volkes. Da haben sie die rechte Junta zum Teufel gejagt und eine neue Regierung gewählt. Aber offensichtlich gehen den Leuten die Reformen zu langsam voran. In der vergangenen Woche gab es mehrere Großdemonstrationen. Die letzte Demonstration vor drei Tagen uferte in Gewalttätigkeiten aus, es kam zu blutigen Straßenschlachten und mehrere hundert Personen wurden von der Polizei inhaftiert. Diese Leute will die Befreiungsarmee jetzt mit Hilfe von Martha McKinley freipressen. Eigentlich ist es ein wenig verwunderlich, dass die Leute sich erst eine Regierung wählen und kurz danach mit solchen Mitteln dagegen vorgehen."

„Was für einen Grund hat die *Imperial Bank* überhaupt, derartig große Kredite zu gewähren?"

„Nun, die gewählte Linksregierung verfolgt einen sehr gemäßigten Kurs und will auch wirtschaftspolitisch wenig dogmatisch verfahren. Da rechnet sich unsere Regierung natürlich eine Menge Aufträge für die eigene Wirtschaft aus, wenn die Mittelamerikaner ihr Umbauprogramm in Angriff nehmen. Ich erzähle Ihnen sicher nichts Neues, wenn ich Ihnen sage, dass wir solche Auftragsspritzen gut vertragen könnten. Und Martha McKinley hat für solche Sachen eine gute Nase, deswegen hat sie diese Kredite auch immer vehement vertreten."

Green nickte grimmig. „Ja, und jetzt ist sie weg! Gestatten Sie mir die Bemerkung, Sir, dass Martha McKinley in letzter Zeit die Schwierigkeiten geradezu anzuziehen scheint."

Abbotts Gesicht nahm einen erstaunlich betrübten Ausdruck an. „Das kann man wohl sagen." Er fuhr sich mit der Hand über die Augen. „Wie auch immer, der Premierminister hat uns alle Vollmachten gegeben. Er ist in großer Sorge. Haben Sie in Kensington etwas Neues herausgebracht?"

Idwood setzte seinen Chef über das Gespräch mit Melissa Addams und die eingeleitete Fahndung nach dem Lieferwagen in Kenntnis.

„Nicht schlecht, Dr. Green, gar nicht schlecht. Aus Ihnen wird noch was. Ich habe im Übrigen den kleinen Krisenstab in Bereitschaft gesetzt. Sobald wir eine neue Kontaktaufnahme zu den Entführern haben, können wir vielleicht auch neue Hinweise erhalten, wohin sie sie verschleppt haben. Die Flughäfen und die Verbindungen zum Festland stehen ebenfalls unter Beobachtung. Haben Sie Vorschläge?"

„Ich denke, wir sollten alle Häfen überprüfen. Falls sie Mrs. McKinley tatsächlich außer Landes bringen wollen, ist es sehr unwahrscheinlich, dass sie die Flughäfen benutzen, denn die kann man nahezu perfekt überwachen. Also kommen eigentlich nur noch die Häfen in Betracht. Die Chance, sie zu finden, ist zwar denkbar gering, aber in diesem Falle sollten wir jede Möglichkeit nutzen."

„Sie sagen es. Wer soll sich darum kümmern?"

„Da brauche ich nicht lange nachzudenken, Sir. Ich kenne nur zwei Leute in dieser Abteilung, die hartnäckig genug für diesen Job sind, Robert Thurso und Chester Partridge."

„Das hätte ich mir denken können", erwiderte Abbott seufzend. „Hoffentlich verlangt der Premierminister nie von mir, dass ich ihm die Beamten, die diesen Fall bearbeiten, persönlich vorstelle. Aber wie Sie wollen; gehen Sie in Ihr Büro, ich lasse Ihnen die beiden schicken."

Idwood Green hatte sich gerade hinter seinen Schreibtisch gesetzt, als Thurso und Partridge hereinplatzten. Green betrachtete sie wohlwollend. Sie lagen schon rein äußerlich mehr auf seiner Wellenlänge als die meisten anderen Typen, die hier im Hauptquartier Dienst taten. Beiden reichten die Haare bis fast auf die Schultern; dazu trugen sie kurze, leicht abgewetzte Wildlederblousons, Jeans und Turnschuhe. Green konnte sich vorstellen, dass Abbott seine Probleme mit ihnen hatte, allein schon deshalb, weil die beiden als Paar zusammenlebten und daraus auch kein großes Geheimnis machten.

„Na, ihr Pfeifen, hat euch der Chef rücksichtslos geweckt, oder seht ihr immer so tranig aus?"

Thurso stemmte eine Faust in die Hüfte und zog ein beleidigtes Gesicht: „Was glaubt Er denn, wen Er vor sich hat, he? Wir sind schließlich Geheimpolizisten Ihrer Majestät, mein Lieber! Also mäßige Er sich gefälligst!"

Alle drei begannen zu lachen und gaben sich die Hand. Gut gelaunt fragte Partridge: „Na, Idwood, kommst du alleine wieder mal nicht klar? Wie können wir dir denn helfen?"

Green war sicher, dass ihre gute Laune gleich einen herben Dämpfer bekommen würde. „Allerdings habe ich Arbeit für euch, und ich vermute, dass ihr mich dafür verfluchen werdet."

Stöhnend ließ sich Thurso auf einen Stuhl fallen. „Ich hab's geahnt. Warum kriegen wir immer die Scheißjobs und andere dürfen als Leibwächter Tag und Nacht um Prinz William herumschwänzeln?"

Chester sah seinen Partner tadelnd an: „Na, reiß dich zusammen. Was soll denn der junge Mann hier von dir denken?" Er zeigte auf Green. „Außerdem glaube ich nicht, dass der Prinz besonders scharf auf dich wäre, du mit diesem Gesicht, das nur eine Mutter lieben kann. Vielleicht sollten wir dich Queen Mum zuteilen." Mit todernstem Gesicht wandte sich Partridge wieder Green zu. „Also, Idwood, spuck's aus. Ich werde ihn schon aufrichten."

„Also, ihr Freaks, dies ist nicht nur ‚Top secret‘, sondern im Moment eher ‚Cosmic‘, klar? Ich meine das ernst.“

„Wir haben verstanden.“ Die beiden hörten ihm jetzt aufmerksam zu.

„Die Chefin der *Imperial Bank*, Martha McKinley, ist entführt worden, wahrscheinlich von der ‚Nationalen Befreiungsarmee‘ von Costa Rica. Wir müssen versuchen herauszufinden, ob sie außer Landes gebracht worden ist. Normale Verkehrsflugzeuge kommen kaum infrage. Eine Möglichkeit wäre der Abtransport der Geisel per Schiff. Dazu müssen wir die entsprechenden Häfen abchecken. Ausgelaufene Schiffe nach Übersee in den letzten drei Tagen und so was in der Art. Außerdem wissen wir, dass die Dame mit einem zweifarbigen Ford Transit entführt worden ist. Mehr haben wir nicht, okay? Ihr könnt euch ein Foto der McKinley bei Yvonne Hartfield abholen, aber lasst euch nicht von der Presse damit erwischen. Nehmt euch ein paar Leute, und falls jemand mosern sollte, beruft ihr euch auf Sir Ronald. Noch Fragen? Gut. Robert, du übernimmst den Westen: Swansea, Cardiff, Penzance, Plymouth. Dann bleiben für Chester zunächst Southampton, Portsmouth und Newhaven. Ich drücke euch die Daumen.“

Thurso starrte Green an. „Oh, Mann, weißt du, was du da von uns verlangst?“

„Klar“, grinste Green, „sonst würde ich es ja selbst machen.“

Thurso sah Partridge flehend an. „Bring mich raus hier, sonst erwürge ich ihn mit bloßen Händen.“

Schimpfend verschwanden die beiden.

Green stützte den Kopf in die Hände und dachte etwa zehn Minuten konzentriert nach. Ihm fehlte der Zusammenhang zwischen dem Diebstahl der Eizellen in Canberra und der Entführung, und er war nicht gewillt, daran zu glauben, dass der Zufall die McKinley in kurzer Zeit zum Opfer zweier verschiedener Verbrechen gemacht hatte. Aber wo war der Knackpunkt? Unvermittelt griff er zum Telefonhörer und wählte den Hausanschluss der Dokumentationsabteilung. Iain O'Keeffe meldete sich sofort.

„Hast du neben dem Telefon geschlafen, Bursche?", fragte Green freundlich.

„Ha, ha, ha. Du willst mich sicher mit Arbeit überhäufen, stimmt's?"

„Stimmt. Ich brauche Kopien aller Zeitungsartikel der letzten vier Wochen zu folgenden Stichworten: Mittelamerika, Costa Rica, Demonstrationen dortselbst, eventuell noch politische Häftlinge."

„Hab ich notiert. Bis wann?"

„Bis vor einer Stunde. Lass alles andere stehen und liegen. Abbott wird es dir danken."

„Okay, ich beeile mich."

O'Keeffe hielt Wort. Nach knapp fünfzehn Minuten hielt Green die Mappe in Händen und begann, die bunt gemischten Meldungen aufmerksam zu studieren. Nach dem ersten Durchgang sortierte er die Artikel nach dem Datum und las sie ein zweites Mal durch. Dann war er sich sicher.

Mit dem Kopienstapel in der Hand platzte er in Abbotts Büro.

„Warum so aufgeregt, Dr. Green?", fragte der Chef neugierig und schraubte den Füllfederhalter zu, mit dem er einige Unterschriften geleistet hatte.

Green legte O'Keeffes Kopien auf den Schreibtisch. „Wenn Sie diese Zeitungsartikel durchlesen, Sir, werden Sie wahrscheinlich wie ich zu dem Ergebnis kommen, dass die McKinley nicht von der ‚Nationalen Befreiungsarmee' entführt wurde."

„Das wäre …", entfuhr es Abbott. „Erläutern Sie mir das, bitte."

„Nun, es hat in der Tat in den letzten vier Wochen mehrere Kundgebungen und Demonstrationen in San José und Umgebung gegeben. Bis auf die letzte, die größte Kundgebung, war allerdings von blutigen Auseinandersetzungen und vor allem von Verhaftungen in keinem Artikel die Rede."

„Und weiter?"

„Diese eben erwähnte Kundgebung hat am Nachmittag des 25. August stattgefunden. Wenn wir der Aussage von Mrs. Addams Glauben schenken, und das tue ich, dann ist die McKinley in der Nacht zum 26. August entführt worden. Das macht doch gar keinen Sinn, Sir. Das würde nämlich bedeuten, dass die ‚Befreiungsarmee' mit den Verhaftungen gerechnet haben müsste, weil wegen der Zeitverschiebung zwischen Mittelamerika und England die Verhaftungen und die Entführung praktisch zeitgleich erfolgten. Außerdem versuche ich mich in die Situation der Costa-Ricaner zu versetzen. Für sie besteht doch wegen der innenpolitischen Situation die berechtigte Hoffnung, dass die Inhaftierten zwei oder drei Tage später wieder freigelassen werden. Ich halte es mit anderen Worten für extrem unlogisch und unwahrscheinlich, dass sie die McKinley entführt haben sollen."

Abbott war sprachlos und brauchte einen Moment, bis er antwortete. „Das hört sich alles sehr einleuchtend an. Aber wer hat sie dann entführt? Haben Sie dazu auch eine Meinung?"

„Nun, womöglich dieselben Leute, die in Canberra die

Eizellen gestohlen haben. Auf andere Weise gelingt es mir nicht, da einen Zusammenhang herzustellen."

„Sie sagen das so, als gäbe es noch ein ‚Aber'." Abbott kannte Green auch schon lange genug.

„Das ist richtig, Sir. Bisher bin ich davon ausgegangen, dass sich mit den Eizellen irgendeine Schweinerei anstellen lässt, die ich zwar nicht durchblicke, die ich aber für geeignet halte, um eine Erpressung damit zu inszenieren. Nur, warum entführt man jemanden, den man erpressen will?"

„Vielleicht, weil der Erpresste einfach nicht mitspielt und die Polizei informieren will?", tippte Abbott.

Idwood sah seinen Chef mit gerunzelter Stirn an. „Eine durchaus überdenkenswerte Möglichkeit, Sir, in der Tat. Immerhin ist Martha McKinley einige Stunden nach der Terminabsprache mit Ihrer Sekretärin entführt worden."

„Eben, daran hatte ich auch gedacht. Wie dem auch sei, wie gehen wir jetzt weiter vor?"

„Ich schlage vor, dass wir offiziell dem Bekennerbrief Glauben schenken. Das wiegt die wahren Entführer vielleicht in Sicherheit und gibt uns ein paar Stunden Vorsprung bei den Ermittlungen."

„Wenn ich Sie richtig verstehe, wollen Sie die Sache also der Presse zum Fraß vorwerfen?"

„Lange dauert es sowieso nicht mehr, bis die Reporter das Verschwinden der McKinley spitzkriegen und unangenehme Fragen stellen. Je später sie es erfahren, desto unangenehmer werden die Fragen sein."

„Ich glaube, Sie haben Recht, Dr. Green. Dieses Vorgehen sollten wir allerdings mit der Regierung abstimmen, damit es nicht zu politischen Störungen des hoffnungsvollen bilateralen Verhältnisses zwischen London und San José kommt. Hm, warten Sie doch bitte einen Moment draußen bei Miss Hartfield."

Green ging nachdenklich ins Vorzimmer. Fünf Minuten später kam Sir Ronald nach. „Folgen Sie mir", sagte er kurz, nahm den Hut vom Kleiderständer und trat auf den Gang hinaus.

Green ging verblüfft hinterher. Was waren das für neue Sitten? Der Chef zeigte sich mit einem Untergebenen in der Öffentlichkeit, und dazu noch mit einem derart nachlässig gekleideten?

Der Weg, den Abbott nach Verlassen des alten Gemäuers einschlug, ließ Green das Schlimmste befürchten. Die Befürchtung wurde zur Gewissheit, als Sir Ronald dem Bobby vor dem Eingang zur Downing Street No. 10 seinen Sonderausweis zeigte.

Das Gespräch mit dem Premierminister dauerte knappe zwanzig Minuten. Er hatte aufmerksam den Vermutungen und Schlussfolgerungen zugehört und die vorgeschlagene Taktik gebilligt. Mit der Pressefreigabe für den Bekennerbrief in der Tasche verließen Abbott und Green das Haus des Regierungschefs.

„Das nächste Mal könnten Sie mich fairerweise vorwarnen, Sir, damit ich mich wenigstens kämmen kann", klagte Green auf der Straße.

Abbott warf ihm einen ironischen Seitenblick zu. „Da sehen Sie, in welch peinliche Situationen man kommen kann, wenn man sich so gehen lässt, Dr. Green."

Während Abbott ins Büro zurückkehrte, eilte Green zu seinem Auto und fuhr zum *Daily Mirror*. Er verließ den Aufzug im vierten Stock und klopfte an die Vorzimmertür des Chefredakteurs, wie er es schon häufiger getan hatte, allerdings nie aus dienstlichem Anlass.

„Herein“, rief eine vertraute Stimme.

Green öffnete die Tür und strahlte Jeanne Lumadue an. Sein Herz schlug diesen einen verdächtigen Takt schneller.

Die blonde Journalistin erhob sich von ihrem Sessel und stemmte die Hände in die Hüften. „Idwood Green!“, rief sie erbost. „Fährt ohne mich in Urlaub und schreibt noch nicht mal! Waren die Frauen auf Korfu hübsch?“, fragte sie spitz.

„Bei weitem nicht so hübsch wie du, Allerliebste“, antwortete Green lachend. Dabei kam er zu dem Schluss, dass im Moment nicht der richtige Zeitpunkt war, ihr mitzuteilen, dass er schon mehrere Tage zurück war.

„So, nun sei nicht eifersüchtig, kleine Jeanne, und hör mir bitte zu. Ich bin ausnahmsweise mal dienstlich hier. Wisst ihr, dass die McKinley entführt wurde?“

„Sicher, eine Kopie des Bekennerbriefs wurde unter anderen auch hierher geschickt. Wir haben nur bisher stillgehalten, wegen der Ermittlungen und so; du weißt schon.“

„Ja, ich weiß schon. Aber ihr könnt den Brief jetzt vermarkten. Hier.“ Er drückte ihr den Umschlag in die Hand. Dabei fiel ihm ein, dass Jeanne sich einmal drastisch als den Verdauungstrakt des Chefredakteurs bezeichnet hatte. Bei ihr war diese Angelegenheit in den richtigen Händen.

„Und, Jeanne, wenn du mir einen persönlichen Gefallen tun willst, sorge bitte dafür, dass die Sache erst morgen in der Zeitung steht. Das gibt mir etwas Vorsprung. Und verpfeif mich nicht bei deinen Kollegen dafür, dass ich dir den Wisch zuerst gebracht habe, okay?“

„Was krieg ich dafür?“, fragte sie mit viel sagendem Lächeln.

Idwood tat, als müsse er nachdenken. „Hm, wie wäre es mit einem exquisiten Abendessen im teuersten Restaurant Großbritanniens und anschließender Party in einem Privatetablissement in Edgware?“

Jeanne grinste und klimperte übertrieben mit den Wimpern. „Was kann sich ein kleines Mädchen Schöneres wünschen?“

Green hauchte ihr einen Kuss auf die Wange. „Ich bin im Stress. Danke für alles. Ich ruf dich an.“

„Bis dann, du mieser Kerl. Sei bitte vorsichtig, hörst du?“

Er hörte nicht, denn er war schon an der Treppe und lief hinunter zum Auto.

Der Xedos war noch knappe zwei Meilen vom Hauptquartier entfernt, als das Funkgerät piepte. Green drückte auf den Empfangsschalter.

„37 für 1, kommen“, sagte Yvonne Hartfields Stimme.

„Hier 37, 1 kommen“, antwortete Green.

„Hier 1, ein zweifarbiger Transit-Kastenwagen wurde leer aufgefunden, Ecke Preston und Poplar High, kommen.“

„Hier 37, verstanden, Ende.“

Green drehte mit radierenden Reifen und fuhr über die Cannon Street in Richtung Commercial und East India Dock Road. Hoffentlich ist es der richtige Ford Transit, dachte er, dann hätte die Sucherei wirklich schnellen Erfolg gehabt.

In der Nähe der India & Millwall Docks, einer reichlich trostlosen Gegend, brachte Green den Xedos neben einem Streifenwagen der Verkehrspolizei zum Stehen. Er stieg aus und zeigte den beiden Beamten seinen Ausweis. „Tag zusammen. Haben Sie die Kiste gefunden?“

Der ältere der beiden, ein bulliger Mittvierziger, antwortete: „Nein. Wir haben die Meldung von einem Verkehrsüberwachungshubschrauber erhalten. Die Kollegen hatten zwei Minuten vorher den Fahndungsaufruf gehört, während sie den Stau am Blackwall Tunnel beobachtet haben. Reiner Zufall, sage ich."

„Haben Sie sich das Fahrzeug schon näher angesehen?"

Die beiden schüttelten den Kopf.

Green ging zu dem Lieferwagen hinüber und öffnete die hintere Tür. Die Karre schien restlos leer geräumt. Der Engländer kehrte zum Xedos zurück und ließ sich auf den Fahrersitz fallen. Dann tippte er auf den Sendeknopf des Funkgeräts und wies Yvonne Hartfield an, ihm Trevor Engston zur Spurensicherung zu schicken. Wenn im Transit irgendwelche Spuren zurückgelassen worden waren, würde er sie finden.

Green warf den Kassettenrekorder an. Vielleicht brachte Beethoven sein Gehirn zum Arbeiten. Was konnte man jetzt tun? Die Docks waren nicht weit. Sollten sie die McKinley etwa von hier …?

Es war den Versuch wert. Green startete den Wagen und fuhr weiter in Richtung Manchester Road. Er orientierte sich an einigen Wegweisern und bog dann rechts zwischen mehrere große Lagerhallen ab. Er stellte den Sechszylinder auf einem kleinen Schotterplatz ab, stieg aus und sah sich suchend um. An einer Ecke des kleinen Platzes machte er ein Schild mit der Aufschrift „Hafenmeisterei" aus.

Zehn Minuten später hatte er den Büroeingang gefunden. Ohne anzuklopfen trat er ein. Ein schmächtiger kahlköpfiger Mann saß hinter einem mit Akten übersäten Schreibtisch.

„Ich grüße Sie", sagte Idwood und zückte seinen Ausweis. „Secret Service. Ich brauche eine Liste aller Schiffe, die in den letzten drei Tagen die Docks, oder sagen wir genauer, die Themsehäfen flussabwärts verlassen haben."

Der Hafenmeister blickte ihn zweifelnd an. „Das ist aber nicht so einfach, Sir."

„Das habe ich auch nicht behauptet“, erwiderte Green. „Ich habe Zeit. Sie werden es schon schaffen.“ Er blinzelte dem Mann zuversichtlich zu.

„Na ja, versuchen können wir es mal.“ Der Hafenmeister erhob sich von seinem Stuhl und ging zu einem Computer. Er ließ sich auf dem Stuhl davor nieder und tippte einige Zahlen- und Buchstabenkombinationen ein. Dann wartete er geduldig. Nach ein paar Minuten liefen Buchstabenkolonnen über den Bildschirm.

Der Hafenmeister drehte sich zu Green um und fragte: „Schauen Sie sich die Informationen auf dem Schirm an, oder soll ich sie Ihnen ausdrucken lassen?“

„Ein Ausdruck wäre mir lieb. Wenn es nicht zu viel Mühe macht.“

Wenig später verließ er das Büro. Er faltete die Ausdrucke sorgfältig zusammen und steckte sie in die Innentasche seiner Jacke. Im Büro konnte er sich intensiv damit beschäftigen.

Er zündete sich eine Zigarette an und machte sich auf den Rückweg zum Auto. Als er um die Ecke der nächsten Lagerhalle bog, blieb er ruckartig stehen. In der Nähe seines Wagens hatten sich zwei Männer aufgebaut, die ihn prüfend musterten.

Die beiden trugen relativ gepflegte Alltagsanzüge und machten ganz und gar nicht den Eindruck, als würden sie zu den Schlägerbanden gehören, die vor allem nachts die Docks unsicher machten. Green warf die Zigarette weg und überlegte, ob die beiden vielleicht nur zufällig seinen Weg gekreuzt hatten.

Zwei Sekunden später wurde er eines Besseren belehrt. Die Männer hielten plötzlich schallgedämpfte Pistolen in den Händen und legten auf ihn an. Mit einem Panthersatz sprang

Green zwischen eine Reihe von leeren Fässern, die etwa zwei Meter neben ihm standen.

Dabei stieß er sich höllisch den Schädel. Während er mit schmerzverzerrtem Gesicht weiterrobbte, registrierte er, wie die Projektile in die Fässer einschlugen.

So eine verdammte Scheiße, was nun?, dachte er und bedauerte aufrichtig, dass er nicht zu denen gehörte, die ständig ein Schießeisen mit sich herumschleppten. Außer dem Klappmesser in der Socke war er unbewaffnet.

Als er das Ende der Fassreihe erreichte, war er keine zwei Meter von einer kleinen Eisentür entfernt, die zum nächsten Lagerhaus gehörte. Offen oder verschlossen, das war hier die Frage.

Du hast keine andere Chance, Idwood, dachte er und spannte die Muskeln an. Er sprang auf die Tür zu und riss die Klinke herunter.

Offen!

So ein Glück!

Als er in das Lagerhaus hineinschlüpfte, schlugen hinter ihm die Kugeln in die Eisentür ein. Es war stockdunkel. Er warf die Tür ins Schloss und sprintete blindlings in die Halle. Mit vollem Tempo lief er auf einen Stapel Holzpaletten auf. Blut rann ihm aus der aufgeplatzten Stirn. Er tastete sich an der Palettenfront entlang und legte dann wieder einen Schritt zu.

In diesem Moment flammte das Licht in der Halle auf. Die Kerle waren hereingekommen.

Green orientierte sich kurz. Soweit er erkennen konnte, bestand das Inventar des riesigen Lagers aus Druckerzeugnissen. Paletten voller Illustrierte und Magazine türmten sich um ihn herum auf. Zwischen den Stapeln waren Gänge frei gelassen, wahrscheinlich, um den Zugang für die Gabelstapler zu gewährleisten.

Idwood spurtete einen der langen Gänge hinunter. Nach etwa vierzig Metern bog er nach rechts ab und lief weiter, bis er den nächsten Parallelgang erreichte. Dann blieb er stehen, versuchte den Atem anzuhalten und lauschte konzentriert auf etwaige Geräusche seiner Verfolger. Es war kein Laut zu hören.

Green wandte sich nach links. Als er in den nächsten Verbindungsgang blickte, stutzte er. Vier Schritte entfernt stand ein Gabelstapler.

Green überlegte nur kurz.

Dann lief er auf den Elektrokarren zu, zog sein Klappmesser aus der Socke und sprengte damit das Anzeigeinstrument für die Betriebsspannung aus dem Gehäuse unter dem Lenkrad. Nachdem er die Stromkabel freigelegt hatte, konnte er ohne Schlüssel den Betriebsstromkreis herstellen und setzte das bullige Arbeitsgerät in Bewegung. Er griff mit der Gabel eine Zeitungspalette von der obersten Lage herunter und steuerte den nächsten Längsgang an. Entschlossen kurbelte er am Steuerrad und bog nach links ab. Irgendwo vor ihm mussten sich die Burschen verstecken.

Green arretierte den Geschwindigkeitsregler und ließ den Gabelstapler langsam den Gang hinunterfahren. Dann sprang er ab und hastete durch einen der Verbindungswege davon. Er überquerte den nächsten Hauptweg und wandte sich dann nach links. Vor ihm öffnete sich die schier unendliche Palettenlandschaft zu einem kleinen Platz. Green blickte nach oben. Von der Decke hing ein mächtiger Flaschenzug herunter, an dessen unterem Ende ein schwerer Haken hing, der fast den Boden berührte. In einer Ecke standen Werkzeugkästen, und mehrere Taue lagen herum. Green suchte sich ein langes Seil aus, knotete es an den Haken und hielt das andere Ende in der Hand. Dann nahm er Anlauf und kletterte auf der gegenüberliegenden Seite an den Palettentürmen hinauf.

Im selben Moment hörte er schallgedämpfte Schüsse und lächelte grimmig. Die Burschen glaubten anscheinend, er wolle mit dem Gabelstapler fliehen.

Mit dem Tauende in der Hand robbte er bis zum Ende des Palettenstapels vor und peilte vorsichtig den Hauptweg hinunter. Etwa dreißig Meter weiter nahm er eine Bewegung wahr. Einer seiner Verfolger schlich, jede Deckung ausnutzend, an den Zeitungsstapeln entlang. Green kroch ein paar Meter zurück, fädelte das Tau durch einen Palettenfuß hindurch und zog dann langsam den großen Haken des Flaschenzugs auf sich zu. Das Tau knarrte wegen des schweren Gewichts unangenehm laut. Green spähte besorgt zur Ecke des kleinen Platzes. Noch war niemand zu sehen.

Green hielt das Tau mit einer Hand fest und warf mit der anderen sein Feuerzeug in die Mitte des Platzes, direkt unter den Flaschenzug. Dann legte er sich flach hin und wartete, ob das scheppernde Geräusch jemanden anlocken würde.

Wenige Sekunden später sprang tatsächlich einer der Unbekannten mit vorgehaltener Waffe um die Ecke der Palettenstapel und musterte misstrauisch die freie Fläche unter dem Flaschenzug. Als er nichts Auffälliges entdecken konnte, schlüpfte er gewandt an den Palettenstapeln entlang und blickte zurück in den Hauptweg. Er stand genau gegenüber von Idwood Greens Verlegenheitsgeschoss.

Jetzt oder nie, dachte der Engländer und ließ das Tau los. Der Haken setzte sich in Bewegung und schwang mit geballter Wucht auf den Ahnungslosen zu. Als Greens Verfolger das

Sausen in der Luft hörte, wandte er sich erschrocken um und riss die Pistole hoch. Er schaffte es nicht mehr, abzudrücken. Der zentnerschwere Haken nagelte ihn mit einem widerwärtigen Geräusch an den Paletten fest, bevor er auch nur schreien konnte, und schwang dann, als ob nichts gewesen wäre, zurück.

Idwood fuhr sich mit der Hand über die Augen.

„O mein Gott", murmelte er. Die Leiche bot einen Anblick, der einem den Magen umdrehen konnte.

Green nahm sich zusammen und sprang von den Paletten herunter. Mit spitzen Fingern barg er die Waffe des Toten und sein Feuerzeug und lief, nach allen Seiten sichernd, auf den nächsten Hauptweg zu.

Als er um die Ecke bog, stand der andere Verfolger etwa zwanzig Meter vor ihm. Green machte eine Flugrolle in die Mitte des Ganges und feuerte aus der Drehung zwei Schüsse ab. Sein Gegner zuckte zusammen und floh dann in großen Sprüngen zurück zur Tür. Green setzte ihm sofort nach.

Als er die Tür öffnete, hörte er nur noch das Geräusch eines hochtourig laufenden Motors und sah einen roten Ford zwischen den Lagerhallen entlangrasen. Keine Chance, sich das Kennzeichen zu merken.

Der Engländer setzte sich erst mal hin. Die aufgeplatzte Stirn schmerzte sehr und auch die Armwunde meldete sich wieder.

„So ein elender Mist", murmelte er. Der zweite Verfolger hätte ihm nicht entwischen dürfen. Er griff in die Tasche und zog die Zigarettenpackung hervor. Nach den ersten Zügen ging es ihm etwas besser. Mühsam machte er sich auf den Weg zu seinem Auto und informierte über Funk die Zentrale über das Geschehen.

Eine knappe halbe Stunde später war er wieder in seinem Büro. Mit zusammengebissenen Zähnen säuberte er mit einem Taschentuch seine Stirnwunde. Dann musterte er sich kritisch im Spiegel. Hoffentlich steht Jeanne auf vernarbte Hirne, dachte er sarkastisch und setzte sich dann hinter den Schreibtisch. Er zog die Liste mit den Schiffsnamen hervor, die ihm der Hafenmeister gegeben hatte und las sie durch. Dann stützte er ratlos den Kopf in die Hände. Was fing man nun damit an?

Einer plötzlichen Eingebung folgend stand er auf und stieg in das nächste Stockwerk hinauf. Vor einer der vielen Türen blieb er stehen und klopfte an.

„Herein."

Idwood trat in das Büro von Dick Fairweather, seines Zeichens Schifffahrtsexperte des Secret Service.

„Wie sehen Sie denn aus, Idwood?", fragte Fairweather. „Haben Sie sich beim Rasieren geschnitten?"

„In die Stirn?", erwiderte Green tadelnd und ließ sich auf einen Stuhl fallen. „Tun Sie mir einen Gefallen, Dick, halten Sie die Klappe. Mir ist im Moment nicht nach Scherzen zumute." Er warf die Liste mit dem Schiffsnamen auf Fairweathers Schreibtisch. „Ich brauche die Namen der Eigner dieser Schiffe, Dick, und zwar möglichst schnell. Können Sie das bewerkstelligen?"

Fairweather warf einen kurzen Blick auf die Liste. „Ich denke schon, Idwood. Sie müssen sich allerdings ein bisschen gedulden. Ich muss mich erst in den Zentralcomputer von *Lloyd's* einloggen. Anders geht es nicht."

„Okay, lassen Sie sich ruhig Zeit."

„Ist alles in Ordnung?", fragte Fairweather besorgt.

„‚In Ordnung' ist übertrieben, aber es geht schon. Danke, Dick, bis dann." Green erhob sich.

„Ich melde mich bei Ihnen, sowie ich fertig bin", versprach Fairweather.

Langsam ging Idwood in sein Büro zurück. Er ließ sich in seinen Sessel fallen und legte die Füße auf den Schreibtisch. Zwei Minuten später war er fest eingeschlafen.

Als er nach einer knappen Stunde wieder aufwachte, war es fast 20 Uhr. Er erhob sich und wusch sich kurz das Gesicht. Dann ging er hinüber zu Abbotts Büro. Der Chef war tatsächlich noch da.

Er blickte seinen Agenten forschend an. „Sie sehen aber gar nicht gut aus, Dr. Green", konstatierte er. „Was ist passiert?"

Green setzte ihn kurz über die Vorfälle des späten Nachmittags in Kenntnis.

„Zapperlot, da haben Sie ja ein ziemliches Glück gehabt. Was ist mit dem Toten geschehen?"

„Gengridge und seine Männer haben sich darum gekümmert, Sir."

„Schön, schön. Haben Sie eine Ahnung, warum man derart massiv gegen Sie vorgehen wollte?"

„Ehrlich gesagt, nein", gab Green zu. „Außer, die Burschen waren hinter der Liste mit den Schiffsnamen her, die mir der Hafenmeister gegeben hat. Aber die hätten sie dort ja leichter haben können. Möglicherweise gibt es aber auch Leute, denen meine Aktivitäten in Martha McKinleys Nachbarschaft irgendwie an die Nerven gehen. Es wird Zeit, dass ich auf dieser Ebene mal einen Kontakt herstellen kann."

„In der Tat, das wäre nicht schlecht. Ach, übrigens, falls es Sie interessiert, hier einige Einzelheiten zu Ferguson-Smiths Privatleben." Abbott reichte ihm einen dünnen Aktenordner.

„Danke, Sir." Idwood blätterte die Akte durch, aber seine

Lektüre wurde abrupt unterbrochen, weil nach einem kurzen Klopfen Dick Fairweather hereinstürmte.

„Sir Ronald“, grüßte er mit einem Kopfnicken. „Und Idwood Green. Hier sind Sie also. Ich suche Sie schon überall.“ Er überreichte Green eine eng beschriebene Liste. „Die Eigner der Schiffe, deren Aufstellung Sie mir vorhin hereingegeben haben. Ich hoffe, sie hilft Ihnen weiter.“

Green warf einen kurzen Blick darauf. „Danke, Dick, ich werde sie aufmerksam studieren. Sie haben was bei mir gut.“

„Vergessen Sie es! Schönen Abend noch, die Herren.“

Green vertiefte sich in die Liste der Schiffseigner. Plötzlich zuckte er zusammen. Er hielt die Akte über Ferguson-Smith in der einen und Fairweathers Aufstellung in der anderen Hand und blickte Abbott triumphierend an.

„Nanu, was machen Sie denn für ein Gesicht? Haben Sie etwas entdeckt?“

Green hielt die beiden Schriftstücke hoch. „Ich glaube, ich hab’s, Sir“, verkündete er. Er blätterte in den Unterlagen herum und legte sie aufgeschlagen vor Abbott auf den Schreibtisch.

„John Ferguson-Smith war leitender Angestellter einer Firma namens *PanAmericanFruit Company*, und zwar in ihrer Londoner Filiale.“

„Ich weiß, und?“, fragte Abbott gespannt.

Idwood fuhr mit dem Finger die Schiffsnamen entlang. „Dort, sehen Sie? Vor drei Nächten ist von Sheerness aus das Containerschiff *Excalibur* ausgelaufen. Eigentümer ist die *PanAmericanFruit Company*!“

Einen Moment herrschte Stille im Büro. Dann meinte Abbott: „Ich glaube, es wird Zeit, dass wir uns mit dieser Firma näher beschäftigen. Allerdings laufen viele Schiffe aus englischen Häfen aus.“

„Aber Sheerness gehört nicht zu den Prototypen eines Containerhafens, Sir.“ Green hatte noch ein Problem. „Wie ich hier gelesen habe, ist die *PanAmericanFruit*-Zentrale in New York.“

Abbott nickte zustimmend.

„Hat sich Lundquist eigentlich schon gemeldet?“, fragte Green langsam.

Sir Ronald zog eine Augenbraue hoch. „Bei mir nicht. Sie glauben –?“

„Ich glaube gar nichts, Sir. Ich hoffe nur, dass er vorsichtig ist!“

Canberra, Australien

Ein kühler Abendwind strich über die Wipfel der hohen Bäume. Das Lichtermeer der australischen Hauptstadt versorgte den dunklen Abendhimmel über dem ruhigen Villenvorort mit einem zarten Dämmerschein. Es war kurz nach 23 Uhr; die schmalen Straßen waren menschenleer, und die von kleinen Parks umgebenen Villen wurden von Sicherheitslampen erhellt.

In der makellos weißen, eingeschossigen Villa an der Ecke der Ayers Terrace saß Adrian Kay mit einem Buch und einem Glas Portwein auf dem Biedermeiersofa neben dem knisternden offenen Kamin und hatte den Alltag erfolgreich hinter sich gelassen. Der alte Junggeselle liebte diese kalten Winterabende, an denen sich das Wetter von seiner unbequemsten Seite zeigte, während im Haus wohlige Wärme zu ausgedehnten Leseabenden einlud. Für heute hatte er sich das Werk des Dichters Longfellow vorgenommen und dazu passend

Antonin Dvořáks Sinfonie *Aus der Neuen Welt* in den CD-Player geschoben.

Kay blickte von seinem Buch auf, denn von der Gartenterrasse waren undefinierbare Geräusche zu hören, die nicht zu dem berühmten Englischhorn-Solo des Des-Dur-Largos passten. Sekunden später lächelte der Geheimdienstchef beruhigt; seine beiden Wachhunde, zwei wunderschöne Huskys, vertrieben sich ihre Zeit mit wildem Herumtollen. Er rückte die Lesebrille zurecht und hatte sich gerade wieder in die Gestalt des Indianers Hiawatha versetzt, der um seine Braut Minnehaha trauert, als das Telefon klingelte.

Kay seufzte, legte das Buch zur Seite und ging hinüber zum Apparat. Schwach drang eine bekannte Stimme an sein Ohr.

„Hallo, Sir, hier spricht Stan Lundquist."

Kay stellte das Portweinglas ab. „Hallo, mein Junge, Sie sind sehr schlecht zu verstehen, von wo sprechen Sie?"

„Ich bin in New York, Sir."

„In New York? Was um alles in der Welt tun Sie in New York?"

„Seit unserem letzten Kontakt sind einige bedeutende Dinge vorgefallen, Sir. Wie Sie wissen, haben wir versucht, Mitchells Gesprächspartner, einen gewissen John Ferguson-Smith, zu finden. Wir haben ihn nicht in seiner Wohnung angetroffen, haben aber die Adresse seiner New Yorker Zweitwohnung ermitteln können. Ich habe ihn hier gefunden."

„Und, was hatte er zu sagen?"

„Das wüsste ich auch gerne, Sir. Er lag erschossen auf dem Wohnzimmerteppich."

„Donnerwetter", staunte Kay, „in diesem Fall geht's ja inzwischen richtig zur Sache."

„Sie wissen gar nicht, wie Recht Sie haben. Ich habe vor wenigen Minuten mit Abbott in London telefoniert. Martha McKinley ist in London entführt worden."

Kay hatte Mühe, den Hörer festzuhalten. „Entführt? Großer Gott, dieser Eidiebstahl zieht inzwischen denkbar weite Kreise."

„Moment, Sir, bis jetzt steht noch nicht fest, ob die Entführung überhaupt mit den fehlenden Eizellen zusammenhängt. Wie mir Sir Ronald mitgeteilt hat, wurde die Verantwortung für die Entführung von der ‚Nationalen Befreiungsarmee von Costa Rica' übernommen."

„Was wollen die denn mit der McKinley?"

Lundquist klärte den Chef kurz über das politische und wirtschaftliche Verhältnis zwischen Costa Rica und Großbritannien auf – und auch darüber, dass bereits Zweifel an der Identität der Entführer und der Echtheit des Bekennerschreibens bestanden. Dann fuhr er fort: „Der eigentliche Grund meines Anrufs hängt allerdings mit dem Eidiebstahl zusammen, Sir. Als ich die Leiche Ferguson-Smiths durchsuchte, habe ich ein Notizbuch gefunden. Darin ist unter dem 17. August, also vor zwölf Tagen, ein Name vermerkt, Doreen Gray, dann folgt ein kleiner waagrechter Pfeil, der auf das Kürzel E0 weist."

Kay hatte aufmerksam zugehört. „E Null? Dazu fällt mir auf Anhieb nichts Vernünftiges ein."

„Das wundert mich nicht, Sir. Selbst ich bin nicht sofort darauf gekommen."

Kay vermutete, dass Lundquist auf der anderen Seite der Erdkugel breit lächelte. „Sehr ulkig, wirklich. Darf ich aus Ihrer Formulierung schließen, dass Sie inzwischen eine Erleuchtung hatten?"

„Möglicherweise, Sir. Dazu muss ich Ihnen etwas über meine Doktorarbeit erzählen, aber ich werde es kurz machen. Ich habe damals an der *Columbia University* über die molekularen Grundlagen der Embryonalentwicklung bei Säugetieren gearbeitet. Um die einzelnen Entwicklungsstadien der Labormäuse übersichtlich ansprechen zu können, wird ein bestimmter Code benutzt. Der Tag der Geburt ist der Tag Null der postnatalen Entwicklung. Wenn eine Maus also, sagen wir, dreiundzwanzig Tage alt ist, steht auf der Karteikarte am Käfig das Kürzel P23, also Postnataltag dreiundzwanzig."

Kay glaubte zu ahnen, worauf sein Mitarbeiter hinauswollte. „Und was bedeutet der Buchstabe E?"

„Nun, Sir, die allgemein verwendeten Labormäuse haben eine Tragzeit von neunzehn Tagen. Mit anderen Worten: Wenn der Embryo siebzehn Tage alt ist, wird sein Alter mit E17, also Embryonaltag siebzehn, angegeben. Logischerweise ist E19, der letzte Embryonaltag, gleich P0, dem Geburtstag."

Kay meinte beeindruckt: „Wenn ich Sie richtig verstanden habe, wäre E0 also der Tag der Befruchtung?"

„So ist es", bestätigte Lundquist.

„Hm", brummte Kay nachdenklich. „Befruchtung von wem?"

„Das genau ist die Frage, Sir. Vielleicht sollten wir in unserem Falle den Begriff ‚Befruchtung' durch ‚Ei-Implantation' ersetzen?"

Kay hatte es sofort kapiert. „Sie meinen …? Die gestohlene Eihälfte …?"

„Warum nicht? Das würde doch Sinn machen. Ich habe mir Folgendes überlegt. Irgendjemand will Martha McKinley erpressen, und zwar zunächst damit, dass er die gesamte Affäre der Leihmutteranmietung, anders kann man es ja wohl nicht nennen, in der Presse breitzutreten droht. Offensichtlich ist die Bankchefin damit angreifbar, sonst hätte sie die ganze Sache nicht in dieser Heimlichkeit durchgeführt. Nun ist die McKinley darüber hinaus noch eine sehr wichtige Persönlichkeit. Ich schließe daraus, auch in Anbetracht der beiden Toten der letzten Tage, dass die Erpresser einen größeren Dienst von ihr erwarten. Wenn dem so ist, liegt es nahe, dass die Erpresser einen weiteren Trumpf in der Hinterhand halten, für den Fall, dass Mrs. McKinley mit der ersten Drohung nicht einzuschüchtern ist."

„Und wie sähe dieser ‚Trumpf' Ihrer Meinung nach aus?"

Lundquist zögerte merklich. „Wie ich Ihnen gegenüber schon einmal erwähnt habe, ist die andere Hälfte des befruchteten Mehrzellkeims der potentielle eineiige Zwilling des Kindes, das Ann Dougan in absehbarer Zeit für Mrs. McKinley zur Welt bringen wird. Die Erpresser brauchen lediglich ebenfalls eine Leihmutter. Glauben Sie, Martha McKinley würde sich gegen irgendetwas sträuben, wenn die Erpresser sie über die Existenz des Zwillings informieren?"

Kay atmete tief durch. „Mein Gott, Stan, das ist wirklich pervers. Aber vielleicht halte ich es gerade deshalb für möglich." Er machte eine Pause. „Wie hieß die Dame in Ferguson-Smiths Notizbuch?"

„Doreen Gray mit -ay."

„Gut. Da ich annehme, ich soll diese Dame suchen lassen: Wieso vermuten Sie sie hier in Australien?

„Alles Hypothesen, Sir. Abbott lässt den Bekanntenkreis von Ferguson-Smith in London auch schon unter die Lupe nehmen. Vorausgesetzt, unsere Überlegungen stimmen, halte ich es allerdings für unwahrscheinlich, dass man mit den entwendeten Zellen eine längere Reise unternimmt. Wenn sie auftauen, sind sie hin. Insofern hielte ich zunächst eine Fahndung im Gebiet Canberra-Wollongong-Newcastle-Sydney für sinnvoll."

„Hm. Wenn sie hier ist, werde ich sie finden, das verspreche ich Ihnen. Eine Frage noch: Wo ist eigentlich Ihr Kollege Green?"

„Der sucht in London nach Mrs. McKinleys Spuren."

„Aha, Sie sind also alleine in New York. Ein Grund mehr, Sie zu ermahnen, auf sich aufzupassen. Ach übrigens, ich habe noch eine durchaus delikate Information für Sie, mein lieber Stan."

„Da bin ich ja mal gespannt."

„Dan Harris hatte Stephen Montgomery in London beauftragt, sich ein wenig im Privatleben der McKinley umzutun. Er hat einen ersten Zwischenbericht übermittelt. Also, erstens, das Ehepaar McKinley führt nur noch eine Scheinehe."

„Das hatte ich vermutet", unterbrach ihn Lundquist, „wir haben ihre Wohnung durchsucht: Trennung von Tisch und Bett."

„So, so. Ich fresse allerdings einen Besen, wenn Sie auch schon wissen, dass unser geschätzter Sir Ronald mit Martha McKinleys Tante verheiratet ist."

„Hoppla, sieh mal einer an!", wunderte sich Lundquist. „Ob Green das schon weiß?"

„Da wäre ich eher skeptisch."

„Ich werde es ihm mitteilen", entschied Lundquist. „Außerdem, Sir, muss ich jetzt auflegen. Die Gebühren für dieses Gespräch werden meine Spesenmittel ziemlich angreifen. Ich melde mich wieder, sobald ich kann. Gute Nacht, Sir."

Nachdenklich legte Adrian Kay den Hörer auf den Apparat und griff zum Portweinglas. Wieder einige Steine mehr in seinem Gedankengebäude. Er hatte das Gefühl, dass er sich langsam dem Richtfest näherte.

New York, USA

Stan verließ das Postamt in der Grand Central Station und ging zur U-Bahn-Station.

Sechs Minuten später bestieg er einen Wagen der Linie 4, die als Express Service nach Südmanhattan ratterte. Das Fahrgeräusch der Graffiti-bemalten Waggons war kaum zu ertragen. Nicht umsonst trugen routinierte Subway-Reisende, die auf Local Trains warten mussten, Ohrenstöpsel, um Hörschäden durch die Lärmorgie vorbeidonnernder Expresszüge möglichst lange hinauszuzögern.

Vier Stationen später stieg der lange Australier benommen aus dem Zug. Ein verwittertes Emailschild an den schmutzigen Kacheln der Bahnsteigverkleidung trug die Aufschrift *Wall Street.* Lundquist ging die Treppen hinauf und atmete beim Anblick des blauen Himmels erleichtert auf. Er konnte sich kaum vorstellen, dass Abertausende von Leuten mit diesen Marterinstrumenten da unten tagtäglich zur Arbeit fuhren.

Schräg gegenüber entdeckte Lundquist die zwischen den Wolkenkratzern winzig wirkende Trinity Church. Er wandte sich nordwärts und erreichte nach zwei Straßenkreuzungen die Einmündung der Cedar Street. Der Australier ging auf die andere Seite und schlenderte die Cedar Street hinunter. Nach fünfzig Metern erblickte er das protzige Bürohochhaus aus Glas und Beton, über dessen Eingang in großen Lettern *PAFCO* geschrieben stand.

Stan ließ den Blick über die Fassade schweifen. Die Adresse auf Ferguson-Smiths Visitenkarte hatte ihn auf die Idee gebracht, sich bei dessen Arbeitgeber ein wenig kundig zu machen, aber jetzt, beim Anblick des imposanten Gebäudes, fühlte er sich doch etwas unsicher. Immerhin verfügte er nicht über die kaltschnäuzige und schlagfertige Außendiensterfahrung seines Freundes Idwood Green. Lundquist zermarterte sich das Hirn, wie er möglichst unauffällig jemanden in diesem Riesenhaus finden konnte, der ihm etwas über Ferguson-Smith sagen konnte.

Der Australier ging unentschlossen weiter und erspähte an der übernächsten Straßenecke ein großes Schnellrestaurant. Da sein Magen ihn deutlich an das fehlende Frühstück erinnerte, entschied er sich für eine kurze Ess- und Denkpause.

Nachdem er sein Tablett mit der nahrhaften Einheitsspeise in Empfang genommen hatte, fand er im gläsernen Erker des Restaurants einen Platz, von dem aus er das *PAFCO*-Gebäude gut im Blick hatte. Vielleicht sollte man den Portier einfach nach dem Büro von Mr. John Ferguson-Smith fragen, dachte Lundquist, während er den mäßig warmen Hamburger herunterschlang.

Als er zum dritten Mal an der Cola nippte, zuckte er leicht zusammen. Er hatte ein bekanntes Gesicht auf der Straße erspäht. Etwa dreißig Meter vor dem Eingang zur *PAFCO*-Zentrale parkte ein mittelblauer Lincoln am Straßenrand. Ein Mann war aus dem Hauptportal des *PAFCO*-Gebäudes getreten und hatte sich dem Lincoln genähert. Jetzt stand er neben der Beifahrertür und sprach mit einem der beiden Insassen.

Kein Zweifel, es handelte sich um Everett Harriman. Lundquist hatte ihn vor rund zwei Jahren während des Besuchs des amerikanischen Außenministers in Australien kennen gelernt.

Harriman hatte mehrere Unterredungen mit Kay und Harris geführt, und zwar in seiner Eigenschaft als Leiter der CIA-Truppe, die für die Sicherheit des Außenministers verantwortlich war.

Stan vergaß das Essen und sah sich die Straßenseiten genauer an. Er zählte noch drei ähnlich unauffällige Fahrzeuge wie den mittelblauen Lincoln.

Hallo, dachte der Australier, da ist ja eine ganz schöne Schutzmacht aufgefahren. Was mochten die denn hier wollen?

Auf jeden Fall war an einen Besuch bei der *PAFCO* unter diesen Umständen im Moment nicht zu denken. Lundquist stand auf und ging. Nach dem Verlassen des Restaurants wandte er sich nach links und nahm den Umweg über die Greenwich Street, um zur Subway-Station zurückzukommen. Man sollte schlafende Hunde nicht wecken.

Achtzehn Minuten später durchquerte er zum zweiten Mal an diesem Morgen die Halle der Grand Central Station. Die imposante Uhr des alten Bahnhofsgebäudes stand auf 8.51 Uhr. Lundquist betrat eine Telefonzelle und überlegte. In London war es jetzt kurz vor zwei. Wer wagt, gewinnt, dachte er und begann Idwoods Nummer zu wählen. Er hatte gerade die Vorwahlnummer eingetippt, als jemand von draußen an die Scheibe klopfte. Lundquist wandte unwillig den Kopf und erstarrte zur Salzsäule. Ein breitschultriger Mann mit Hut stand vor der Türscheibe und hielt ein weißes Stück Papier an das Glas. Darauf stand in Druckbuchstaben: *Wir haben Ms. Clayton. Folgen Sie mir!*

Der Mann steckte den Zettel in die Jackentasche und ging langsam davon. Lundquist ließ den Hörer einfach fallen und folgte ihm wie in Trance.

Diese Schweine! Hatten sie ihn die ganze Zeit beobachtet?

Wie sonst sollten sie auf Ernie gestoßen sein? Sie hatte doch mit dieser Sache überhaupt nichts zu tun. Wenn sie ihr auch nur ein Härchen gekrümmt haben, dachte Lundquist, dann bringe ich sie um. Alle! Mit den bloßen Händen.

Stans Hand fuhr unwillkürlich zur Beretta, aber er schaffte es, sich zu beherrschen. Tu ihm nichts, beschwor er sich, du musst erst Ernie finden!

Vor einem Nebeneingang des riesigen Sackbahnhofs stand ein dunkelgrauer Chevrolet. Der Typ mit dem Hut hielt dem Australier wortlos die hintere Tür auf. Bevor Stan einsteigen konnte, tastete der Mann ihn routiniert ab und nahm die Beretta an sich.

Der Mann steuerte den Chevy in Richtung Süden und nahm den Holland Tunnel auf die andere Hudsonseite. Nach etwa fünfzehn Minuten hielt er vor einigen verfallenen Lagerhäusern; im Hintergrund bildete die Skyline Südmanhattans mit den beiden *World-Trade-Center*-Türmen einen fast malerischen Kontrast.

„Aussteigen, wir sind da", sagte er kurz.

„Wo ist Ms. Clayton? Wie geht es ihr?", fuhr ihn Lundquist an.

„Werd nicht aufsässig, Mann, okay? Du hast im Moment überhaupt keine Fragen zu stellen. Los, geh vor!" Er deutete auf eine verrostete Seitentür.

Der lange Australier gehorchte ihm widerwillig und setzte sich in Bewegung. In der Halle sah es aus wie in Sodom und Gomorrha. Schrott und Metallteile lagen kreuz und quer herum und das Dach war an mehreren Stellen durchgebrochen. Sie durchquerten mühsam das Schrottlabyrinth und gelangten an eine Treppe, die offensichtlich in den Keller hinunterführte. Der Kerl mit dem Hut rief laut: „Jake, ich bin's.

Wir haben Besuch." Er deutete hinab. „Auf geht's, Mann, dort runter."

Lundquist stieg die baufälligen Stiegen hinunter. Jake entpuppte sich als grobschlächtig aussehender Bursche mit einem großkalibrigen Revolver in der Hand.

„Durchsuch ihn!", forderte er seinen Partner auf.

„Hab ich schon", antwortete der Hutträger und präsentierte die Beretta. „Außer diesem Spielzeug ist er sauber."

„Okay. Hör zu, Mann", sagte Jake zu Lundquist, „es gibt da ein paar Leute, die sich mit dir unterhalten möchten. Wir werden dir deshalb da hinten eine Unterkunft zuweisen, bis die Herrschaften hier auftauchen. Ich gebe dir den dringenden Rat, keine Schwierigkeiten zu machen, sonst knipsen wir deiner süßen Maus das Licht aus. Hast du das verstanden?"

Lundquist nickte wortlos. Am liebsten hätte er dieses Schwein auf der Stelle atomisiert.

Jake ging zur anderen Seite des Kellers und öffnete eine Eisentür. Im trüben Licht einer nackten Glühbirne folgte ihm der Australier über eine schmale Treppe in ein weiteres Kellergeschoss. Am Ende dieser Treppe befand sich nur ein kleiner Raum. Von ihm zweigten allerdings mehrere winzige Zellen ab, die durch massive Gittertüren verschlossen waren.

Ein fieses Grinsen stand auf Jakes Gesicht. „Wie in Sing-Sing! Aber das kennst du bestimmt nicht, oder?"

Als der Australier nicht antwortete, fuhr sein Gegenüber fort: „Früher haben sie hier oben die Einwanderer zu Quarantänezwecken interniert. Manche klinkten natürlich aus. Für die hat man diese netten Zimmer bereitgestellt." Er lachte hämisch. „Heute ist hier allerdings weniger Betrieb. Bitte sehr, der Herr." Mit diesen Worten öffnete er eine Zellentür und machte eine einladende Handbewegung.

Lundquist trat in die Zelle hinein. Dann wandte er sich um. „Sollte ich dich jemals irgendwo erwischen, du Schwein, dann demoliere ich dich so, dass dich deine eigene Mutter nicht wieder erkennt."

Der Kerl blickte ihn böse an. „Hüte deine Zunge! Wir können uns die Zeit hier auch anders vertreiben. Und ich bezweifle, dass du dann überhaupt noch ein Wort über die Lippen bekommst." Mit diesen Worten warf er die Tür ins Schloss und rüttelte zur Kontrolle daran. Dann stieg er die Treppe hoch.

Lundquist hörte, wie oben die Eisentür zufiel. Er war allein.

Wo war Ernie? Die ganze Atmosphäre hatte nicht darauf hingedeutet, dass sie irgendwo hier in der Nähe gefangen gehalten wurde. Einer der beiden Kerle hätte ihn sonst sicher aus purem Sadismus mit einer entsprechenden Bemerkung gepiesackt. Er sah sich in der Zelle um. In der Ecke stand ein Blecheimer, und ansonsten gab es nur noch eine schmale Holzpritsche, die mit einer Matratze undefinierbarer Farbe belegt war. Das war alles.

Er ließ sich auf die Pritsche fallen.

Was tun? Abwarten? Und wer wollte mit ihm sprechen?

In der nächsten Stunde versuchte Lundquist, seine Gedanken zu strukturieren, und machte sich klar, dass hinter seiner und Ernies Entführung derselbe Verein steckte, der den Eidiebstahl in Canberra hatte ausführen lassen und der die McKinley erpresste. Aber wieso, zum Teufel, waren sie ihm hier auf den Fersen? Stan wusste nur eine Erklärung: Sein einziger Bezugspunkt zu New York war Ferguson-Smith gewesen und dessen Wohnung hatte vermutlich unter Beobachtung gestanden. Aber warum hatten sie Ferguson-Smith umgebracht? War er ihnen unbequem geworden? Oder steckte vielleicht doch jemand anderes dahinter als die Eierdiebe? Stan musste sich eingestehen, dass seine bisherigen Erkenntnisse noch nicht einmal zur Formulierung von überprüfbaren Hypothesen reichte.

Knappe drei Stunden später hörte der Australier die obere Eisentür quietschen. Jake kam die Treppe herunter und spähte in Lundquists Zelle.

„Wollte nur mal sehen, ob du auch schön artig bist“, sagte er spöttisch.

Lundquist trat bis hart an die Gitterstäbe seines Gefängnisses. „Ich dachte, du bringst mir was zu essen. Wo ist Ms. Clayton?“

„Ich weiß nicht, wie es um dein Häschen steht, Mann. Vielleicht geht's ihr gut? Vielleicht auch nicht? Und was das Essen angeht: Es dauert nicht mehr lange hier, du brauchst jetzt nichts zu essen.“ Er verschwand über die Treppe nach oben.

Stan kratzte sich nachdenklich an der Wange. Die Worte des Kerls hatten das bestätigt, was er bereits vermutet hatte. Wer immer diese Entführung veranlasst hatte und sich vielleicht mit ihm unterhalten wollte, konnte es sich gar nicht erlauben, ihn lebend wieder herauszulassen. Sie würden ihn hier unten abknallen und kein Mensch würde ihn so schnell finden. Und was war mit Ernie? War ihre angebliche Entführung nur ein Bluff, oder erwartete sie das gleiche Schicksal wie ihn? Hatten sie sie gar schon –?

Lundquist schüttelte sich wie ein nasser Hund, um diesen Gedanken zu vertreiben. Du musst hier raus, Stan, befahl er sich. Irgendeine Möglichkeit musste es doch geben, zum Kuckuck! Er kniete vor dem schmalen Bett nieder und sah sich die Matratze näher an. An den Längsseiten der speckigen Schlafunterlage entdeckte er zwei daumendicke Gummischlaufen. Lundquist wandte sich zur hinteren Zellenwand und brach ein

Stück des verwitterten Putzes heraus. Damit schlitzte er mit einiger Mühe die Matratze an den Schmalseiten auf und zog das Gummiband heraus. Es lief tatsächlich ganz um die Matratze herum. Der Australier hielt das Band einige Sekunden regungslos in den Händen. Wahrlich eine verrückte Idee, dachte er, aber im Moment hatte er keine bessere.

Mit Hilfe des scharfkantigen Stückes Putz trennte er den Gummi an einer Stelle durch. Dann knotete er die beiden Enden jeweils an einen Gitterstab. Glücklicherweise standen die Eisenstäbe der Tür so weit auseinander, dass er mit der halben Schulter dazwischen gepasst hätte.

Fertig zum Probeschuss, dachte er und brach ein weiteres Stück Putz von der Größe eines Silberdollars von der maroden Wand. Er legte das Versuchsprojektil auf das Gummiband und zog. Bis jetzt machte seine improvisierte Steinschleuder einen guten Eindruck. Das Hauptproblem war, die Spannung der beiden Gummienden so zu regulieren, dass das Geschoss genau zwischen zwei Gitterstäben hindurchflog und nicht abgelenkt wurde. Übung macht den Meister, spornte er sich an und schickte den ersten Schuss auf die Reise.

Das Stück Putz flog, ohne die Stäbe zu berühren, durch die Tür seines Gefängnisses hindurch und zerschellte mit unvermuteter Wucht an der zweiten Treppenstufe. Der Australier war von der Durchschlagskraft seiner improvisierten Waffe positiv überrascht. Die folgende Viertelstunde verbrachte er damit, einige Steinbrocken aus dem alten Gemäuer zu brechen. In Schweiß gebadet betrachtete er seine Ausbeute. Die Kollektion reichte von Tischtennisball- bis Faustgröße. Nach einigen weiteren Übungsschüssen fühlte er sich in der Handhabung der Riesensteinschleuder einigermaßen sicher, setzte sich auf den Boden und harrte der Dinge, die da kommen sollten.

Seine Geduld hatte eine Probe von fast anderthalb Stunden zu bestehen. Dann hörte er, wie sich die obere Tür öffnete. Er beschickte die Schleuder mit einem faustgroßen Stein, legte sich auf den Rücken und visierte die Treppe an. Jake kam die Treppe herunter und spähte in Lundquists Zelle. Glücklicherweise erleuchtete die schwache Glühbirne den Raum nur ungenügend.

„He, Mann, wo bist du?" Er zog seinen Revolver. Dann entdeckte er den Australier. „Ach, da. Was treibst du denn auf dem Boden?"

Lundquist ließ den Gummi los. Der Stein traf seinen Gegner in der rechten Gesichtshälfte. Blut spritzte und der Körper des Getroffenen stürzte wie vom Blitz getroffen hintenüber. Der Revolver schepperte über den Steinboden und blieb knappe drei Meter von der Zellentür entfernt liegen.

Lundquist stand hastig auf, zog die Matratze von der Holzpritsche, packte das Gestell und warf es mit aller Kraft gegen die hintere Steinwand. Aus den Trümmern suchte er sich einen handlichen Scheit von etwa fünfzig Zentimetern Länge heraus. Er knotete das Gummiband von den Gitterstäben los und befestigte es stattdessen an den beiden Enden des Holzstückes. Dann trat er an das Türgitter, schob das Holz durch die Gitterstäbe und warf es in Richtung Revolver. Beim dritten Versuch lag es richtig. Vorsichtig zog der Australier Holzscheit und Schusswaffe zu sich heran.

Als er den Revolver in den Händen hielt, schöpfte er eine gehörige Portion Zuversicht. Er setzte sich erneut auf den Boden seines Gefängnisses und wartete. Der andere musste bald kommen.

Es dauerte keine fünf Minuten. Lundquist wartete gar nicht erst ab, bis der Typ ganz unten war. Sowie er ihn im Visier hatte, drückte er mit zusammengekniffenen Lippen ab. Das großkalibrige Geschoss tat seine Wirkung und warf den Mann rücklings auf die Treppenstufen.

Stan trat drei Schritte zurück und zielte sorgfältig auf das Schloss seiner Gefängnistür. Nach dem zweiten Schuss ließ sie sich öffnen. Vorsichtig trat er aus der Zelle und näherte sich den beiden Körpern, die ihm den Weg zur Treppe versperrten.

Jake schien noch am Leben zu sein, lag aber in tiefer Bewusstlosigkeit. Der Anblick seines halb zermatschten Gesichts war ekelhaft. Stan verspürte Brechreiz, und es kostete ihn einige Überwindung, den leise Röchelnden zu durchsuchen. Kein Ausweis, nichts. Kein einziger Anhaltspunkt.

Lundquist wandte sich um und untersuchte die Taschen des Sakkos und der blutgetränkten Weste des toten Chevyfahrers. In der Außentasche fand er seine Beretta. Er klemmte sie an den Magnetgürtel und suchte weiter. Auch ein Fahrzeugschlüssel war in der Hosentasche des Toten. Als er ihn herauszog, fiel ein zerknülltes Stück Papier auf den Steinboden. Lundquist glättete den Zettel und starrte auf die handschriftliche Notiz. *31 East 8th Street.* Ernies Adresse. Und obwohl ihm bereits klar geworden war, dass sie von ihr nur deshalb wissen konnten, weil er selbst sie ahnungslos zu Ernies Wohnung geführt hatte, schlug ihm jetzt das Herz bis zum Hals.

Er schleifte die beiden Körper nacheinander in die benachbarte Zelle und schlug die Tür zu. Dann hastete er panisch die Treppe hoch, warf die Eisentür mit einer endgültigen Handbewegung ins Schloss und sprintete zum Chevrolet. Der Schlüssel passte. Mit durchdrehenden Reifen fuhr er an und raste in halsbrecherischem Tempo in Richtung Süden. Von der Tonnelle Avenue bog er auf den Pulaski Skyway ein und jagte auf die Einfahrt des Holland Tunnels zu. Der Verkehr war wie immer am frühen Abend dicht und der Australier handelte sich mit seiner Fahrweise wütende Hupkonzerte ein. Endlich erreichte er das Ende der Warteschlange vor den Mauthäuschen. Nervös fingerte er in den Taschen nach Kleingeld.

Bis auf eine Quarter-Münze in der Jackentasche blieb die Suche erfolglos. Das durfte doch wohl nicht wahr sein! Lundquist wusste genau, dass er am Morgen mehrere Banknoten in der Hosentasche gehabt hatte und verfluchte die Angewohnheit, Geld lose mit sich herumzutragen. Ob es ihm der Bursche bei der Waffensuche aus der Tasche gezogen hatte? Wie auch immer, er brauchte umgehend drei Dollar fünfzig für die Tunnelgebühr.

Lundquist riss die Fahrertür auf und lief zu dem hinter ihm wartenden Wagen.

„Entschuldigen Sie, ich habe mein Geld verloren. Könnten Sie mir drei fünfzig schenken? Es ist wirklich dringend“, bat er den Fahrer.

„Ich bin doch kein Wohltätigkeitsverein“, blaffte der Mann zurück. „Wenn dir die Bucks fehlen, fahr deine Karre zur Seite und halte die anderen nicht auf.“

So ein elender Idiot, dachte Lundquist voller Zorn und probierte es beim nächsten Auto. Erst beim vierten Versuch hatte er Glück. Eine ältere Dame musterte ihn aufmerksam und gab ihm dann das Geld.

„Danke, Madam, das werde ich Ihnen nicht vergessen“, beteuerte der Australier und sprintete zum Chevy zurück. Die Wagen hinter ihm hupten bereits wütend. Stan ließ sich auf den Fahrersitz fallen und fuhr zum Mauthäuschen vor. Als das rote Signal auf Grün umsprang, jagte er den großen Wagen mit jaulenden Reifen in die Tunneleinfahrt.

Der starke Verkehr raubte ihm die letzten Nerven. Besonders schlimm war es auf der Spring Street zwischen der Avenue of the Americas und dem Broadway. Lundquist war kurz davor, auszusteigen und zu Fuß weiterzulaufen.

Knappe zwanzig Minuten später stoppte er endlich vor Ernestine Claytons Wohnung. Er stürmte die Treppe hoch und klingelte Sturm an ihrer Tür.

Nichts tat sich.

Der Australier trat drei Schritte zurück und warf sich dann mit voller Wucht gegen das Türblatt. Splitternd gab es nach und er taumelte in den Flur. Angstvoll riss er die Küchentür auf. Nichts.

In rasender Eile öffnete er die Schlafzimmertür und stieß dann einen verzweifelten Schrei aus. Ernie lag reglos auf dem Bett. Die weiße Zudecke war in Höhe ihrer Brust blutdurchtränkt. Lundquist kniete vor dem Bett nieder und ergriff ihr Handgelenk. Der Puls war kaum zu spüren.

Hinter ihm wurde es laut. Einige Nachbarn waren vom Splittern der Wohnungstür aufgeschreckt worden und kamen in die Diele gelaufen.

„Hallo, Ms. Clayton?"

Lundquist erhob sich mühsam und ging den Leuten entgegen. „Schnell, rufen Sie einen Krankenwagen, Ms. Clayton ist schwer verletzt. Bitte, schnell." Tränen liefen über seine Wangen.

Hätte er doch bloß nicht bei Ernie angerufen und sich mit ihr getroffen. Das ist alles deine Schuld, Stan Lundquist, klagte er sich an.

Vierzig Minuten später lag Ernie in einem Operationssaal des NYU Medical Center. Um 23.10 Uhr starb sie an den Folgen ihrer Verletzungen.

Lundquist saß wie versteinert im Foyer der chirurgischen Abteilung und beantwortete mühsam die Fragen zweier Kriminalbeamte. Er war gerade noch in der Lage, sich darauf zu konzentrieren, die Beamten durch seine Antworten nicht misstrauisch werden zu lassen, was den Anlass seines Besuches in New York anbetraf. Sie gaben sich mit der Auskunft zufrieden, dass er seine alten Kommilitonen und die Columbia University besuchen wollte. Außerdem gab er noch zu Protokoll, dass er an diesem Abend mit Ms. Clayton in ihrer Wohnung verabredet gewesen und völlig ahnungslos sei, was das Motiv des Überfalls angehe.

Nachdem die Beamten ihn verlassen hatten, verließ Stan das Medical Center und ging langsam die First Avenue hinauf. Er fühlte sich wie mit Blei ausgegossen.

An der 42. Straße verließ er die First Avenue und ging zum dritten Mal an diesem unheilvollen Tag auf die Grand Central Station zu. Es war kurz vor Mitternacht. Lundquist betrat das Post Office und meldete ein Gespräch nach London an.

In der britischen Hauptstadt begann gerade der neue Morgen heraufzuziehen. Deshalb dauerte es auch eine ganze Weile, bis Idwood Green in Edgware den Hörer abhob.

„Ja, hallo, wer ist denn da?“, hörte ihn Lundquist verschlafen brummen. Beim Klang der vertrauten Stimme löste sich das bleierne Gefühl in ihm wieder in Trauer und Verzweiflung auf.

„Idwood … mein Gott, ich bin's, Stan.“

Greens Stimme klang jetzt hellwach. „Stan, was ist los? Wie geht es?“

Lundquist hatte große Mühe, ein Wort herauszubringen. „Oh, Idwood, es … es ist so schrecklich … alles ist im Eimer.“

„Junge, komm, mach mir keine Angst, kotz dich aus! Was ist passiert?“

Der Australier beruhigte sich etwas. „Ich habe Ernie Clayton wieder getroffen, ich habe dir von ihr erzählt, im *Old Oak Tree*."

„Ja, ich erinnere mich. Deine Traumfrau. Hat sie sich gefreut, dich wieder zu sehen?"

„Es war so wunderschön. Ich wollte sie mit nach Hause nehmen, nach Australien, verstehst du?"

„Ja, Stan, ich verstehe. Was ist dann vorgefallen?"

Lundquist räusperte sich und begann stockend, die Ereignisse zu berichten, seit er Ferguson-Smiths Leiche entdeckt hatte.

Als er bei Ernies Tod anlangte, brach er ab und begann zu heulen.

In der Leitung blieb es lange still und man hörte nur das leise Rauschen der Fernverbindung.

Green konnte als Erster wieder etwas sagen. „Stan, mein Freund, es tut mir so wahnsinnig Leid. Und möglicherweise war es auch noch meine Schuld."

„Was redest du denn da? Wieso deine Schuld?"

Idwood berichtete dem Australier über seinen Besuch in den Docks und die Auseinandersetzung im Lagerhaus. „Einer ist mir entwischt und hatte natürlich nichts Besseres zu tun, als seinen Auftraggebern mitzuteilen, dass ich eine Schiffsliste habe und deshalb weiß, wer die McKinley entführt hat. Da brauchten sie dich natürlich nicht mehr zu befragen. Hätte ich ihn bloß erwischt; vielleicht hättet ihr beiden dann noch eine Chance gehabt."

„Das ist doch Blödsinn, was du da erzählst. Schließlich lebe ich noch; und dass Ernie sterben musste, geht allein auf meine Kappe, das weißt du. Aber ich danke dir trotzdem dafür, dass du mir helfen wolltest."

„Hm“, brummte Green.

„Aber, was hast du da eben gesagt? Du weißt, wer die McKinley entführt hat?“

„Nicht genau, nur ein konkreter Verdacht. In derselben Nacht, in der eine Nachbarin der McKinleys die Entführung beobachtet hat, ist ein Containerschiff der *PAFCO* mit Ziel Panama ausgelaufen. Ferguson-Smith arbeitete in der Londoner *PAFCO*-Filiale. Für wen mag Mitchell gearbeitet haben? Möglicherweise auch für die *PAFCO*? Für meinen Geschmack fällt der Name dieser Firma reichlich oft. Ich möchte sogar sagen, zu oft.“

„Aber was für Vorteile könnte denn diese Firma aus dem ganzen Erpressungs- und Entführungsspektakel ziehen?“, fragte Lundquist verständnislos.

„Hör zu, Stan, das zu erklären, ist jetzt am Telefon nicht möglich. Ich werde dir aber sagen, was ich unternehmen werde. Alles deutet darauf hin, dass die McKinley auf diesem Containerschiff ist, das angeblich Kurs Panama steuert. Wie ich herausgefunden habe, befindet sich die Mittelamerika-Zentrale der *PAFCO* in San José, der Hauptstadt von Costa Rica.“

„Costa Rica? So ein Zufall!“, unterbrach in Lundquist.

„Ja, nicht wahr? Und deshalb werde ich nach Costa Rica fliegen und mir die *PAFCO*-Freaks dort zur Brust nehmen. Wenn unsere Vermutungen stimmen, hängen die in dem Fall mitten drin.“

„Und wenn nicht, Idwood?“

„Dann falle ich tierisch auf die Schnauze“, erwiderte Green süffisant. „Aber dafür werde ich ja schließlich bezahlt. Fliegst du mit?“

Lundquist überlegte nicht lange. „Ja, Idwood, ich fliege mit.

Die Drahtzieher haben bei mir die große Rechnung offen. Wann fliegst du?"

„Hm, wenn du mitkommst, würde ich morgen Nachmittag starten. Ich wäre dann gegen 17 Uhr Ortszeit in Nassau auf den Bahamas. Wir könnten uns dort treffen und zusammen nach San José weiterfliegen."

„Das hört sich gut an", meinte Lundquist. „Außerdem gibt mir das etwas Zeit, mich mit den Eltern von Ernie in Verbindung zu setzen. Ich glaube, wenigstens das bin ich ihr schuldig."

„Okay, Stan. Dann also bis morgen Abend in Nassau. Ich warte am Flughafen auf dich. Noch eins, Stan."

„Was denn?"

„Das CIA-Aufgebot vor der *PAFCO*-Zentrale gibt mir zu denken. Man kann nie wissen, wie weit die ‚Firma' in solchen Sachen mit drinhängt. Wenn du das Risiko so gering wie möglich halten willst, gebe ich dir einen guten Rat. Starte nicht von New York aus nach Nassau! Falls sie die beiden Burschen drüben in New Jersey vermissen oder gar gefunden haben, werden sie dich am Kennedy-Airport erwarten. Flieg woanders los! Ich würde an deiner Stelle die Ochsentour auf mich nehmen, einen Wagen zu mieten und nach Kanada zu fahren. Montreal ist zwar neun Stunden von New York weg, aber du bist alle Sorgen los."

„Danke, ich werde deinem Rat auf jeden Fall folgen. Ach, übrigens, Martha McKinley ist Sir Ronalds Nichte."

„Wie bitte? Woher weißt du das?"

„Von Kay."

„Wow! Na, das erklärt einiges."

„Allerdings. Bis bald, Idwood."

Bei einem müden Clerk bezahlte Stan die Telefonrechnung

und ließ sich dann von einem Taxi zurück zu Morton Steiners Wohnung fahren. Das Yellow Cab donnerte die Second Avenue hinunter. Als sie die 34. Straße passierten, blickte Lundquist nach links in Richtung *Medical Center.*

Ernie!

Lundquist dachte an Costa Rica, die *PAFCO* und Martha McKinley. Zieht euch warm an, ihr Schweine, ich komme. Umsonst habt ihr Ernie nicht umgebracht!

42° 26′ N, 25° 37′ W, Atlantischer Ozean

Martha McKinley stöhnte leise, als sich das Dunkel tiefer Ohnmacht zu lichten begann. Das halb betäubte Sehzentrum ihres Gehirns lieferte farbige Kreise an ihr erwachendes Bewusstsein. Die Kreise wechselten sich mit geometrischen Figuren ab, die langsam verblassten und anderen Empfindungen Raum gaben. Schmerzwellen pulsierten durch ihren Kopf. Irgendetwas schien mit aller Macht von innen auf ihre Augäpfel zu drücken. Die Zunge fühlte sich pelzig an, und Arme und Beine sträubten sich gegen alle Versuche, sie zu bewegen.

Die Engländerin öffnete mühsam die Augen. Sie benötigte einige Versuche, um den Kopf zu wenden und sich einen ersten Eindruck von ihrem Aufenthaltsort zu verschaffen.

Eine schwache nackte Glühbirne ließ sie einen quaderförmigen Raum von etwa drei mal vier Metern erkennen und verstärkte das Gefühl der Hoffnungslosigkeit, das sich in ihr breit machte. Sie schaffte es, sich aufzurichten, obwohl die heftigen Kopfschmerzen alles taten, um sie davon abzuhalten.

Endlich saß sie aufrecht auf der schmalen Pritsche und

blickte sich um. An der gegenüberliegenden Wand sah sie einige Gegenstände. Martha McKinley wandte den Kopf. Ansonsten war der Raum leer. Schwankend erhob sie sich und ging mit unsicheren Schritten hinüber zur Wand. Als sie dagegen klopfte, klang es wie Metall. Sie identifizierte eine Elektrokochplatte. Daneben stand ein kleiner weißer Schrank. Als sie ihn öffnete, blendete sie ein helles weißes Licht. Eine Kühlbox. Sie inspizierte den Inhalt. Konserven, Dauerwurst, Käse, Brot, Obst. Wofür? Sie wandte sich dem letzten Möbelstück ihres unfreiwilligen Aufenthaltsortes zu. Was mochte das sein? Sie hob den Deckel des Kunststoffwürfels hoch und schreckte angewidert zurück. Ein Chemieklo! Was in aller Welt hatte dies alles zu bedeuten?

Sie lehnte sich gegen die kalte Metallwand und versuchte, sich die letzten bewusst erlebten Eindrücke ins Gedächtnis zu rufen. Wie lange war sie besinnungslos gewesen? Unwillkürlich zuckte sie die Achseln. Keine Ahnung.

Sie erinnerte sich daran, dass sie am Tag nach ihrer Rückkehr aus Athen über die Begegnung mit diesem angeblichen Secret-Service-Agenten in Kap Sunion nachgedacht hatte. Nachträglich ärgerte sie sich sehr über sich selbst. Wie hatte sie bloß so dumm sein können, diesem Kerl überhaupt zu antworten? Wer konnte denn sicher sein, ob er wirklich vom britischen Geheimdienst war? Sie hatte den Entschluss gefasst, ihren Onkel Ronald aufzusuchen und ihn um Rat zu bitten. Er musste von dieser Aktion etwas wissen, wenn sie wirklich vom Secret Service ausgegangen war.

Außerdem hatte sie sich entschlossen, ihn hinsichtlich ihrer geheim gehaltenen Aktivitäten in Australien ins Vertrauen zu ziehen. Letztendlich würde er es ohnehin erfahren müssen. Spätestens dann, wenn sie das Kind zu sich nehmen würde.

Ob ihr Mann sie schon vermisste? Ihr fiel ein, dass Walter in Frankreich ein größeres Projekt zu beaufsichtigen hatte und deshalb wahrscheinlich noch gar nichts von ihrem Verschwinden wusste. Vielleicht die Mitarbeiter in der Bank?

Auch ihr Onkel würde auf sie gewartet haben; immerhin hatte sie einen Gesprächstermin mit seiner Sekretärin vereinbart, den sie nicht einhalten konnte. Mit Schaudern dachte sie an den Abend, als sie mit der Katze im Arm auf dem Sofa gelegen und gelesen hatte. Plötzlich war die Tür aufgesprungen, und drei Männer, die sie nie zuvor gesehen hatte, waren in ihre Wohnung eingedrungen. Die Spritze!

Ihr lief ein Schauer über den Rücken. Seitdem sie denken konnte, hasste sie Spritzen jeder Art. Und dann hatte ihr einer dieser widerwärtigen Kerle eine Kanüle in den Arm gestochen. Ab diesem Zeitpunkt brach ihre Erinnerung ab. Wahrscheinlich ein Betäubungsmittel. Was war seitdem passiert? Und wo war sie hier, um Gottes willen?

Sie inspizierte die Wand. Kein Zweifel, Metall. Oben, unten und an den Seiten. Eine große Metallkiste.

Die Wände waren völlig kahl. Lediglich hinter der Kühlbox liefen die Stromkabel der beiden Elektrogeräte durch ein kleines Loch hindurch nach außen.

Was war außen? Martha McKinley bückte sich und versuchte, durch das Loch zu blicken. Nichts zu sehen. Sie atmete tief ein. Es roch nach Benzin, Öl und Salzwasser.

Salzwasser?

Konnte es möglich sein, dass sie sich auf einem Schiff befand? Sie spürte das Vibrieren einer arbeitenden Maschine, konnte aber kein Schwanken registrieren, wie sie es auf einem Schiff erwartet hätte. Verzweifelt trommelte sie mit den Fäusten gegen die Metallwand und rief laut um Hilfe.

Nichts rührte sich.

Martha McKinley ließ sich auf die Schlafpritsche sinken. Weshalb hatte man sie entführt? Und wie war dieser Geheimagent darauf gekommen, sie nach ihrem Aufenthalt in Canberra zu fragen? Ob bei Professor Callaghan etwas schief gegangen war? Hoffentlich nicht! Zu viel psychische und physische Anstrengungen und viel Geld waren investiert worden, um den Plan eines eigenen Kindes in die Tat umzusetzen.

Lange hatte sie mit Walter über diese Möglichkeit diskutiert. Eine Frau in ihrer Position konnte nicht so einfach schwanger werden und womöglich mehrere Wochen der Bank den Rücken kehren. Viele Projekte liefen unter ihrer ureigenen Verantwortung und auf Grund ihrer Initiative. Fehlende Präsenz konnte sich da äußerst unheilvoll bemerkbar machen. Der Premierminister würde sich erst recht bedanken.

Aber sie hatte das Gefühl gehabt, ohne Kind etwas Wesentliches in ihrem Leben zu versäumen. Walter tat das zwar immer sehr ab, aber dem fehlte ohnehin für manches, was sie betraf, das Verständnis. Und dann hatte sie auf einer Party mit ihrem väterlichen Freund Rufus Kline über die Möglichkeit einer In-vitro-Fertilisation gesprochen. Rufus leitete die gynäkologische Abteilung der Londoner Universitätsklinik und genoss ihr volles Vertrauen. Das Gespräch hatte ihr neue Hoffnung gegeben. Was ihr vorher nicht in den Sinn gekommen war, kristallisierte sich als realistische Möglichkeit heraus. Ein eigenes Kind ohne Schwangerschaft!

Walter war nicht besonders begeistert gewesen. „Wer verlangt von dir, ein Kind zu haben?“, hatte er verständnislos gefragt. „Wenn du es nicht austragen kannst, hast du denn die Zeit, dich genug darum zu kümmern, wenn es jemand für dich geboren hat?“

Die aufkeimenden Zweifel hatten sie mehrere Tage lang bedrückt. Erst ein langes Telefongespräch mit Rufus hatte sie verfliegen lassen. Bei Klines Verbindungen und Möglichkeiten schien die gesamte Angelegenheit ohne Schwierigkeiten durchführbar. Ihre größte Sorge war die britische Presse gewesen, deren Wirtschafts- und Gesellschaftsredakteure ihr ununterbrochen auf der Spur waren. Rufus Kline hatte sie auch in dieser Hinsicht beruhigen können. Er erzählte von einem Studienfreund, einem Donald Callaghan, der inzwischen die gynäkologische Abteilung eines renommierten Krankenhauses in Canberra leitete. Bei entsprechender Vorbereitung sollte es kein Problem darstellen, die In-vitro-Fertilisation und die Leihschwangerschaft in Australien, und damit für die englische Öffentlichkeit unbemerkt, über die Bühne zu bringen.

Walter hatte nach mehreren langen Gesprächen eingewilligt, auch auf Grund des Hinweises, dass qualifizierte Kindermädchen und Erzieherinnen zu einer angemessenen Betreuung des Kindes beitragen würden. Er hatte wohl auch die Befürchtung gehabt, dass, wenn er seine Mitwirkung ablehnte, unbekannte Spermien aus einer Samenbank verwendet werden würden. So weit kannte er sie; bisher hatte sie ihren Kopf immer durchgesetzt.

Alle Probleme, wie die Voruntersuchungen und Hormonbehandlungen, hatte sie erstaunlich reibungslos bewältigen können. Auch die junge Frau, die auf Vorschlag von Professor Callaghan die Leihmutterschaft übernommen hatte, genoss Martha McKinleys Vertrauen. Den Informationen nach ein sehr nettes Mädchen. Und sehr kooperativ, wie Professor Callaghan zu berichten wusste.

Aber wie war dieser Geheimagent, Idwood Green oder so ähnlich, hinter ihre Verbindungen nach Australien gekommen? Hoffentlich hatte das nichts mit den Zahlungen an die Leihmutter zu tun! Rufus Kline hatte ihr doch versichert, dass dieser Teil des Unternehmens absolut diskret vor sich gehen würde.

Trotzdem hegte Martha McKinley aus irgendeinem Gefühl heraus den Verdacht, dass ihre Entführung mit dieser Leihmutterschaftsgeschichte in Verbindung stand. Aber wie? Und wo befand sie sich im Moment? Was hatten diese Leute mit ihr vor?

Diese Ungewissheit war grauenhaft. Martha McKinley sprang auf und trommelte gegen die Metallwand, bis ihre Fäuste schmerzten.

Niemand meldete sich.

IV. Zygote

Canberra, Australien

Adrian Kay fühlte sich nach Lundquists Anruf aus New York nicht mehr in der Lage, Hiawathas Sehnen nach Minnehaha nachzuvollziehen und nahm sich stattdessen den Bericht der australischen Parlamentskommission zu rechtlichen und ethischen Fragen der extrakorporalen Befruchtung aus dem Bücherregal. Dabei kam ihm der Gedanke, dass Dvořáks Neunte wohl nicht die passende Musik zu dieser Lektüre war. Er ging zum Plattenspieler und legte eine neue Schallplatte auf. Als die ersten Takte von Wagners *Götterdämmerung* aus den Lautsprechern drangen, kehrte er zum Sofa zurück und studierte etwa zwei Stunden lang konzentriert die in dem Bericht dargelegten Expertenmeinungen. Dann ging er zu Bett.

Nach einer unruhigen Nacht war er schon früh auf den Beinen und bestellte seinen Wagen. Dawson fuhr ihn ruhig und souverän wie immer in die Zentrale. Kay saß noch nicht sehr lange am Schreibtisch, als auch sein Sekretär zum Dienst erschien. Emerson Coleclough war daran gewöhnt, dass sein Chef häufig vor ihm mit der Arbeit begann, und deshalb nicht besonders erstaunt, ihn bereits vorzufinden.

„Guten Morgen, Sir", grüßte er freundlich, nachdem er den Kopf durch den Türspalt gesteckt hatte.

„Guten Morgen, Emerson. Ich hoffe, Sie haben besser geschlafen als ich; es gibt heute eine Menge Arbeit. Versuchen Sie bitte umgehend, Jeffrey Thornton zu erreichen. Er soll sofort herüberkommen."

„In Ordnung, Sir." Colecloughs Kopf verschwand und kurz

darauf hörte Kay ihn telefonieren. Wenige Sekunden später stand der Sekretär wieder in der Tür. „Mr. Thornton ist in zwei Minuten hier, Sir. Kann ich sonst noch etwas tun?"

„Ja, mein Lieber, das können Sie. Stichwort: Doreen Gray, mit -ay. Ich brauche die Adressen aller Damen dieses Namens im Gebiet Canberra-Wollongong-Newcastle-Sydney. Und außerdem ihre Geburtsdaten. Bitte möglichst schnell."

Coleclough ging an die Arbeit. Im gleichen Moment traf auch Jeffrey Thornton ein.

„Guten Morgen, Mr. Kay. Gibt es etwas Besonderes?"

„In der Tat, Jeffrey. Guten Morgen erst einmal. Also, Folgendes. Stan Lundquist hat gestern Abend aus New York angerufen und neue Informationen übermittelt. Sie kennen die Affäre McKinley ja bereits in groben Zügen, weil Sie vor ein paar Tagen ihre Leihmutter, Ann Dougan, aufgespürt haben."

„Das ist richtig, Sir", antwortete Thornton gespannt.

Kay zögerte einen Moment. „Nun, Jeffrey, es wird Sie wahrscheinlich etwas erstaunen, aber Ms. Dougan ist möglicherweise nicht die einzige Leihmutter der McKinley."

„Ach", machte Thornton.

„Sie glauben mir nicht, wie?", fragte Kay mit leichtem Schmunzeln. „Es ist auch nicht so leicht." Er setzte Thornton über die Einzelheiten des Falles und Lundquists Vermutungen in Kenntnis.

Nachdenklich blickte der junge Mann seinen Chef an. „Das hört sich alles ziemlich widerlich an. Wer macht denn so was?"

„Wenn Sie es wissen, sagen Sie's mir bitte; ich habe nicht die geringste Ahnung", gab Kay zu. „Deshalb werden wir uns jetzt auf die Aufgabe konzentrieren, diese Doreen Gray zu finden, Jeffrey. Hoffentlich braucht der Computer nicht allzu lange, um alle Damen dieses Namens herauszusuchen."

Kay drückte auf einen Knopf seiner Sprechanlage und wartete, bis sich sein Sekretär meldete. „Emerson, wie sieht es mit der Namensliste aus?“

„Einen Moment noch, Sir. Curtis Ingwersen hat zum Glück gerade Bereitschaftsdienst am Computer; bei ihm kann man sich darauf verlassen, dass er sich beeilt.“

„Danke, Emerson, hoffen wir das Beste.“

Coleclough hatte Ingwersen richtig eingeschätzt; keine zehn Minuten später traf die Namensliste in Kays Büro ein.

Kay wandte sich Thornton zu. „Ich denke, wir können Damen über Vierzig und unter Zwanzig als potentielle Leihmütter von vornherein ausschließen.“

„Vermutlich schon. Obwohl ich mich erinnere, dass vor einiger Zeit eine Leihmutter mit knapp sechzig Jahren niedergekommen ist“, gab Thornton zu bedenken.

„Wirklich? Das ist ja kaum zu glauben! Trotzdem weigere ich mich zu glauben, dass ein solcher Extremfall hier auch vorliegt. Wenn wir sie unter den jüngeren nicht finden, können wir immer noch auf bizarre Varianten zurückgreifen.“

Nachdem er Ingwersens Liste durchgesehen hatte, meinte Kay: „Von neun Doreen Grays bleiben nach Berücksichtigung des Geburtsdatums noch drei übrig. Die eine ist vierundzwanzig Jahre alt, die zweite neunundzwanzig und die dritte zweiunddreißig. Mit welcher fangen wir an?“

„Mit der Jüngsten“, schlug Thornton vor. „Vierundzwanzig ist doch ein passendes Alter.“

„Einverstanden. Die betreffende Dame wohnt in der Nähe der Universität. Also, sehen wir sie uns mal an.“

Als er mit Thornton aus dem Hauptportal trat, stoppte sein Dienstwagen gerade am Bürgersteig.

„Zum Wellington Drive, Dawson, Hausnummer 47.“

Doreen Grays Wohnhaus entpuppte sich als achtzehnstöckiges Studentenwohnheim. Kay und Thornton verließen das Auto und betraten die Eingangshalle. Gleich rechts bemerkten sie einen Schreibtisch, hinter dem ein junger Mann saß und offensichtlich die Funktion eines Pförtners übernommen hatte.

„Guten Morgen", grüßte Kay freundlich. „Können Sie uns sagen, in welchem Apartment Ms. Doreen Gray wohnt?"

„Moment, Sir, das haben wir gleich." Der Mann ließ seinen Finger über die Mieterliste gleiten. „Apartment 1209. Das ist im zwölften Stock, Sir."

Nachdem sie im zwölften Stockwerk aus dem Lift gestiegen waren, dauerte es einen Moment, bis sie sich an die schummerige Flurbeleuchtung gewöhnt hatten. Eine einzelne Neonleuchte mühte sich damit ab, für ausreichend Licht zu sorgen. Der Putz an den Wänden war teilweise abgebröckelt.

Kay sah Thornton erstaunt an. „Von außen sieht es ja gepflegter aus, finden Sie nicht auch, Jeffrey?"

Sein Mitarbeiter nickte schweigend. Sie schritten langsam den Flur entlang. Aus Apartment 1203 dröhnte laute Rockmusik, deren Bassbegleitung die Tür erzittern ließ und erfolgreich gegen das Stimmengewirr ankämpfte, das schräg gegenüber hinter der Tür von 1221 zu hören war.

Kay blickte Thornton an. „Na, hier möchte ich nicht unbedingt wohnen oder gar lernen. Bei dem Lärm würde ich verrückt. Haben Sie während Ihres Studiums auch in einem solchen Wohnheim gewohnt, Jeffrey?"

„Nein, Sir, zum Glück nicht. Ich hatte ein möbliertes Zimmer, für dessen Miete ich nachts gejobbt habe. Es war zwar ziemlich anstrengend und hat mich ein Semester gekostet, aber es war allemal besser als so was hier."

„Das kann ich mir denken."

Inzwischen hatten sie die Nummer 1209 erreicht. Kay klopfte dreimal laut an die Tür. Als sich nichts rührte, versuchte er es noch zweimal.

„Hm, Ms. Gray scheint nicht zu Hause zu sein. Wir werden mal die Nachbarn fragen." Er wandte sich um und klopfte an die gegenüberliegende Tür mit der Nummer 1215. Kurz darauf öffnete ihnen eine junge Frau und blickte sie erstaunt an.

„Hallo. Was wollen Sie denn hier?"

„Entschuldigen Sie die Störung", antwortete Kay und warf einen kurzen Blick an ihr vorbei ins Zimmer. Der Raum schien sehr klein zu sein, und der Boden war mit Büchern übersät. „Wir wollten Ms. Gray sprechen, aber sie scheint nicht da zu sein. Wissen Sie zufällig, wie wir sie erreichen können?"

„Ms. Gray? Wer ist Ms. Gray? Wohnt die hier?"

Kay glaubte, sich verhört zu haben. „Wollen Sie damit sagen, dass Sie sie nicht kennen? Ich meine Ms. Doreen Gray von Nummer 1209." Er deutete auf die Tür hinter sich.

„Nein, ich kenne sie nicht, wenigstens nicht vom Namen. Ich glaube, es ist so eine Blonde. Wir haben uns hin und wieder mal auf dem Flur gesehen und ein paar Worte miteinander gewechselt."

Kay war fassungslos. „Kennen Sie wenigstens die Leute rechts und links neben Ihnen?"

„Auch nur flüchtig. Was glauben Sie denn, was hier los ist, he? Dauernd ziehen hier Leute ein und aus. Fast jeden Monat sieht man ein neues Gesicht. Wenn man die alle kennen sollte! Nee, Sir, damit können wir hier nicht dienen. In diesen Buden hier wird nur gepaukt und gepennt. Leute trifft man abends in der Kneipe. Sehen Sie sich die Bruchbuden hier doch an! Glauben Sie, es macht Spaß, hier zu wohnen? Nee, nee, das Einzige, was mich hier hält, ist die niedrige Miete. Woanders kann ich die nicht bezahlen." Der Frust war wie ein Wasserschwall aus der jungen Frau herausgeflossen.

„Haben Sie die junge Dame von gegenüber denn gestern oder heute hier gesehen?", fragte Kay schließlich.

„Nein, Sir. Mindestens eine Woche nicht oder so. Ich weiß es nicht so genau."

„Dann wissen Sie sicher auch nicht, welches Fach sie studiert?"

„Nee, nicht genau, ich glaube, Biologie oder Medizin oder so was in der Art."

„Na, vielleicht hilft uns das etwas weiter." Kay nickte. „Danke und auf Wiedersehen."

Als die Studentin die Tür geschlossen hatte, sah Kay seinen jüngeren Mitarbeiter ernst an. „Bloß schnell raus hier, Jeffrey."

Sie fuhren schweigend mit dem Lift nach unten. Als sie im Fond des Dienstwagens saßen, atmete Kay erleichtert durch.

„Aber immerhin haben wir einen Hinweis, in welchem Umfeld wir das Mädchen finden können. Und ich kenne jemanden, der uns dabei helfen wird." Kay beugte sich nach vorn. „Dawson, fahren Sie uns bitte zu Ann Dougan, 734 Wilmington Crescent."

„Jawohl, Sir." Dawson gab übergangslos Gas.

„Wieso Ann Dougan?", wollte Thornton von seinem Chef wissen.

„Nun, es ist vielleicht eine dumme Idee, aber wenn diese Doreen Gray tatsächlich Biologie oder Medizin studiert, gehört sie möglicherweise ebenfalls zu den Hörerinnen von Professor Callaghan. Vielleicht kennt Ann Dougan sie. Wenn nicht, kann sie sich sicher ein wenig umhören."

Zehn Minuten später hielt Dawson vor Ann Dougans Haus.

Kay sah Thornton an. „Jeffrey, sehen Sie mal, ob sie zu Hause ist. Wenn ja, bitten Sie sie, uns zu begleiten."

Thornton stieg aus und verschwand im Gebäude. Fünf Minuten später kehrte er mit Ann Dougan zurück. Sie nahm neben Kay Platz und er begrüßte sie: „Guten Tag, Ms. Dougan. Schön, Sie wieder zu sehen. Wie geht es Ihnen?"

„Danke der Nachfrage, Mr. Kay, sehr gut. Ist etwas vorgefallen, dass Sie mich sprechen wollen?"

„Nicht direkt. Ich möchte Sie um Hilfe bitten."

„Sie mich? Was kann ich denn für Sie tun?"

„Wir suchen eine Studentin namens Doreen Gray. Die junge Dame ist in einer ähnlichen Situation wie Sie. Ich meine die Leihmutterschaft. Allerdings könnte es sein, dass sie in Schwierigkeiten ist. Leider haben wir Ms. Gray nicht in ihrem Apartment angetroffen. Man hat uns aber gesagt, dass sie möglicherweise Medizin oder Biologie studiert. Kennen Sie sie vielleicht?"

Ann Dougan machte ein nachdenkliches Gesicht. „Doreen Gray? Hm, auf Anhieb fällt mir zu dem Namen niemand ein, Mr. Kay."

„Na ja, das wäre auch ein zu schöner Zufall gewesen", lächelte Kay. „Aber vielleicht könnten Sie sich bei einigen Kommilitonen umhören, ob Ms. Gray irgendjemandem bekannt ist?"

„Sicher, das kann ich tun. Wenn Sie Zeit haben, können wir das auch jetzt gleich erledigen. In der Cafeteria der Medical School lungern um diese Zeit genug Leute herum, die ich kenne, und die wir mal fragen könnten."

„Einverstanden, Ms. Dougan. Dawson, zur Medical School, bitte." Kays Fahrer hatte den Wagen bereits anrollen lassen.

In der Cafeteria ging es zu wie in einem Ameisenhaufen. Kay

und Thornton nahmen an einem der wenigen freien Tische Platz, während Ann Dougan im Getümmel verschwand.

Die beiden Geheimdienstbeamten leerten gerade den dritten Kaffee, als Ann Dougan in Begleitung einer Kommilitonin an ihren Tisch zurückkehrte.

„Ich glaube, wir hatten Glück, Mr. Kay“, verkündete sie lächelnd und deutete auf ihre Begleiterin. „Das ist Jenny Monro. Wir haben einige Seminare zusammen besucht. Sie kennt eine Medizinstudentin mit dem Vornamen Doreen.“

„Guten Tag, Ms. Monro“, sagte Kay freundlich. „Entschuldigen Sie, dass wir Sie belästigen, aber wir müssen Ms. Gray dringend finden. Wann haben Sie sie denn zuletzt gesehen?“

„Ich kann mich an ihren Nachnamen nicht so recht erinnern, Sir, aber Doreen ist als Vorname nicht besonders häufig. Ich kenne jedenfalls nur dies eine Mädchen, das so heißt. Hier in der Medical School habe ich sie seit zwei oder drei Wochen nicht mehr gesehen.“

Kay glaubte einen Unterton herauszuhören. „Sie sagten: ‚Hier – nicht‘. Bedeutet das, Sie haben sie während dieser Zeit woanders gesehen?“

„Könnte sein, Sir, ich glaube schon. Wissen Sie, ich bin am letzten Wochenende mit meinem Freund nach Wollongong gefahren. Wir sind über die Queens Road aus Canberra hinausgefahren. Kurz vor dem Stadtrand, als wir an einer Ampel warten mussten, habe ich Doreen gesehen. Ich habe ihr zugewinkt, aber sie hat mich wohl nicht registriert.“

Kay hatte aufmerksam zugehört. „Können Sie sich noch daran erinnern, in welcher Höhe der Queens Road das war?“

„Ja, ich glaube schon, ich könnte Ihnen die Stelle auf einem Stadtplan zeigen.“

„Das wäre sehr nett, Ms. Monro, vielen Dank. Warten Sie bitte einen Moment, wir werden Ihnen einen Plan besorgen. Ms. Dougan, soll ich Sie wieder zu Hause absetzen lassen?"

„Nein, danke, ich werde noch ein wenig hier bleiben."

„Gut, wie Sie möchten. Bis zum nächsten Mal dann. Und vielen Dank für Ihre Hilfe." Kay zog sie auf die Seite. „Und bitte, Ms. Dougan, es bleibt ansonsten alles unter uns. Ich hatte Ihnen ja bereits versprochen, dass ich Ihnen alles erkläre, sobald ich kann."

„Sie können sich auf mich verlassen."

Kay bedeutete Thornton mit einer Handbewegung, ihm zu folgen, und ging hinaus zum Wagen.

„Hören Sie, Jeffrey, lassen Sie sich auf dem Stadtplan die Stelle zeigen, an der die Studentin ihre Freundin Doreen gesehen hat. Ich schicke Ihnen einen Wagen und drei Männer, die Ihnen dabei helfen können, sich in der Gegend ein wenig umzusehen. Versuchen Sie herauszufinden, ob Doreen Gray dort jemand besucht hat oder bei jemandem wohnt. Ich fahre ins Büro zurück. Der Innenstaatssekretär hat sich für 13 Uhr angemeldet. Wenn Sie etwas Neues wissen, melden Sie sich bitte sofort."

„Gut, Sir, ich werde mein Bestes versuchen."

Jeffrey Thornton ließ sich von Dawson einen Stadtplan aushändigen und ging zurück in die Cafeteria.

Kay blickte ihm nach, während sein Chauffeur anfuhr. Er hoffte sehr, dass Jeffrey diese Doreen Gray aufspürte. Aus irgendeinem Grund war er sicher, dass es sich um die Doreen Gray handelte, nach der Lundquist suchte.

Kurz nach drei, der Staatssekretär war schon lange wieder gegangen, öffnete sich die Tür zu Kays Büro, und Thornton stürmte herein.

„Ah, Jeffrey, warum so aufgeregt?“, wollte Kay wissen.

„Ich glaube, ich habe sie gefunden, Chef. Zum Glück stehen in der Gegend, in der Ms. Monro sie gesehen hat, nur Einzelhäuser. Wir haben uns etwas umgehört. Eines der Häuser stand für mehrere Monate leer. Vor rund zweieinhalb Wochen ist ein junges Paar eingezogen. Die Dame im Nebenhaus kannte die Namen nicht, weil sie die beiden selten zu Gesicht bekommt, aber die Beschreibung der jungen Frau passt auf Doreen Gray. Ich habe allerdings nichts weiter unternommen, weil ich erst mit Ihnen Rücksprache halten wollte.“

„Sehr gut, Jeffrey, sehr gut.“ Kay erhob sich unternehmungslustig. „Also, sehen wir uns dieses Pärchen mal näher an.“

Zwanzig Minuten später stoppte Dawson den Dienstwagen vor dem Haus, in dem Jeffrey Thornton Doreen Gray vermutete. Kay und sein junger Mitarbeiter stiegen aus und sahen sich kurz um. In der ruhigen Straße standen nur wenige Häuser; sie waren von parkähnlichen Gärten umgeben. Die einzelnen Parzellen waren durch kleine Stichstraßen getrennt, in denen die Autos der Anlieger parkten.

Kay und Thornton schritten über einen schmalen Kiesweg auf die Eingangstür des mit Efeu bewachsenen Hauses zu. Sie hatten die Tür noch nicht ganz erreicht, als sie hinter sich die Hupe des Dienstwagens hörten. Kay wandte sich um und sah, wie sein Fahrer die Tür aufriss und ihnen zurief: „Da hinten, Sir, sie fliehen durch den Garten.“ Er deutete am Haus vorbei.

Kay verstand sofort. „Los, Jeffrey, hinterher, sie türmt!“

Sie stürzten um die Hausecke und sahen einen Mann und eine blonde Frau über den Rasen hasten. Der Mann hielt seine Begleiterin am Handgelenk gefasst und zog sie hinter sich her.

„Sie laufen zur Stichstraße“, rief Thornton seinem Chef zu. „Wahrscheinlich steht ihr Auto da.“

„Weiter, Jeffrey, wir müssen sie kriegen", keuchte Kay. „Runter!", brüllte er dann und ließ sich einfach auf den Rasen fallen, denn Doreen Grays Begleiter war stehen geblieben und feuerte zwei Schüsse auf seine Verfolger ab. Auch Jeffrey Thornton hatte sein Heil auf dem Boden gesucht und war hinter den Stamm einer kleinen Buche gerobbt. Als der Unbekannte weiterlief, sprang er auf und setzte die Verfolgung fort.

Die Fliehenden hatten den Zaun zur Seitenstraße erreicht und kletterten hinüber. Wenn sie das Auto erreichen, sind sie weg, dachte Adrian Kay. Er wandte sich um und suchte den Blickkontakt mit seinem Fahrer. Dawson stand neben dem Dienstwagen und verfolgte angespannt die Entwicklung im Garten.

„Dawson!", rief Kay. Sein Fahrer blickte zu ihm hin. Kay gestikulierte mit den Armen und hoffte, dass Dawson ihn verstand. Immerhin fuhr er Kay seit zwölf Jahren. Da konnte man ein wenig Telepathie erwarten.

Der Chauffeur ließ sich ohne Zögern ins Auto fallen und gab Gas.

Kay drehte sich um und lief weiter in Richtung Seitenstraße. Jeffrey Thornton sprang soeben mit gezogener Waffe über den Zaun, als in der Stichstraße ein Motor aufheulte. Eine blaue Limousine schoss an Thornton vorbei auf die Einmündung zur Durchgangsstraße zu.

Kays Fahrer, John Dawson, bestätigte jetzt den unterkühlten Eindruck, den er tagtäglich auf seinen Chef machte. Er war mit dem Dienstwagen langsam ein paar Meter auf die Einmündung zugerollt und wartete. Als die blaue Limousine auf die Straßenkreuzung zuhielt und bereits die Räder einschlug, um rechts abzubiegen, gab Dawson Vollgas. Er erwischte das Fluchtfahrzeug mit dem rechten Kotflügel an der

Fahrertür. Die blaue Limousine schleuderte herum und bohrte das Heck in Adrian Kays Dienstwagen. In einer Geräuschlawine von kreischendem Blech und berstendem Glas kamen die beiden Autos zum Stehen.

Im gleichen Moment erreichte Jeffrey Thornton schwer atmend die Kreuzung. Durch die Windschutzscheibe der blauen Limousine sah er erschrocken, dass Doreen Grays Begleiter eine Pistole zog und auf die junge Frau richtete.

Jeffrey Thornton zögerte keine Sekunde. Wie beim Schießunterricht der Polizeiakademie hob er beidhändig seine Dienstwaffe und zog ab. Das Sicherheitsglas der Windschutzscheibe barst in tausend Stücke und nahm ihm die Sicht auf das Wageninnere.

Inzwischen hatte auch Adrian Kay die beiden Fahrzeuge erreicht. Er riss die Beifahrertür der blauen Limousine auf, warf einen kurzen Blick hinein und zog Doreen Gray am Oberarm heraus. Dann sah er Thornton an.

„Volltreffer, mein lieber Jeffrey. Das war im letzten Moment. Danke." Er blickte hinüber zu seinem Fahrer. „Ihnen übrigens auch, Dawson, obwohl Sie mein Auto schrottreif gefahren haben. Ich wusste gar nicht, dass Sie so ein abgeklärtes Schlitzohr sind."

„Das macht der tägliche Umgang mit Ihnen, Sir", antwortete Dawson und deutete ein schwaches Grinsen an.

Kay musterte ihn einen Moment sprachlos. Dann wandte er sich der blonden Frau zu, die stumm und zitternd neben ihm stand.

„Sind Sie verletzt, Ms. Gray?", fragte er besorgt.

Sie schüttelte den Kopf.

„Gut. Dann bitte ich Sie, mich zu begleiten. Ich habe einige Fragen an Sie." Kay sah Dawson an. „Versuchen Sie doch mal, ob in dem Schrotthaufen von Auto das Telefon noch funktionsfähig ist, und rufen Sie den Erkennungsdienst und einen Ersatzwagen, damit wir ins Hauptquartier zurückkehren können."

Eine gute halbe Stunde später saß Adrian Kay wieder hinter seinem Schreibtisch und bedachte die vor ihm sitzende Doreen Gray mit forschenden Blicken. Sie machte einen sehr mitgenommenen Eindruck.

„Ms. Gray, fühlen Sie sich in der Lage, mir einige Fragen zu beantworten?"

Die junge Frau schwieg und blickte unverwandt zu Boden.

„Ms. Gray", wiederholte Kay beschwörend, „in unser beider Interesse ist es besser, wenn Sie mit mir reden. Ihre Leihmutterschaft ist mir im Prinzip gleichgültig. Wenn Sie durch Ihr Schweigen allerdings eine Straftat verdunkeln, werden Sie mit dem Gesetz erheblich mehr Ärger bekommen."

Doreen Gray hob langsam den Kopf und sah Kay an. Dann fragte sie leise: „Was wollen Sie denn von mir wissen, Sir?"

Kay redete nicht erst lange um den heißen Brei herum. „Wie viel Geld haben Sie für die Übernahme der Leihmutterschaft erhalten, Ms. Gray?"

„Dreißigtausend Dollar." Sie blickte wieder auf den Teppich.

Kay pfiff leise durch die Zähne. „Meine Herrschaften! Das nenne ich übertariflich. Darf ich vermuten, dass Ihr Vertrag einige Besonderheiten enthält, die dieses relativ hohe Honorar begründen?"

Doreen Gray nickte. „Ja, allerdings. Ich habe mich verpflichtet, für die Dauer der Schwangerschaft in dem Haus zu wohnen, in dem Sie mich gefunden haben – und zwar unter Aufsicht."

Kay sah sie aufmerksam an. „Aha! Dann war der junge Mann, der uns so unfreundlich begrüßt hat, Ihr Bewacher?“

Sie nickte.

Plötzlich kam Adrian Kay die Erleuchtung, und er zögerte einen Moment, die nächste Frage zu stellen, weil er die Antwort darauf zu kennen glaubte und sich eingestehen musste, einen Fehler gemacht zu haben.

„Mrs. Gray, hm, wer hat den Eingriff durchgeführt?“

Ihre Antwort bestätigte seine Ahnung. „Ein Professor Callaghan im St.-Anne's-Hospital, Sir.“

Kay fühlte, wie ihm der Zorn den Blutdruck nach oben trieb. „Ich nehme an, er ist auch Ihr Vertragspartner?“

„Das ist richtig, er hat den Vertrag unterschrieben.“

Der grauhaarige Geheimdienstchef drückte auf den Rufknopf der Sprechanlage. Fünf Sekunden später öffnete sein Sekretär die Bürotür. „Sir?“

„Emerson, kümmern Sie sich bitte um Ms. Gray und lassen Sie sie nicht aus den Augen! Ich muss kurz weg. Lassen Sie den Wagen vorfahren und bitten Sie Jeffrey Thornton, sich in fünf Minuten am Hauptportal einzufinden.“

„Sofort, Sir. Wenn Sie mir bitte folgen würden, Ms. Gray?“

Die Tür hatte sich kaum hinter den beiden geschlossen, als Kay die Nummer seines Freundes Daniel Harris wählte. Isobel Cummings hob ab.

„Ja, bitte?“

„Hallo, Isobel, hier spricht Adrian Kay. Verbinden Sie mich bitte mit Ihrem Chef!“

„Sehr wohl, Sir“, antwortete die Cummings kühl. Kay entnahm ihrer Stimme, dass sie ihm die letzte Brasilzigarre noch nicht verziehen hatte.

„Harris.“

„Hallo, Dan, hier Adrian."

„Hallo, mein Lieber. Was gibt es Neues? Hat sich Lundquist gemeldet?"

„Das kann man wohl sagen", erwiderte Kay sarkastisch und erläuterte dem Chef der Auslandsabteilung die Entwicklungen der letzten Stunden. „Du siehst also, es hat sich allerlei getan. Und nun rate, wer der Gray die Eizelle implantiert hat?"

Harris lachte auf. „Wenn du so fragst, würde ich auf Callaghan tippen."

„Getroffen!"

Harris nahm diese Information offensichtlich mit Humor. „Dieser ausgekochte Fuchs. Da hat er uns aber ganz schön hinters Licht geführt, findest du nicht?"

„Allerdings. Und wie wir schon bemerkten, war seine schauspielerische Leistung Oscar-verdächtig. Dies hat allerdings noch eine weitere Konsequenz, die mich zum Lachen reizen würde, wenn nicht alles so ernst wäre."

„Ich weiß schon, was du meinst; es ist mir auch gerade eingefallen", erwiderte Harris.

„Na, nämlich?"

„Nun, wenn Callaghan den Eingriff durchgeführt hat, dann war der Eidiebstahl, der alles ins Rollen gebracht hat, eigentlich gar keiner. Schließlich kann der Professor nicht seinen eigenen Gefrierschrank berauben."

„Wenn man davon absieht, dass er die McKinley nicht um Erlaubnis gefragt hat", gab Kay zu bedenken.

„Davon allerdings abgesehen. Wie dem auch immer sei, er muss auf jeden Fall wissen, was hier eigentlich gespielt wird; und er muss auch etwas über Mitchell wissen!"

„So ist es, mein lieber Dan, und deshalb werde ich mir diesen feinen Herrn jetzt kaufen. Willst du mitfahren?"

„Wie kannst du so etwas fragen?“, tat Harris empört. „Glaubst du, ich brauche keine Genugtuung für die erlittene Schmach beim ersten Verhör?“

„Gut, gut“, meinte Kay lachend, „duellieren wir uns mit ihm. Sagen wir in fünfzehn Minuten im St.-Anne's?“

„Bis gleich, Adrian.“

Sie hatten Pech. Der Vogel war bereits ausgeflogen. Callaghans Sekretärin war ziemlich zusammengeschreckt, als Kay, Harris und Thornton in ihr Vorzimmer stürmten und nach dem Professor verlangten. Es dauerte eine kleine Weile, bis sie ihr die Wahrheit aus der Nase gezogen hatten.

„Professor Callaghan ist vor etwa einer Stunde zum Flughafen gefahren“, räumte sie endlich ein.

„Welchen Flug wollte er nehmen?“, fragte Kay ungeduldig. Als die Sekretärin mit der Antwort zögerte, fuhr er sie an: „Reden Sie endlich, verdammt. Glauben Sie, wir sind zum Spaß hier? Ich gebe Ihnen fünf Sekunden für die Antwort!“

„Ja doch, ich antworte ja schon. Er wollte die 19-Uhr-Maschine nach Los Angeles nehmen.“

Kay sah ihr prüfend ins Gesicht. „Ich hoffe für Sie, dass Sie die Wahrheit gesagt haben. Auf geht's, meine Herren, vielleicht kriegen wir ihn noch!“

Harris hielt seinen Freund am Arm zurück. „Ich werde hier bleiben, Adrian, und mich ein wenig in seinem Büro umsehen. In diesem Fall muss ich mir eine Hausdurchsuchung nicht vorher genehmigen lassen. Ihr werdet ihn auch alleine erwischen. Möglicherweise finde ich noch einige weitere Anhaltspunkte.“

„Eine gute Idee, Dan. Viel Glück. Bis dann.“ Er verließ mit Jeffrey Thornton das Vorzimmer.

Im Wagen fragte Kay seinen Fahrer: „Wie lange brauchen wir bis zum Flughafen, Dawson?“

„Etwa fünfundzwanzig Minuten, Sir", antwortete er, während er sich bereits in den Verkehr einfädelte.

Kay blickte auf seine Armbanduhr. Es war fünf Minuten vor sechs. Er würde den Professor nur sehr ungern im Flugzeug verhaften, aber vielleicht konnte man das ja noch verhindern. Kay griff zum Autotelefon und wählte seinen Sekretär an.

„Emerson, Sie sind doch ein kluges Köpfchen, nicht wahr?"

„Wenn Sie meinen, Sir", antwortete Coleclough vorsichtig.

„Ja, das meine ich. Und jetzt lassen Sie sich irgendetwas einfallen, wie Sie die Abfertigung der 19-Uhr-Maschine nach Los Angeles verzögern können. Wir brauchen noch etwa zwanzig Minuten bis zum Flughafen. Es wäre mir lieb, wenn ich diesen Professor nicht aus dem Flugzeug holen müsste, haben Sie verstanden?"

„Ja, Sir, ich habe verstanden. Ich werde es versuchen."

Dawson schaffte es tatsächlich, den Dienstwagen vor dem Haupteingang des Flughafengebäudes zum Stillstand zu bringen, bevor Kay die Fondtür öffnete. Mit Thornton im Schlepptau folgte er eiligen Schrittes den Hinweisschildern mit der Aufschrift *International Departures.* An der Zollabfertigung telefonierte er mit dem Leiter der Flughafenpolizei. Drei Minuten später meldeten sich zwei uniformierte Beamte bei Kay.

„Danke, dass Sie sich beeilt haben, meine Herren", sagte er. „Ich möchte, dass Sie sich im Hintergrund halten, damit unser Freund nicht unnötig in Panik versetzt wird. Verstanden?"

Die beiden nickten.

„Gut; dann los!"

Der Flug nach Los Angeles wurde an Flugsteig B4 abgefertigt; so ziemlich am anderen Ende des Abfluggebäudes. Die vier Männer legten die Strecke in leichtem Trab zurück, den Kay erst bremste, als sie sich der Wartelounge von B4 näherten.

Coleclough hatte es geschafft. Die Passagiere waren trotz der fortgeschrittenen Zeit noch nicht abgefertigt worden und saßen leicht genervt mit ihrem Handgepäck auf den rot bezogenen Sesselreihen. Kay entdeckte Professor Callaghan am äußersten Ende der hinteren Sesselreihe. Der Arzt hielt eine Tageszeitung in den Händen und schien in die Lektüre vertieft.

Kay näherte sich ihm mit bedächtigen Schritten. Er war noch etwa dreißig Meter entfernt, als Callaghan aufblickte und ihn erkannte. Erschrocken registrierte Kay die Veränderung des Ausdrucks auf dem Gesicht des Professors und wusste instinktiv, dass er nicht einfach so mitgehen würde.

Leider hatte er Recht. Callaghan sprang auf und rannte aus dem Wartebereich hinaus in Richtung Hauptgebäude.

Jeffrey Thornton reagierte als Erster und hetzte ihm nach, gefolgt von Kay und den beiden Flughafenpolizisten. Thornton kam bis auf etwa zwanzig Schritte an den Flüchtenden heran, als dieser sich plötzlich im vollen Lauf umdrehte und aus einer Pistole zwei Schüsse abgab. Thornton rettete sich mit einer Hechtrolle auf den abgetretenen Teppichboden und hoffte inbrünstig, dass Callaghan nicht noch einmal, und dann genauer, zielen würde.

Er hatte Glück; der Professor dachte jetzt ausschließlich an Flucht und stürmte weiter.

Von hinten ertönte Kays laute Stimme: „Weiter, hinterher. Aber haltet bloß Abstand, und kein Schusswaffengebrauch hier im Flughafengebäude!"

Jeffrey Thornton war längst wieder auf den Beinen und spurtete hinter Callaghan her. Der sprang soeben mit mächtigen Sätzen die Freitreppe ins obere Stockwerk hinauf und verschwand im Aussichtsrestaurant *Skyway Café*.

Als Kay mit den beiden Polizisten kurz nach Thornton die

Aussichtsplattform erreichte, stand sein Mitarbeiter mit hängendem Kopf etwa in der Mitte der etwa sechshundert Quadratmeter großen Fläche.

Kay blieb vor Thornton stehen und fragte: „Was ist passiert, Jeffrey?“

Der junge Mann deutete mit dem Kinn auf die Betonbrüstung am Rande der Plattform. „Ich war zu spät. Er ist einfach hinuntergesprungen.“ Er schüttelte fassungslos den Kopf.

Kay legte ihm eine Hand auf die Schulter und blickte dabei nachdenklich hinunter auf das betonierte Flugfeld. Dann sagte er leise: „Dann hat er wahrscheinlich noch weit mehr Dreck am Stecken gehabt, als wir je vermutet haben.“

Nassau, Bahamas

Idwood Green lag ausgestreckt auf dem Bett des Zimmers, das er sich im *Nassau Sheraton* in der Nähe des Flughafens gemietet hatte. In zwei Stunden sollte die Nachmittagsmaschine der Canadian Airlines aus Montreal landen. Hoffentlich war Stan an Bord. Der Anruf seines australischen Freundes aus New York hatte ihn doch in äußerste Sorge versetzt. Dass es den armen Kerl bei seinem ersten Auslandseinsatz derartig beuteln musste! Und die Chefs saßen mit ihren trägen Hintern in den ledernen Sesseln und zogen ruhig und selbstgefällig ihre Schachfiguren. Der einzige Trost war im Moment der, dass Lundquist aller Voraussicht nach ohne Verfolger in Nassau landen würde. Wenn er überhaupt landet, dachte Green grimmig. Hoffentlich haben sie ihn nicht vor der kanadischen Grenze abgefangen. Wenn die CIA ihre Finger mit im Spiel hatte, war man vor Überraschungen nie sicher. Er selbst sollte sich auch vorsehen, dachte er und kratzte sich den inzwischen vollen Bart.

Dann erhob er sich vom Bett und ging ins Bad. Die kalte Dusche tat gut und vertrieb ein wenig die düsteren Gedanken.

Zehn Minuten später bestieg er vor dem Hotel ein Taxi und ließ sich im Stadtzentrum absetzen. Er schlenderte einige Häuserblocks weiter, um dort an einer Haltestelle in einen halb besetzten Omnibus einzusteigen. Er ging sofort zum hinteren Ausstieg und wartete gespannt, bis alle, die außer ihm an der Haltestelle gewartet hatten, ebenfalls eingestiegen waren. Im letzten Moment sprang der Engländer wieder auf den Bürgersteig hinaus und sah aufmerksam zu, wie sich die Türen hinter ihm schlossen. Dann ging er gemächlichen Schrittes um die nächste Straßenecke und steckte sich eine Zigarette an.

Fünf Minuten später war er sich sicher, dass ihm niemand folgte. Er warf die Kippe an den Straßenrand und stoppte ein Taxi, von dem er sich zum Ankunftsterminal des Nassauer Flughafens fahren ließ.

Im Foyer begab er sich zunächst zu einem der zahllosen Läden, in denen Andenken, Zeitschriften, T-Shirts und sonstiger Krimskrams verkauft wurden. Green interessierte sich für eine schwarze Nylonreisetasche, die er trotz des aberwitzig überhöhten Preises erstand. Zwei Läden weiter kaufte er als Füllmaterial einen großen hellblauen Plüschteddy und stopfte ihn in die Tasche. Dann schritt er langsam zur gegenüberliegenden Seite der Halle, nahm an der Theke eines Schnellimbisses Platz und genehmigte sich einen Hamburger und ein Bier. Wenige Minuten später, als er die Verdauungszigarette anzündete, wurde durch den Lautsprecher die Landung der Maschine aus Montreal gemeldet.

Green griff in die Innentasche seiner Jacke und zog einen

Briefumschlag hervor. Er enthielt ein Ticket für den Flug LH480 von Frankfurt/Main nach Mexico City, der in knapp einer Stunde in Nassau zwischenlanden würde, und für den er selbst ebenfalls ein Ticket besaß. Die Aufgabe war jetzt nur, Lundquist das seine zukommen zu lassen, ohne dass etwaige Verfolger aufmerksam wurden.

Er öffnete die schwarze Tasche und legte den Briefumschlag auf den Bauch des Teddybären. Dann marschierte er zum Gepäckband, mit dem die Koffer und Taschen des Canadian-Fluges angeliefert werden sollten. Selbst wenn sein australischer Freund nur Handgepäck mitführte, musste er an dieser Ausgabe vorbeikommen, um zur Zollabfertigung zu gelangen.

Nach zehn Minuten tauchten die ersten Fluggäste aus Montreal am Gepäckband auf. Und dann erspähte Green auch den langen Australier. Stan sah nicht besonders gut aus. Dunkle Ringe unter den müden Augen kontrastierten mit der blassen Gesichtsfarbe. Fast wäre er am Gepäckband vorbeigelaufen, ohne Green zu bemerken. Eher zufällig fing er doch noch den Blick des Freundes auf.

Idwood wandte die Augen sofort wieder ab und setzte die Reisetasche so auf das Band, dass Stan sie sehen musste. Zwei Meter weiter verschwand das Transportband durch einen Gummivorhang und lief hinunter ins Erdgeschoss, wo das Gepäck von den Elektrokarren auf das Band umgeladen wurde. Eine knappe Minute später tauchte die Tasche wieder im Gedränge der wartenden Fluggäste auf. Idwood ging zurück in die Flughafenhalle, ohne sich noch einmal umzusehen.

Zwei Stunden später wusste er, dass der lange Australier die richtige Tasche vom Band genommen hatte. Er saß auf seinem Fensterplatz im Jumbo und sah hinaus aufs Rollfeld, als Green sich neben ihn setzte.

Lundquist lächelte ihn müde an. „Ich freu mich, Idwood. Es ist schön, dich zu sehen. Ich bin ziemlich am Ende."

„Das kann ich mir denken. Bist du ohne Schwierigkeiten aus New York rausgekommen?"

„Ja, kein Problem und, soweit ich sehen konnte, auch keine Verfolger. Aber erklär mir doch mal, was diese Heimlichtuerei mit dem Flugticket vorhin sollte? Und wieso fliegen wir nach Mexico City?"

Green nickte ihm aufmunternd zu. „Komm erst mal ein bisschen zur Ruhe, Stan; wir haben genug Zeit bis zur Landung. Ich werde versuchen, dir meine Sicht der Dinge zu erläutern, okay?"

„Okay, ich hör dir zu!"

„Also, was wissen wir bisher? Zunächst ist offensichtlich in Canberra irgendein krummes Ding mit Martha McKinleys Reagenzglas-Nachkommenschaft gelaufen, sonst hätte dieser Mitchell dich nicht so zäh verfolgt. Wir müssen im Moment davon ausgehen, dass man die McKinley erpressen wollte; womit genau, entzieht sich meiner Kenntnis."

„Da hätte ich schon einen Vorschlag", warf Lundquist ein. „Aber red weiter!"

„Wir wissen außerdem, dass Mitchell mit John Ferguson-Smith in London telefoniert hat. Der wiederum ist einen Tag nach diesem Anruf nach New York geflogen, wo du ihn ermordet aufgefunden hast. Wenn wir als Annahme einen ‚normalen' Raubüberfall ausschließen, gibt es für diesen Mord nur einen logischen Grund: Jemand wollte verhindern, dass du ihn ausquetschst. Und vielleicht war er nicht mehr zuverlässig, hätte ausgepackt. Deswegen hat man dich vermutlich auch beschattet, vielleicht sogar schon seit deiner Ankunft in New York."

„Und ich verdammter Idiot habe nichts davon gemerkt",

murmelte Lundquist. „Sonst könnte Ernie vielleicht noch leben." Er nahm sich wieder zusammen. „Ich glaube allerdings, dass sie mich erst seit meinem Besuch bei Ferguson-Smith wieder verfolgt haben."

„Mag sein. Wenn sie vorher seine Londoner Wohnung observiert und uns dort beobachtet hätten, brauchten sie doch nur zwei und zwei zusammenzuzählen. Wie auch immer! Auf jeden Fall wurde die McKinley am frühen Morgen desselben Tages aus ihrer Wohnung entführt. Sehr überraschend für uns, da es an sich unlogisch ist, Leute zu entführen, die erpresst werden sollen. Die Schlussfolgerung wäre die: Erpresser und Entführer sind nicht identisch."

Lundquist hatte trotz seines erschöpften Zustands konzentriert zugehört. „Aber?"

„Nun, ich bin inzwischen mehr denn je davon überzeugt, dass der Bekennerbrief der ‚Nationalen Befreiungsarmee von Costa Rica' getürkt war, da die Entführung in London und die Verhaftungen in San José praktisch zeitgleich stattfanden. Allerdings verrät der Brief, dass die Entführer über eine Menge Insider-Informationen verfügen, denn sonst hätten sie die Querverbindung zwischen Costa Rica und der *Imperial Bank Corporation* nicht ziehen können."

Lundquist nickte langsam. „Klingt verlockend. Und da sich dein Bericht so anhört, als sei er noch lange nicht beendet, vermute ich, dass du weißt, wer die McKinley entführt hat."

„‚Wissen' ist maßlos übertrieben", schmunzelte der Engländer, „aber es gibt da eine Art Indizienkette. Wenn wir also annehmen, dass der Bekennerbrief falsch ist, dann ist dies ein Indiz für sich. Ich meine damit, dass der Brief den wahren Entführern dabei hilft, ihre Ziele zu erreichen; sonst hätten sie ihn nicht so geschrieben. Einverstanden?"

Stan nickte zustimmend.

„So, aber wer sind die wahren Entführer? Oder fragen wir anders: Welchen Zusammenhang gibt es zwischen Canberra, Mitchell und Ferguson-Smith auf der einen Seite und Martha McKinley, der Entführung und Costa Rica auf der anderen? Und siehe da: John Ferguson-Smith arbeitete als Manager in der Londoner Vertretung der *PanAmericanFruit Company*, kurz *PAFCO*. In der Nacht der Entführung sticht vom Themsehafen Sheerness aus das Containerschiff *Excalibur* in See. Angebliches Ziel: Panama; nicht weit weg von Costa Rica. Besitzer der *Excalibur* ist die *PAFCO*. Und was ist in Costa Rica? Die Mittelamerikazentrale der *PAFCO*; produktiver Dreh- und Angelpunkt des Obstgiganten."

„Wirklich viel *PAFCO*", bemerkte Lundquist.

„Wie wahr, wie wahr!" Green lehnte den Kopf zurück und blickte an die Kabinendecke. „Ich habe deshalb ein paar Stunden in unserer Dokumentationsabteilung zugebracht und mich mit der jüngeren Mittelamerikageschichte beschäftigt, speziell der ökonomischen, und mich etwas über die *PAFCO* kundig gemacht."

„Hört sich spannend an. Los, red weiter!"

„Also gut, die *PAFCO* ist seit gut sechzig Jahren in Mittelamerika, speziell in Costa Rica, ansässig. Sie hat in den zwanziger und dreißiger Jahren immensen Grundbesitz zusammenge-, na ja, gekauft kann man das nicht unbedingt nennen. Mord und Erpressung waren immerhin an der Tagesordnung. Wie dem auch sei, Costa Rica war fest in *PAFCO*-Hand. An der atlantischen Küste, also zum Moskitogolf hin, gehört das Land von der Grenze zu Nicaragua im Norden bis zur Grenze von Panama im Süden auch heute noch der *PAFCO*. Ganze Eisenbahnlinien, Ortschaften und zwei Häfen sind ausschließlich für Verpackung und Export von Bananen gebaut worden. Die hohen Gewinne haben Costa Ricas ganzen Staatshaushalt abhängig von der *PAFCO* gemacht."

„Daher die Bezeichnung ‚Bananenrepublik'!", warf Stan ein. „Und jetzt will die neue Regierung der *PAFCO* an den Kragen. Da werden die Obstfritzen ganz schön schäumen. Aber wenn ich dich richtig verstanden habe, könnten sie doch ihr wirtschaftliches Gewicht in die Waagschale werfen."

„Bravo, Stan, du bist hart an der Lösung. Sir Ronald hat sich ein wenig umgehört. Die britische Regierung pumpt im Moment viel Geld nach Costa Rica, um das Umbauprogramm zu unterstützen. Immerhin soll London das Monopol für die Erschließung neuer Märkte dafür bekommen", meinte Green. „Und das ist genau der Knackpunkt. Martha McKinley ist die entscheidende Persönlichkeit in dieser ganzen Angelegenheit, denn rein offiziell tritt nicht die britische Regierung, sondern die *Imperial Bank Corporation* als Geldgeber auf. Und die McKinley hat als Beraterin der Regierung auch entscheidenden Einfluss auf den Umfang des britischen Engagements."

„Du meinst also, die *PAFCO* wollte die McKinley erpressen, damit die Gelder aus England spärlicher fließen und damit die Regierung in San José auf die *PAFCO*-Moneten angewiesen ist und somit von einer Verstaatlichung absehen muss?"

Green klatschte lautlos Beifall. „Genau so sehe ich die Sache auch. Wir sind pfiffig, oder?" Er grinste.

„So weit, so schlecht, Idwood, aber warum hat man die McKinley dann entführt?"

„Um ehrlich zu sein, genau weiß ich das nicht. Aber ich vermute, die McKinley wollte bei der Erpressung nicht mitspielen und den Secret Service in Form ihres Onkels Sir Ronald informieren. Immerhin hat sie telefonisch einen Gesprächstermin mit seiner Sekretärin ausgemacht."

„Aber was fangen die Burschen mit der McKinley jetzt an? Irgendwas haben sie ja mit ihr vor, sonst hätten sie sie ja auch gleich umbringen können."

„Nach meiner Meinung spekulieren die *PAFCO*-Leute damit, dass durch die Entführung die bilateralen Beziehungen zwischen London und San José in Mitleidenschaft gezogen werden. Vor allem dann, wenn die McKinley, was der liebe Himmel verhüten möge, in Costa Rica ermordet aufgefunden wird."

Lundquist blickte Green an. „Ach, deshalb bist du so fest davon überzeugt, dass die Dame gerade mit diesem Containerschiff nach Mittelamerika transportiert wird?"

Green nickte. „Sagen wir mal so: dass sie überhaupt nach Costa Rica verschleppt wird. Ob sie an Bord der *Excalibur* ist, kann ich nur hoffen, aber nicht genau wissen."

„Und was hast du jetzt mit uns beiden vor, Idwood?"

Der Engländer kratzte sich am Vollbart und betrachtete die Lehne des Sitzes vor ihm. „Unsere Aufgabe kann nur sein, die McKinley wieder zu finden, und zwar lebend. Das heißt, wir müssen herausfinden, ob sie wirklich an Bord der *Excalibur* festgehalten wird. Das wäre mir lieb, denn in dem Falle wäre sie leichter zu finden, als wenn wir sie in ganz Costa Rica suchen müssten."

„Willst du etwa das Schiff aufbringen?"

„Wenn wir sicher wissen, wo sie ist, können wir in die Vollen gehen, Stan. Abbott hat grünes Licht gegeben, seine Nichte mit allen zur Verfügung stehenden Mitteln zu befreien. Und wenn sie an Bord der *Excalibur* sein sollte, werden wir sie eben da befreien."

„Das sagst du so einfach. Willst du sie vom Ruderboot aus entern?“

„Genau! Und dann immer feste drauf mit den Riemen! Aber Spaß beiseite: Sagt dir der Name *Belize* etwas?“

„Belize? Nein, nicht direkt“, musste Lundquist zugeben.

„Geografie mangelhaft, he? Belize ist das frühere Britisch-Honduras. Es gibt dort eine britische Marinebasis. Ich denke, die werden uns ein Schiffchen ausleihen; mit Mannschaft, versteht sich. Sir Ronald ist hoffentlich gerade dabei, in dieser Hinsicht einige Vorbereitungen zu treffen.“

Stan lächelte Idwood an. „Käpten Green, der Möchtegern-Pirat. Aber im Ernst, Idwood, vor einer solchen Aktion müssten wir hundertprozentig sicher sein, dass die Dame wirklich an Bord ist.“

„Deshalb werden wir uns diese Gewissheit verschaffen, indem wir die *PAFCO*-Zentrale in San José heimsuchen und uns dort ein wenig umsehen.“

„Nicht ganz leicht, oder? Unser Handicap ist wohl, dass wir so unauffällig wie möglich vorgehen müssen. Wenn die Burschen merken, dass wir ihnen auf den Fersen sind, lassen sie Sir Ronalds Anverwandte womöglich über Bord werfen.“

„Genau meine Meinung“, stimmte Green zu. „Darum auch die Heimlichtuerei am Flughafen in Nassau und die Wahl unseres jetzigen Reiseziels. Ich hoffe, dass wir von Mexico City aus unauffälliger nach San José einfliegen können als von den Bahamas. Vor allem, wenn auch noch die CIA mitmischt.“

„Du denkst, die *PAFCO* wird von der CIA unterstützt?“

Green zuckte mit den Schultern. „Möglich. Immerhin würde die Entmachtung der *PAFCO* in Costa Rica die Position der USA nicht unbedingt stärken.“

Stan sah ihn mit hochgezogenen Augenbrauen an. „Also stecken wir mitten in einer dicken Scheiße, stimmt's?"

„Stimmt. Wir werden sehen, wie und ob wir da herauskommen. Jetzt gibt es allerdings erst mal was zu essen." Der Engländer deutete nach vorn, wo die Stewardessen bereits begonnen hatten, das Abendessen zu verteilen. Es gab Rinderbraten mit Rotkohl und Kartoffeln, wegen der obligaten Plastikverpackungen nicht unbedingt ein Muss für Gourmets, aber immerhin genießbar.

Lundquist nutzte die entspannte Stimmung für eine Frage. „Idwood, es würde mich interessieren, wie jemand wie du zum Geheimdienst gekommen ist. Kannst du darüber reden?"

Der Engländer zog gerade mühselig die Alufolie vom Nachtisch ab. „Ja, kann ich." Er machte sich mit einem kleinen weißen Plastiklöffel über den reichlich geschmacklosen Schokoladenpudding her. „Ich bin zu diesem Job gekommen wie die Jungfrau zum Kind. Während meiner Promotion am Imperial College gab es einen Anschlag auf die Tierversuchsanlage; direkt im Gebäude neben unseren Labors. Ich war zufällig nachts da, um ein Experiment zu starten, und habe einen der Jungs auf dem Hof geschnappt, als er abhauen wollte. Bei den polizeilichen Untersuchungen war auch irgendein Hansel vom Secret Service da, und so gab es einen ersten Kontakt. Nach der Promotion bin ich dann ins biochemische Labor des Geheimdienstes gewechselt, was aber auf die Dauer ziemlich langweilig gewesen wäre. Deshalb habe ich mich dann für die Auslandsaufklärung interessiert und beworben. Wie du siehst, haben sie mich genommen."

Green war mit dem Pudding fertig und sah Lundquist forschend an. „Warum fragst du danach?"

Stan nahm einen Schluck Bier. „Nur aus persönlichem Interesse. Hast du deine Entscheidung schon mal bereut?“

„Mehr als einmal, wieso?“

Lundquist räusperte sich und schien ein wenig verlegen. „Hm, wie soll ich das erklären? Vielleicht brauche ich deine Hilfe – ich meine, für mein Seelenleben.“

„Wenn ich dir helfen kann, tue ich es. Sprich dich aus!“

„Tja, ich bin auf ähnlich zufällige Weise zu diesem Job gekommen wie du. Mein Chef an der University of Australia in Canberra hatte einige Expertisen für die Spionageabwehr zu erstellen. Das war der Kontaktpunkt. Kay hat mich dann in das St.-Anne’s eingeschleust, als der Verdacht auftauchte, dass Klinikmitarbeiter in unlautere internationale Geschäfte verwickelt sein könnten. Auch dort gab es Versuche verschiedener radikaler Gruppen, die technischen Einrichtungen und Tiefkühlanlagen zu sabotieren. Ich habe mich einmal mit zwei dieser Leute getroffen, um über ihre Ziele zu reden, inkognito, versteht sich.“ Lundquist lächelte leicht. „Um ehrlich zu sein, seit diesem Gespräch war ich nicht mehr so ganz überzeugt davon, dass ich auf der richtigen Seite stehe.“ Er blickte Green an. „Versteh mich nicht falsch, Idwood, ich will damit nicht sagen, dass ich die widerrechtlichen Aktionen dieser Gruppe gutgeheißen habe, es war nur – äh – ich habe mir eben viele Gedanken über ihre Motive gemacht und darüber, welche Möglichkeiten für Minderheiten bestehen, ihre womöglich richtigen Bedenken gegen eine lethargische Mehrheit sachlich zu artikulieren und auch ernst genommen zu werden. Sagen wir es so – ich konnte nachvollziehen, warum diese Leute die Sabotageaktionen durchgeführt haben, und fühlte mich als Teil der Staatsmacht etwas – unwohl. Verstehst du, was ich meine?“

„Sehr gut, Stan. Aber auch dies ist eine Frage der Relationen. Vielleicht weißt du, dass ich vor etwa zwei Jahren ein paar Leute gesucht habe, die aus der nuklearen Wiederaufarbeitungsanlage in Sellafield Plutonium geklaut hatten, um die britische Regierung zu erpressen. Sie wollten die Stilllegung aller Atomanlagen erreichen. Bei der ganzen Aktion haben sie den Hafen Barrow-on-Furness verseucht; mehrere Arbeiter wurden verstrahlt und sind inzwischen elendiglich gestorben. Ich war in der gleichen Situation wie du: Ich würde auch lieber sehen, wenn alle Atomanlagen stillgelegt würden, aber kann ich deshalb die kriminelle Art der Auseinandersetzung gutheißen? Ich konnte nicht – deswegen habe ich sie gejagt."

Lundquist blickte Green forschend an. „Hast du schon mal überlegt, ob du mit deiner Einstellung zu Atomanlagen – dazu gehört ja auch der Bombenbau – mit dem Secret Service den richtigen Arbeitgeber erwischt hast?"

„Du hast Recht – die Frage muss ich mir stellen. Bisher würde ich sie noch bejahen, weil ich immer noch Hoffnung habe."

„Hoffnung? Worauf?"

„Na, nehmen wir an, du bist Chemiker, Physiker, Pharmakologe, Biochemiker oder Molekulargenetiker mit einer verantwortungsvollen und durchaus kritischen Einstellung zum Sinn und Unsinn deines Forschungszweiges, und nehmen wir an, du suchtest einen Job. Dann käme eine Arbeit im Labor eines Industriekonzerns nicht unbedingt infrage. Allerdings könnte man auch sagen, wenn in diesen Labors nur Leute mit deiner Einstellung arbeiten würden, wäre alles halb so schlimm. Das gleiche Argument gilt auch für Staatsjobs wie den unseren. Noch kann ich ihn ausüben, weil ich die Hoffnung habe, dass mehr und mehr meiner Kollegen zu ähnlichen Erkenntnissen kommen wie ich. Außerdem: wenn ich meinen Job aufgebe, kriegt ihn vielleicht einer, der den echten Wahnsinn in den Augen hat, und dann?“

Lundquist hörte aufmerksam zu. Nach einer kurzen Pause fragte er: „Dann gäbe es also auch Aufträge von oben, die du nicht ausführen würdest?“

„Ja, sicher“, antwortete Green bestimmt. „Während der Sellafield-Affäre war ich nahe dran – näher, als du vielleicht denkst. Bist du im Moment auch nahe dran, Stan Lundquist?“

Bevor er antwortete, rieb sich der Australier über die Augen. „Ja, in gewisser Weise schon. Das hat allerdings nichts mit einer speziellen Anweisung aus Canberra zu tun oder so. Es ist einfach – na, eben die Tragödie mit Ernie und dass ich den Job hinschmeißen möchte. Dies ist mein erster größerer Auslandseinsatz, verstehst du? Und ich erfahre, dass ich einen Teppich von Verunglückten und Ermordeten hinter mir herziehe. Und der eine oder andere Tote geht dabei auch auf mein Konto. Für was? Für die Souveränität und Sicherheit Australiens? Dass ich nicht lache!“

Green atmete tief durch. „Nein, mein Freund, dafür nicht. Du tust es, weil irgendwelche Schweine, die für Geld und Macht über Leichen gehen, zur Verantwortung gezogen werden müssen. Deshalb tust du es, und ich ebenfalls.“

Lundquist wollte einen Einwand vorbringen, aber Green schnitt ihm mit einer Handbewegung das Wort ab. „Ich weiß, was du sagen willst; so blöd bin ich auch nicht, dass ich glauben könnte, unsere Dienstherren seien von dem hehren Gedanken an eine bessere Welt beseelt und hätten ihre Jobs deshalb gewählt. Auch auf unserer Seite des definierten Rechts gibt es Schweine, und vielleicht genauso viele wie auf der anderen Seite. Da ist der kleine private Fehltritt der

McKinley – die Bezahlung der Leihmutter – weniger als Fliegendreck."

„Aber was nützt es dann, im Auftrag solcher Cliquen andere Cliquen auszuheben?"

„Nun, Stan, vordergründig gibt es den Vorteil, dass die eine Clique schon mal im Eimer ist. Allein das ist es schon wert. Tiefer gehend würde ich meinen, unser Job ist eine Art Arrangement mit den Arschlöchern dieser Welt."

„Wie bitte?"

„Nun, ich meine, theoretisch hören sich alle Vorschläge zur besseren, veränderten Gegenwart und Zukunft des menschlichen Zusammenlebens gut an. Sie leiden meistens daran, dass sie an der Wirklichkeit des menschlichen Naturells vorbeigehen. Die Mehrzahl der Menschen denkt über solche Themen überhaupt nicht oder völlig anders nach. Vielleicht haben sie ja Recht und wir nicht – wer weiß das? Also müssen wir uns arrangieren. Die einen streben nach Macht und Geld, offenbar eine menschliche Eigenart, die anderen versuchen, das Leben trotzdem erträglich zu gestalten. Dazu gehört, ständig am Weltbild der Macht- und Geldgeilen zu rütteln, unter anderem dadurch, dass man die Mechanismen dieses Weltbildes offenlegt und vorführt. Und zumindest beim Rütteln will ich mitmischen."

„Aber wie lange hält man das Nebeneinander von theoretischer Erkenntnis und tagtäglicher Realität aus – innerlich, meine ich?", fragte Lundquist leise.

Green fuhr sich mit den Fingern durch den Bart. „Das ist wahrscheinlich eine Frage der Weltanschauung. Wenn ich mit solchen Fragen im seelischen Clinch liege, hole ich mir immer den Cambridge-Sternenatlas aus dem Regal. Abermilliarden von Sternen, und wir auf unserer winzigen blauen Kugel mitten drin. Verloren in der Einsamkeit des Weltalls, aber dennoch ein Teil dieses riesigen Organismus, dessen Grenzen wir nicht einmal zu ahnen in der Lage sind. Was für eine Bedeutung haben da die alltäglichen Scharmützel? Man muss sie erledigen, aber für den Lauf der Dinge sind sie unerheblich."

„Dann misst du wahrscheinlich auch dem Tod keine so tragische Bedeutung bei, hm?", fragte Stan zögernd.

„Du denkst an Ernie, stimmt's? Doch, mein Lieber, in dem Falle tue ich das schon. Einem Menschen ist ein wertvoller Teil seines kurzen Erdenlebens unnötigerweise weggenommen worden. Das Unnötige ist die Tragik daran. Aber vielleicht triffst du sie wieder, deine Ernie."

„Was denn, ewiges Leben im Himmel – von dir?"

„Na und? Ist es nicht völlig widersinnig anzunehmen, dass die Gedanken und Gefühle, die man so hat, mit dem Tod des Individuums einfach so, puff, zerfallen? Ich glaube, irgendwo bleibt diese Seele, wenn du es so nennen willst."

Lundquist sah den Engländer lange an. „Ist das dein Ernst?"

„Ja, Stan, das ist mein Ernst", erwiderte Green und hielt dem prüfenden Blick mühelos stand.

„Hm, ich werde darüber nachdenken."

„Was hältst du denn davon, wenn wir erst mal eine Runde pennen? Die nächsten Tage werden wahrscheinlich ziemlich anstrengend."

„Du hast Recht, das sollten wir versuchen." Lundquist klappte den Sitz zurück und schloss die Augen. Es dauerte keine zwei Minuten, bis er erschöpft eingeschlafen war.

Auch Idwood Green hatte die Augen geschlossen, schlief aber nicht. Er hielt eine nicht angezündete Zigarette zwischen den Lippen und startete in Gedanken mit einem überlichtschnellen Raumschiff in die Gegend der Orionnebel.

Canberra, Australien

Es war draußen bereits dunkel, als Adrian Kay und Jeffrey Thornton vom Flugplatz zurückkehrten. In Kays Büro fanden sie Dan Harris vor, der in einem der Ledersessel inmitten mehrerer Aktenordner saß und ein Dokument studierte. Er blickte kurz auf und nickte den beiden Männern grüßend zu.

„Schöne Bescherung, wie? Dawson hat angerufen und mir vom Selbstmord unseres smarten Professors berichtet. Hing wohl ziemlich tief drin im Schlamassel, der Gute."

Adrian Kay warf den gefütteren Steppmantel, den er an solchen kalten Winterabenden zu tragen pflegte, auf den Schreibtisch und ließ sich missmutig in seinen Sessel fallen. Mit einer Handbewegung forderte er Thornton auf, ebenfalls Platz zu nehmen und sagte leise: „Das darf man wohl annehmen, Dan. Er hätte uns sicher eine Menge erzählen können."

„Nun", erwiderte Harris mit nachdenklich geschürzten Lippen, „vielleicht kann uns dies hier etwas entschädigen." Bei diesen Worten deutete er auf die aufgeschlagenen Aktenordner, die um ihn herum lagen.

„Stammen die aus Callaghans Büro?"

Harris nickte. „Nach Dawsons Anruf habe ich die Ordner beschlagnahmt und mich hierher verzogen. Hier ließ sich gemütlicher in diesen Aufzeichnungen lesen, vor allem auch deshalb, weil es mir bei der Lektüre vor Zorn bald die Luft abgewürgt hätte."

„Inwiefern?"

„Mein Lieber, vor dir liegen die Beweise dafür, dass dieser Callaghan einer der führenden Köpfe einer weltweit operierenden Organisation war, die – na, wie soll ich sagen – menschliche Eizellen und Embryonen verhökert."

Kay und Thornton starrten ihn an. „Also doch!“

Harris warf Kay einen Ordner auf den Schreibtisch. „Das musst du dir mal durchlesen! Darin findest du alles, was du dir vorstellen kannst. Diese feine Firma trägt den Namen *Fertilitas*. Geschmackvoll, nicht wahr? In elf Ländern haben sie sogar offizielle Zweigniederlassungen.“

„Womit handelt die *Fertilitas* denn?“, unterbrach Thornton.

„Nun, man kann bei der *Fertilitas* zum Beispiel die glückliche Familie kaufen“, erwiderte Harris sarkastisch. „Die erfolgreiche Geburt eines Kindes, wahlweise Geschlecht auf Wunsch, inklusive In-vitro-Fertilisation und Leihmutter für nur fünfzigtausend Dollar. Wenn ihr euch die Leihmütterverträge anseht, kommt euch das kalte Kotzen.“ Er riss Kay wütend den Ordner aus den Händen und blätterte, bis er eine bestimmte Seite gefunden hatte. „Hier. Die durchweg jungen Frauen müssen sich verpflichten, während der Leihschwangerschaft wöchentlich zur Untersuchung bei einem der *Fertilitas*-Ärzte zu erscheinen. Sie dürfen nicht rauchen, keinen übermäßigen Sport treiben, keinen Alkohol trinken und so weiter und so weiter. Beim ersten Anzeichen einer wie auch immer gearteten Behinderung oder Missbildung des Embryos müssen sie eine Abtreibung vornehmen lassen. Bei Nichtbeachtung der vertraglichen Vereinbarungen wird das Honorar, zwischen zehn- und fünfzehntausend Dollar, nicht ausbezahlt. Ein Skandal ist dieser Passus hier.“ Harris tippte mit dem Finger auf das Blatt. „Sollte das Neugeborene trotz aller getroffenen Vorsichtsmaßnahmen geistig oder körperlich behindert sein, können die genetischen Elternteile die Annahme verweigern und müssen lediglich die juristische Vormundschaft übernehmen. Die *Fertilitas* ist in solchen Fällen selbstverständlich bei der Suche nach einer angemessenen Heimunterbringung behilflich.“

Kay und Thornton hatte es die Sprache verschlagen.

„Und das ist bei weitem noch nicht das ganze Angebot dieser Firma.“ Harris ergriff einen anderen Aktenordner. „Da werden offensichtlich auch überzählige Eizellen, unbefruchtet oder befruchtet, sowie Mehrzellstadien unter der Hand an Forschungsinstitute verkauft. Sehr lukrativ, wenn ich mir diese Notizen hier ansehe. In einigen Ländern gehören auch mehrere Armeelabors zu den Abnehmern.“

Harris knallte den Ordner auf den Teppichboden.

„Es geht noch weiter“, klärte er seine beiden Zuhörer mit finsterem Gesichtsausdruck auf und nahm einen weiteren Ordner zur Hand. „Das Widerlichste findet sich hier. Die *Fertilitas* liefert auch Embryos und Föten in frühem Stadium für die Pharmaforschung. Nicht, dass ihr jetzt denkt, sie würden dabei ausschließlich auf Material zurückgreifen, das während eventueller Abtreibungen anfällt, nein, es wurden sogar nur für diesen Zweck Leihmütter angeheuert. Natürlich für weniger Geld, weil die Dienste der Frauen ja nur für kurze Zeit in Anspruch genommen werden. Damit hat der Professor offenbar eine Menge Geld verdient, seine Möglichkeiten im St.-Anne's waren ja auch optimal.“

„Und nebenbei kassiert er auch noch sein Professorengehalt“, warf Kay grimmig ein.

„Allerdings, und zwar aus dem australischen Steuersäckel.“

„Nun ja nicht mehr“, erwiderte Kay, bitter lächelnd. „Insofern hatte der Selbstmord auch sein Gutes.“

„Geht aus diesen Unterlagen eigentlich hervor, wer dieser Organisation sonst noch angehört?“, fragte Thornton nachdenklich.

Harris schüttelte den Kopf. „Bis jetzt habe ich noch nichts dergleichen gefunden. Aber ich werde so lange suchen, bis ich etwas finde. Selbst wenn alles andere durch irgendwelche juristischen Spitzfindigkeiten abgedeckt sein sollte – in Australien ist die Bezahlung von Leihmutterschaften verboten. Und dafür werde ich sie drankriegen!"

„Da haben wir ja ein richtiges Rattennest entdeckt", meinte Adrian Kay nachdenklich. „Aber wie hängt die McKinley da mit drin? Wenn Lundquist wieder anruft, möchte ich gerne mit neuen Erkenntnissen aufwarten. Die haben wir zwar gewonnen, aber im Fall McKinley hilft uns das bisher wenig weiter."

„Vielleicht doch", warf Jeffrey Thornton ein. „Möglicherweise hat die McKinley Wind von den illegalen Aktionen der *Fertilitas* gekriegt und ist deshalb entführt worden."

„Sie meinen, dieser Bekennerbrief, der Sir Ronald vorliegt, von dieser ‚Befreiungsarmee von Costa Rica' oder so ähnlich war ein Ablenkungsmanöver?"

„Warum nicht?"

„Möglich ist das. Ich halte es allerdings für unwahrscheinlich, dass die Engländerin deshalb entführt worden ist. Bedenken Sie bitte, Jeffrey, dass wir in diesem Fall zwei Leihmütter haben, Ann Dougan, von der die McKinley weiß, und Doreen Gray, von deren Existenz sie wahrscheinlich nichts ahnt. Und die McKinley ist entführt worden, bevor wir Doreen Gray gefunden haben. Für mich heißt das, das eine hat mit dem anderen zumindest unmittelbar nichts zu tun."

„Hast du eigentlich eine schlüssige Vorstellung, warum es diese zweite Leihmutter überhaupt gibt, Adrian?", wollte Harris wissen.

Kay schüttelte den Kopf. „Nur die, die Lundquist entwickelt hat. Irgendjemand wollte die McKinley unter Druck setzen und hat sich für alle Fälle ein weiteres Faustpfand gesichert: den Zwilling von ihrem ersten Kind."

„Ganz schön vorausschauend, dieser Irgendjemand. Und er muss etwas ziemlich Großes von der McKinley wollen, sonst verstehe ich diesen ganzen Aufwand nicht“, meinte Daniel Harris, während er versuchte, eine Brasil zum Glimmen zu bringen. „Aber wer, zum Kuckuck, ist dieser Irgendjemand?“

Kay zuckte mit den Schultern. „Ich weiß es nicht. Aber wir haben eine Verbindung zwischen dem Fall McKinley und der Firma *Fertilitas*. Und zwar über unseren Professor Callaghan, der bei beiden eine Rolle spielt – oder besser, spielte. Ich gehe im Moment davon aus, dass zwischen den Erpressern und dieser feinen Firma eine Verbindung besteht. Anders könnte ich mir nämlich nicht erklären, wie die Erpresser das Geschehen kontrolliert haben könnten, wo die McKinley die ganze Angelegenheit doch geheim gehalten hat.“

Daniel Harris vergaß für einen Moment an seiner Zigarre zu ziehen. „Ich glaube, ich weiß, was du denkst. Wenn ich dich richtig verstehe, gibt es Arbeit für Stephen Montgomery in London.“

Jeffrey Thornton machte ein etwas verständnisloses Gesicht, während Kay eindringlich nickte. Daniel Harris hatte die gleiche Lösung gefunden wie er selbst. Der Kreis begann sich zu schließen.

Thornton wollte gerade zu einer Frage ansetzen, als die Bürotür aufflog und Kays Sekretär ins Büro stürmte.

„Emerson, was ist los, warum so eilig?“

„Sir, eben kam ein Anruf von Dr. Lundquist. Er war offenbar in großer Eile.“

„Lundquist hat angerufen?“, fragte Kay erleichtert. „Ist er noch in New York?“

„Nein, Sir, er sprach aus Montreal.“

„Montreal in Kanada?“

„Ja, Sir, ich denke schon, dass er dieses Montreal meinte“, erwiderte Emerson Coleclough geduldig. „Er lässt ausrichten, dass er nach Costa Rica unterwegs ist.“

Kay blickte Harris an.

„Der Junge kommt ganz schön herum in letzter Zeit, was?“, fragte Harris lächelnd. „Vielleicht solltest du ihn in meine Abteilung versetzen, wenn er wieder zurück ist. Eigentlich machen wir die Auslandsaufklärung.“

Ungläubig schüttelte Kay den Kopf. „Er lässt nicht locker. Aber was treibt ihn nach Costa Rica? Ob der Bekennerbrief doch echt war? – Was hat er sonst noch gesagt, Emerson?“

„Nicht viel, Sir. Er hat lediglich noch ein Wort buchstabiert und gesagt, Sie würden schon selbst herausfinden, was er damit meine. P-A-F-C-O.“

„PAFCO? Die *PanAmericanFruit Company*? Gut, ich werde herausfinden, was diese Firma mit Lundquists Reiseziel zu tun hat“, kündigte Kay entschlossen an. „Und jetzt, Emerson, stellen Sie mir bitte eine Verbindung zu Sir Ronald in London her. Ich gehe jede Wette ein, dass Idwood Green mit nach Costa Rica fährt. Vielleicht können wir Lundquist über diesen Weg einige Informationen zukommen lassen.“

Dan Harris erhob sich aus seinem Sessel. „Und ich werde ebenfalls mit London Verbindung aufnehmen und Stephen Montgomery in Bewegung setzen. Bis dann, meine Herren.“

Während er Harris nachblickte, begann Jeffrey Thornton zu verstehen, warum die beiden Geheimdienstchefs die ‚Secret twins‘ genannt wurden.

New York, USA

Edward Walthamstow leistete sich an diesem Nachmittag das seltene Vergnügen, im Nobelhotel Helmsley Palace gegenüber der Patrick's Cathedral einen der ausgezeichneten Martinis zu trinken. Das Gefühl, inmitten der Reichen Amerikas und der Welt einen Drink zu nehmen, vermittelte ihm ein äußerst angenehmes Gefühl; mitunter empfand er sogar einen gewissen Anflug von wolllüstiger Zufriedenheit über diese kurze nachmittägliche, wenn auch imaginäre Zugehörigkeit zum Geld- und Machtadel. Bei dieser Gelegenheit verwünschte er regelmäßig die Tatsache, dass er seinen beträchtlichen Einfluss nur verborgen vor der Öffentlichkeit geltend machen konnte. Aber seine große Zeit würde noch kommen.

Walthamstow nippte an seinem Drink. Die entspannte Stimmung wollte sich heute allerdings nicht so recht einstellen. In dem Spiel, dass er zur Zeit spielte, vermisste er seit kurzem eine der Spielfiguren. Wo mochte dieser australische Grünschnabel sein, der sich so hartnäckig auf dem Spielplan bewegte und die wohl geordneten Figuren unnötig durcheinander brachte? Walthamstow musste sich eingestehen, dass er diesen Burschen unterschätzt hatte. Zuerst war Mitchell irgendwo zwischen Athen und London vom Spielbrett verschwunden, ohne dass er herausgefunden hätte, was dieser Lundquist eigentlich in Athen wollte. Mitchells Auffassung, der australische Geheimagent wolle die McKinley kontaktieren, hatte sich offensichtlich als falsch herausgestellt, denn er hatte keine Verbindung zu der Britin aufgenommen.

Aber was, zum Teufel, wollte Lundquist dann? Und wie hatte er die Verbindung zu Ferguson-Smith herstellen können? Edward Walthamstow fiel dafür nur eine Erklärung ein.

Lundquist hatte seinen Verfolger bemerkt, ihn gestellt, ausgequetscht und anschließend verschwinden lassen. Und darüber war Walthamstow beunruhigt, denn er kannte Mitchell als eiskalten Profi, der zuvor nie versagt hatte.

Der drahtige Mittvierziger in dem dezenten grauen Maßanzug bestellte noch einen Martini und zündete sich einen dünnen Zigarillo an. Während er die ersten Rauchringe blies, überprüfte er kritisch seine eigenen Anweisungen. Bisher konnte er nur einen Fehler entdecken. Die Neugier auf die Motive des Australiers Lundquist hatte ihn dazu verleitet, eine unnötige Aktion zu veranlassen; und dann ausgerechnet hier in New York. Er hatte den Kerl auspressen und dann verschwinden lassen wollen, aber der Plan endete im Fiasko. Zu allem Überfluss war Lundquist seitdem wie vom Erdboden verschluckt. Die Überwachung der Flughäfen zeigte auch kein greifbares Ergebnis. Wo konnte der Kerl bloß sein?

Ein schwarz befrackter Kellner stellte das neue Martiniglas vor Walthamstow ab und unterbrach ihn für einen Moment in seinen Gedanken. Wenigstens lief es in London einigermaßen glatt, dachte der Amerikaner. Die Engländer hatten anscheinend den Köder mit dem Bekennerbrief geschluckt, denn die britische Regierung hatte den costa-ricanischen Botschafter in London inzwischen ins Außenministerium zitiert, um ihm eine Protestnote zu überreichen und ihn aufzufordern, alle nötigen Maßnahmen einzuleiten, um die Chefin der *Imperial Bank* aus der Gewalt der ‚Nationalen Befreiungsarmee' zu befreien.

Walthamstow zog an seinem Zigarillo, nahm einen Schluck Martini und entschloss sich, einige Leute mit der endgültigen Lösung dieses Problems zu beauftragen. Brennend interessierte ihn in diesem Zusammenhang auch der Verbleib von Lundquists Begleiter, der da im Londoner Hafengelände zu einem gefährlichen Störfaktor geworden war. Was wusste er und was hatte er mit der Schiffsliste gewollt?

San José, Costa Rica

Der Sekretär des britischen Konsulats in San José, Cecil Henderson, erhob sich neugierig von seinem Schreibtisch, als die Vorzimmerdame ihm zwei Besucher ankündigte. Er konnte sich denken, um wen es sich handelte. In den letzten zwei Tagen waren einige sehr ungewöhnliche, verschlüsselte Telefongespräche zwischen London und San José geführt worden, und er, Cecil Henderson, hatte die Angelegenheit in die Hand genommen. Der Konsul selbst, Sir Ian Detrick, verbrachte zur Zeit in Puntarenas am Golf von Nicoy einen kurzen Badeurlaub.

Die beiden Männer, die die Sekretärin hereinführte, entsprachen allerdings so gar nicht den Vorstellungen, die Henderson sich von Geheimdienstagenten des Secret Service machte. Der eine war etwa einsneunzig groß, dunkelhaarig, sah ziemlich übermüdet aus und hatte dunkle Ringe unter den Augen. Der andere war etwas kleiner, athletisch gebaut, braun gebrannt und vollbärtig. Er trug eine angeschmutzte Windjacke und kaute auf dem Filter einer halb gerauchten, erkalteten Zigarette herum. Ohne sie aus dem Mund zu nehmen, begann er zu reden.

„Guten Tag, Mr. Henderson. Mein Name ist Green. Dies ist mein Kollege Lundquist. Ich denke, Sir Ronald Abbott hat uns avisiert."

Henderson starrte den Sprecher einen Moment lang an, bevor er antwortete. „Das, äh, das ist richtig. London hat uns informiert. Ich bin beauftragt, Ihnen einige Informationen zu übermitteln. Wir hatten Sie allerdings früher hier erwartet, Dr. Green."

„So, hatten Sie das? Nun, wir mussten einige kleine Umwege in Kauf nehmen, Sie verstehen? Aber jetzt sind wir ja hier. Welche Informationen haben Sie für uns?"

Lundquist hatte sich unterdessen in einen Sessel fallen lassen und war damit beschäftigt, sich eine Zigarette anzuzünden.

Henderson räusperte sich kurz und antwortete dann in wichtigem Ton: „Also, drei Punkte. Erstens, Kurs Excalibur wird überwacht und bestätigt, voraussichtliche Ankunft 4. September. Zweitens, DG gefunden, C Selbstmord."

„Das Sterben geht munter weiter", murmelte Stan in seinem Sessel.

„Äh, ja", fuhr Henderson irritiert fort, „und dann habe ich Ihnen laut Anweisung zwei Walther-PPK-Pistolen besorgt. Ich hoffe, Sie sind damit zufrieden." Er ging zu seinem Schreibtisch und öffnete eine Schublade, nahm die Handfeuerwaffen heraus und übergab sie Green. Der Engländer überprüfte die Waffen routiniert und warf eine zu Lundquist hinüber. Dann wandte er sich wieder Henderson zu. „So, dann organisieren Sie uns jetzt bitte eine Schlafgelegenheit; wir sind reichlich geschafft. Und während wir schlafen, besorgen Sie uns bitte unauffällige Kleidung; irgendetwas ganz Einfaches. Leinenanzug mit Strohhut und entsprechenden Schuhen, was man hier so trägt als Landarbeiter, okay? Die Sachen brauchen übrigens nicht sauber und gebügelt zu sein."

Henderson sah Green verständnislos an. „Eh, sicher, Mr. Green, ich werde mich sofort um alles kümmern. Wir haben ein paar Besucherliegen. Wäre Ihnen das recht?"

„Das wäre sogar perfekt. Nur schnell ins Bett und schlafen."

Die kombinierte Flug-, Leihwagen- und Busreise von Mexico City über Panama nach San José hatte doch sehr geschlaucht. Idwood fielen fast im Stehen die Augen zu. Nachdem auch Stan mit Mühe aus dem Sessel hochgekommen war, folgten die beiden dem Konsulatssekretär ins obere Stockwerk. Wenige Minuten später schliefen sie tief und fest, während Henderson daran ging, den Auftrag zu erfüllen, den ihm Green gegeben hatte. Der Gesichtsausdruck, mit dem er dies tat, wollte allerdings so gar nicht zu dem servilen Verhalten passen, das er vorher an den Tag gelegt hatte. –

Über San José gingen auch in dieser Nacht ergiebige Regenfälle nieder. Vor zwei Tagen hatte die Trockenheit der letzten Wochen endlich ein Ende gefunden. Am frühen Vormittag des nächsten Tages hörte der Regen auf und die warme Feuchtigkeit schuf ein Klima wie in der Sauna.

Greg Salewski saß in dem vollklimatisierten Büro des *Pan AmericanFruit*-Palais und schrieb einige kurze Notizen in einen kleinen Memoblock. Nachdem er ihn in die oberste Schublade seines Schreibtisches zurückgelegt hatte, dachte er noch einmal über das Telefongespräch mit Walthamstow nach, das er vor wenigen Minuten geführt hatte. Offenbar lief die gegenwärtige Aktion durchaus planmäßig. Ein riskantes Unternehmen, dachte Salewski, aber was sein musste, musste wohl sein. Niemandem wurde etwas geschenkt. Bei der gegenwärtigen Situation half nur hartes Durchgreifen, sonst konnte die *PAFCO* auch freiwillig die Sachen packen. Und für hartes Durchgreifen war Edward Walthamstow zuständig, ein Profi, der bisher alle Probleme gelöst hatte, mit denen ihn die Firmenleitung konfrontierte.

Salewski atmete tief durch. Er würde von seiner Seite aus ebenfalls adäquaten Druck auf die entsprechenden Stellen ausüben, um diesen korrupten Politikertrotteln, die die neue Regierung bildeten, ihre Grenzen aufzuzeigen. Die größte Firma des Landes ließ sich nicht so einfach ausbooten. Salewski erhob sich von seinem Sessel, öffnete die Terrassentür und trat hinaus. Die feuchte Tropenluft trieb ihm innerhalb weniger Sekunden den Schweiß auf die Stirn. Kein Wunder, dass bei diesem Klima die Bananen wuchsen wie Unkraut.

Das klingelnde Telefon auf dem Schreibtisch schreckte den *PAFCO*-Manager aus seinen Gedanken. Er verließ die Terrasse und kehrte ins Büro zurück. Sein Sekretär erinnerte ihn an eine Verabredung am frühen Nachmittag. Als Salewski den Hörer zurück auf die Gabel legte, spürte er einen warmen Luftzug im Nacken, und Sekundenbruchteile später fühlte er etwas Hartes, Metallisches hinter seinem rechten Ohr.

„Keine einzige Bewegung, Mann, sonst ist Feierabend mit der Bananenernte, verstanden?“ Idwood Green stand mit leicht gegrätschten Beinen hinter ihm und wies Stan Lundquist mit einem leichten Kopfnicken an, die Terrassentür wieder zu schließen.

Salewski wirkte ziemlich verdattert. Mit einem Überfall am helllichten Mittag rechnete man auch hier in San José nicht. Außerdem gab es eine Wachmannschaft im Haus. Wie waren diese Kerle hier hereingekommen? Und was wollten sie?

Stan Lundquist ließ den Blick über den parkähnlichen Garten streifen. Von den Wachposten war nichts zu sehen. Denen war es wahrscheinlich zu warm draußen. Er drehte sich zu Green und Salewski um. Die ganze Aktion war ein Vabanquespiel, und es hatte während ihrer Anreise lange Diskussionen darüber gegeben, wie sie hier in San José vorgehen sollten. Idwood hatte seine Vorstellungen letztendlich durchgesetzt.

Stan war gespannt. Es gab zwei Varianten, die aber beide prinzipiell aufs Gleiche hinausliefen. Entweder Salewski wusste etwas über Martha McKinleys Verbleib und packte aus. Dann mussten sie ihn mitnehmen, bis sie die Britin befreit hatten. Oder er wusste nichts oder wollte nichts sagen, dann mussten sie ihn ebenfalls so lange irgendwo festsetzen, bis sie die McKinley anderweitig aufspürten.

„Sie sind also Greg Salewski“, stellte Green mit gefährlich leiser Stimme fest und verstärkte den Druck mit der Pistole ein wenig.

„Hören Sie“, erwiderte Salewski ohne bemerkbare Unruhe, „egal, was Sie von mir wollen, Sie haben keine Chance. Im Gebäude wimmelt es von Wachpersonal. Bilden Sie sich nicht ein, dass ich mir in meinem eigenen Haus Ihren Willen aufzwingen lasse.“

Der Engländer versetzte dem *PAFCO*-Manager mit dem Pistolenlauf einen kurzen Stoß an den Hinterkopf. „Riskieren Sie bloß keine große Klappe, sonst werd ich zum Tier! Und bevor Sie sich irgendwelchen Illusionen bezüglich der Wachposten hingeben: Wir sind unbemerkt hereingekommen, also kommen wir auch unbemerkt wieder hinaus, okay? So, und jetzt sagen Sie uns am besten mit ganz einfachen Worten, wohin Ihr Verein Martha McKinley verschleppt hat!“

Salewskis Muskulatur versteifte sich merklich. Ihm war der Schreck in die Glieder gefahren. Walthamstow hatte doch gerade vorhin am Telefon noch behauptet, es sei alles in Ordnung? Salewski hatte Mühe, seine Gedanken zu ordnen, unter anderem auch deshalb, weil ihm Green den Pistolenlauf wieder schmerzhaft an den Hinterkopf presste. „Na, was ist nun?

Wo ist die Dame hingekommen? Ich rate Ihnen, reden Sie, und zwar innerhalb der nächsten fünf Minuten."

„Ich ... ich weiß nicht, was ... wer ist diese Martha McKinley überhaupt, von der Sie da faseln?"

Stan Lundquist war aufgrund der ersten Reaktion des *PAFCO*-Managers überzeugt davon, dass er etwas über die McKinley wusste, und deshalb platzte ihm jetzt übergangslos der Kragen. Er trat hinter Salewski, riss ihm den rechten Arm auf den Rücken und dirigierte ihn zur rechten Wand des großen Büros. Dort stand inmitten der Holzvertäfelung eine Tür offen, die in ein kleines Badezimmer führte, in dem sich der Konzernmanager vor wichtigen Besprechungen frisch zu machen pflegte.

Der lange Australier schubste Salewski vor das Waschbecken, steckte mit der freien linken Hand den Gummistopfen in den Abfluss und ließ Wasser ein. Dabei drehte er den Kopf und sagte zu Green: „Ich werde mich ein wenig mit Mr. Salewski unterhalten. Guck du dich doch unterdessen ein bisschen im Büro um."

Green nickte, steckte die Walther in die Hosentasche und zog die oberste Schreibtischschublade auf.

Derweil war das Waschbecken voll gelaufen. Lundquist drehte das Wasser ab, verstärkte den Druck auf Salewskis Arm und sagte in gleichgültigem Ton: „Sie haben die Wahl, Salewski: Entweder Sie reden oder Sie saufen Wasser. Ich habe noch eine Rechnung offen, und es ist mir egal, wer von euch Schweinen sie bezahlt. Also?"

Mit deutlicher Besorgnis in der Stimme antwortete der Amerikaner. „Aber ich bitte Sie, ich habe doch schon gesagt, dass ich nicht weiß, wovon Sie reden."

Lundquists Antwort bestand darin, Salewskis rechten Arm

weiter hoch zu reißen und ihm mit der linken Hand den Kopf ins Waschbecken zu drücken. Nach etwa dreißig Sekunden ließ er ihn wieder los. Salewski schnappte prustend nach Luft.

„Wo ist Martha McKinley?“, fragte Stan mit teilnahmsloser Stimme.

Salewski brachte kaum einen Ton heraus. „Ich kenne diesen Namen nicht, verdammt noch mal.“

Lundquist griff brutal zu. Diesmal ließ er ihn eine ganze Minute ohne Luft. Er kam allerdings nicht mehr dazu, seine Frage zu stellen. Als der Australier Salewskis Kopf losließ, um ihm einen Atemzug zu gönnen, hörte er aus dem Büro ein lautes „Scheiße“ und sah, wie Idwood Green durch die Fensterscheibe hinter Salewskis Schreibtisch sprang. Das Splittern von Glas wurde vom knatternden Geräusch einer Maschinenpistole begleitet, die vom Nebenzimmer aus abgefeuert wurde.

Lundquist versuchte blitzartig, die Situation zu taxieren, und sah nur noch eine Chance. Er riss Salewski herum und stieß ihn zur Verbindungstür. Mit kurzem Blick schätzte er die Entfernung bis zu dem von Idwood als Notausstieg missbrauchten Fenster ab. Dann atmete er tief durch und stieß Salewski durch die halb geöffnete Tür ins Büro. Sofort ratterte die Maschinenpistole wieder los. Während der *PAFCO*-Manager vor dem Schreibtisch zusammenbrach, hatte der Schütze das Feuer wieder eingestellt. Aufgeregte Stimmen wurden laut. Die Burschen nebenan erkannten wohl, auf wen sie da geschossen hatten.

In diesem Moment stürmte Stan los. Mit vier wahren Panthersätzen erreichte er das Fenster und sprang einfach kopfüber hinaus. Hinter ihm wurde das Feuer eröffnet und er spürte einen schweren Schlag am linken Oberschenkel. Es schmerzte höllisch, aber das war im Moment zweitrangig. Er hatte alle Hände voll zu tun, die Landung vorzubereiten. Zum Glück begann auf dieser Seite des Herrenhauses das Buschwerk direkt an der Mauer, und er landete mit ausgebreiteten Armen in einem mit rotgelben Blüten übersäten Prachtexemplar. Dabei rammte er sich einen der großen Äste in die Rippen. Der Schmerz nahm ihm den Atem und verdrängte die Sorgen, die er mit seinem Oberschenkel hatte.

Plötzlich fühlte er sich am Oberarm gepackt und tiefer ins Strauchwerk hineingezogen. Vor Schmerz stöhnte er laut auf. Idwood gönnte ihm allerdings keine Pause. Oben am Fenster krachten Schüsse.

„Los, bloß weg!", keuchte der Engländer und riss Lundquist hinter sich her. Der verstand kaum, was Green ihm zurief. Die Schmerzwellen durchfluteten seinen Körper und raubten ihm fast die Besinnung.

„Lass mich hier, ich kann nicht weiter", stöhnte er.

„Halt die Schnauze und komm", zischte Green und zerrte ihn rücksichtslos hinter sich her.

Nach etwa fünfzig Metern erreichten sie den Saum des Buschwerks, hinter dem ein gekiester Platz und Garagen lagen. Zehn Schritte entfernt parkte ein blau lackierter Armeejeep. Green deutete darauf. „Unsere Chance, Stan. Hoffentlich läuft er, sonst können wir einpacken." Er zog Lundquist mit, lehnte ihn an den Jeep und drückte ihm die Pistole in die Hand. Dann deutete er zum Haus. „Falls sie sich heraustrauen …"

Lundquist hielt sich mit der linken Hand krampfhaft am Reserverad fest und beobachtete mit zusammengepressten Lippen die Rückfront der *PAFCO*-Zentrale, während Green auf den Fahrersitz sprang, die Zündkabel unter dem Lenkrad herausriss und den Anlasser kurzschloss. Nach dem ersten missglückten Versuch hörte er Stan rufen.

„Sie kommen!“

Der lange Australier feuerte dreimal. Im selben Moment sprang endlich der Motor des Jeeps an. Green drehte sich um und schrie: „Los, spring rein!“

Lundquist sprang mit dem unverletzten Bein ab und ließ sich einfach auf die hintere Sitzbank fallen. Dann verlor er das Bewusstsein.

Green gab Gas. Hinter ihm ertönten Schüsse. Einige der Projektile schlugen in das Blech der Karosserie ein, und er machte sich hinter dem Lenker so klein wie möglich. Dann bog er um die Ecke des Garagengebäudes und raste auf die hintere Ausfahrt des *PAFCO*-Grundstücks zu. Mit radierenden Reifen schoss der Jeep auf die ruhige Straße hinaus. Idwood wandte sich kurz um. Noch waren sie nicht zu sehen, aber das würde sich vermutlich schnell ändern. Sein Blick blieb kurz auf Stan Lundquist haften, der während der Kurverei von der Rückbank in den Fußraum gerutscht war. So ein Elend, dachte der Engländer, hoffentlich kommt er bald wieder hoch. Alleine wird es kritisch.

Green presste den Fuß auf das Gaspedal und riss das Geländefahrzeug in eine Rechtskurve. Auf dem verwitterten braunen Emailpfeil auf der anderen Straßenseite stand in weißen Buchstaben *San Ignacio*. Der Engländer fingerte mit der rechten Hand eine Karte von Costa Rica aus der Gesäßtasche der geliehenen Baumwollhose und entfaltete sie auf dem Lenkrad, ohne die Geschwindigkeit auch nur einen Deut zurückzunehmen. Während eine Schar verschreckter Hühner in den Straßengraben floh, versuchte Green, San Ignacio auf der Karte zu finden, um sich über den Verlauf der Straße zu informieren. San Ignacio lag etwa im Süden von San José, an den Ausläufern der Cordillera de Talamanca mit ihren imposanten Drei- und Viertausendern.

Falsche Richtung, dachte Green missmutig, wir wollen zur Karibikküste und nicht an den Pazifik.

Er spähte mit leicht zusammengekniffenen Augen vorwärts, denn er hatte ein Hinweisschild entdeckt, das kaum noch zu entziffern war. Erst als er daran vorbeiraste, gelang es ihm, den Ortsnamen *Corralillo* zu erraten. Corralillo lag immerhin schon weiter östlich als San Ignacio. Um Haaresbreite schaffte er es, den jaulenden Jeep in die links abzweigende schmale Straße zu zwingen.

Zu beiden Seiten stand das Zuckerrohr bis über Augenhöhe, so dass man sich vorkam wie in einer Bobbahn. Wenn uns jetzt ein Lastwagen entgegenkommt, dachte Green vor der nächsten Kurve, dann hat die wilde Jagd ein Ende. Trotzdem ließ er den Fuß hartnäckig auf dem Gaspedal stehen und begann laut zu pfeifen. Das hatte er als kleiner Junge auch immer getan, wenn er im dunklen Keller Angst verspürte.

Wenig später atmete er erleichtert auf, als das Zuckerrohrspalier endete und den Blick auf ausgedehnte Maisfelder freigab. Green merkte, wie die Anspannung etwas nachließ und lehnte sich im Sitz zurück. Dann sah er sich nach den Verfolgern um und konnte zu seiner Beruhigung noch niemanden entdecken. Als er den Kopf wieder nach vorn drehte und die kleine, steinerne Bachüberführung bemerkte, war es schon zu spät. Die Konstrukteure dieser Minibrücke hatten offenbar nicht damit gerechnet, dass ihr Bauwerk einmal mit einer solchen Geschwindigkeit überquert werden würde. Die Brücke war zwar nur sechs oder sieben Meter lang, dafür aber in der Mitte mindestens fünfzig Zentimeter höher als das Straßenniveau. Idwood war nicht mehr in der Lage, das Fahrzeug abzubremsen, und der Jeep jagte mit Höchstgeschwindigkeit über die kleine Sprungschanze.

Der Engländer hatte den Eindruck, als würde er auf eine Mauer auffahren. Er verspürte einen mächtigen Schlag, als sie abhoben, und konnte sich mit Mühe am Lenkrad festklammern. Jetzt bloß mit den Vorderrädern geradeaus landen, befahl er sich, sonst sehen wir ganz alt aus. Rechts neben der Straße stand eine verkommene Bauernhütte, vor der drei Männer saßen und rauchten. Sie erstarrten zur Salzsäule, als auf der Straße direkt vor ihnen ein Jeep landete. Der Geländewagen hätte sich beinahe nach vorn überschlagen, denn er berührte die Piste mit den Vorderrädern in einem ungesund stumpfen Winkel. Es gab ein Geräusch, als wollten Chassis und Karosserie in tausend Einzelteile zerspringen, aber wie durch ein Wunder fiel lediglich der ohnehin leere Reservekanister aus der Halterung und blieb scheppernd vor den verdutzten Zuschauern am Straßenrand liegen.

Green hatte allergrößte Mühe, die Kontrolle über die Fahrtrichtung wiederzuerlangen. Der Schreck saß ihm in allen Gliedern. Meine Fresse, dachte er, das hätte ins Auge gehen können!

Sein Blutdruck begann sich gerade wieder zu normalisieren, als direkt hinter ihm eine Stimme fragte: „Was war das, zum Teufel?“

Verblüfft drehte sich Idwood um. Er hatte Stan während der letzten Minuten völlig vergessen. Der Australier war durch die unsanfte Fahrweise zu sich gekommen und saß nun mit hochgelegtem Bein auf der Rückbank.

„Mir war langweilig“, erwiderte der Engländer mit erleichtertem Grinsen. „Deshalb habe ich ein paar Kunststückchen ausprobiert. Nicht weiter schwierig. Man muss einfach auf dem Gas bleiben. Wie geht's dir?"

„Ausgezeichnet, danke", sagte Lundquist, hielt sich den Brustkorb und deutete auf seinen verletzten Oberschenkel. „Ich fühle mich wie James Dean – nach dem Unfall! Wohin fahren wir eigentlich?"

Green zuckte andeutungsweise die Achseln. „Nach Südosten, in die Berge", antwortete er dann und wies nach vorne. Die Straße führte jetzt etwas bergan und arbeitete sich mit einer leichten Rechtskurve einen lang gestreckten Hang hinauf. Dahinter war in der Ferne der eindrucksvolle Gipfel des Cerro Vueltas erkennbar.

„Da fahren noch andere Leute in die Berge", meinte Stan plötzlich sarkastisch. Greens Kopf fuhr herum. Schätzungsweise zwei Kilometer hinter ihnen, so etwa an der tückischen kleinen Brücke, erspähte er eine dunkle Limousine, die ihnen mit hohem Tempo folgte.

„Wir müssen uns was einfallen lassen, Stan, wir haben kaum noch Benzin. Der Spritanzeiger fällt ständig. Ich vermute, dass der Tank bei der Landung etwas gelitten hat."

Der Satz war kaum beendet, als der Jeep zum ersten Mal unwillig ruckte. Die Straße führte jetzt auf eine scharfe Kurve zu und verschwand danach hinter dem rechts aufsteigenden Hang, der von einem kleinen Nadelwäldchen bewachsen war. Links fiel das Gelände in sanftem Schwung in Richtung der Maisfelder ab und auf dem grünen, makellosen Grasteppich lagen nur einige größere Felsbrocken verstreut umher.

Green fasste in die Jackentasche, holte zwei neue Magazine heraus und warf sie Lundquist nach hinten. „Lad die Pistolen. Ich befürchte, es gibt gleich Arbeit."

Zwei Minuten später erreichten sie die Kurve. Etwa zwanzig Meter nach ihrem Scheitelpunkt stoppte Idwood den Jeep und rangierte ihn quer auf die Schotterpiste. Dann half er Stan aus dem Wagen heraus. Der Australier konnte sich ein Stöhnen nicht ganz verkneifen. Green sah an ihm hinunter. Die linke Hälfte der Baumwollhose war blutdurchtränkt.

Idwood musterte Stans Gesicht. Der Australier atmete tief durch und hielt die Augen geschlossen. Dann schlug er sie auf und sah Green an.

„Im Moment halt ich es noch aus. Zum Glück ist es kein Steckschuss. Die Kugel hat mir nur ein Stück Fleisch gestohlen. Ich glaube, es sieht schlimmer aus, als es ist."

Hoffentlich, dachte Idwood, wir haben heute nämlich noch einiges vor. Er half dem langen Australier ein paar Meter weiter zum Straßenrand, hinter dem sie sich niederlegten und auf die Verfolger warteten. Es dauerte keine dreißig Sekunden. Green entsicherte die Pistole und setzte den Knauf auf einen Stein auf.

Der dunkle Chevy näherte sich mit hoher Geschwindigkeit. Der Fahrer ging nur kurz vom Gas, um abzubremsen und zwang die Limousine dann in die Rechtskurve. Genau in diesem Moment feuerte Idwood sein Magazin auf die Vorderreifen leer.

Mit geplatzten Pneus war der Chevy nicht in der Kurve zu halten. Er schoss über den Straßenrand hinaus, den Hang hinunter. Die unfreiwillige Landpartie endete nach zwanzig Metern an einem hohen Felsbrocken. Mit einem mörderischen Geräusch stoppte der große Stein die *PAFCO*-Limousine in der Mitte des Kühlergrills und katapultierte den Motorblock durch das Armaturenbrett in die Fahrgastzelle. Benzin lief aus und entzündete sich am glühend heißen Metall. Mit einem lauten Knall verwandelte sich der Blechhaufen in ein Flammenmeer.

Vergebens bemühte sich Idwood Green, nahe genug an das Wrack heranzukommen, um den *PAFCO*-Leuten vielleicht noch zu helfen. Die Hitze war zu groß. Er musste tatenlos zusehen, wie das Feuer weiter wütete, bis es nach gut fünf Minuten langsam an Energie verlor.

Stan hatte sich inzwischen lang im Gras ausgestreckt und blickte in den Himmel, von dem die glühende Mittagssonne herabbrannte und das öde, trockene Gefühl in ihm verstärkte. „Es will nicht aufhören", sagte er traurig, ohne Idwood anzusehen, der sich unterdessen neben ihm ins Gras gesetzt hatte. „Ich weiß nicht einmal mehr genau, wie viele Tote es überhaupt bisher gegeben hat."

Zustimmend nickte der Engländer. „Du hast Recht, es ist alles eine einzige große Scheiße."

Schweigend betrachteten sie das brennende Wrack. Das Knistern und Knacken waren die einzigen Geräusche, die hier draußen zu hören waren.

Nach einer Viertelstunde erhob sich Green seufzend und ging zurück zum Jeep, der immer noch quer auf der Straße stand. Er löste die Handbremse und schob laut keuchend, bis er das Fahrzeug von der Straße hinunter auf die abschüssige Wiese bugsiert hatte. Er sprang hinein und lenkte den abwärts rollenden Geländewagen auf das immer noch zündelnde *PAFCO*-Wrack zu. Kurz vor dem Aufprall sprang er ab. Der Jeep stocherte mit dem Kühlergrill im glühenden Heck des Chevys herum und stand einige Minuten später selbst in Flammen.

Idwood hatte inzwischen seinem australischen Freund auf die Beine geholfen und ihn über die Straße an den Rand des Nadelwäldchens geführt. Dort ließ er ihn behutsam im Schatten eines Baumstammes nieder und kümmerte sich um die

Beinwunde. Er zog sein Klappmesser aus der Socke und säbelte dem Australier einfach das linke Hosenbein ab.

Stan war baff. „Hör mal", ich wusste ja, dass ihr Engländer einen skurrilen Geschmack habt, aber das hier geht zu weit."

„Tut mir Leid, ich wusste nicht, dass du heute noch auf einen Bal paré eingeladen bist. Aber ohne Krawatte wird das ohnehin nicht viel werden."

„Den Humor haben wir wenigstens noch nicht ganz verloren. Aber im Ernst, Idwood, schneid mir das andere Hosenbein auch ab, sonst fühle ich mich so asymmetrisch."

Green machte sich an die Arbeit und überreichte Stan das Stoffstück. „Halt mal. Das nehmen wir als Verband. Den Rest spendier ich." Er zog seine Jacke aus, riss das Schulterpolster heraus und formte eine Kompresse, die er mit Stans abgeschnittenem Hosenbein festband. „Sieht doch gar nicht so schlecht aus", sagte er dann. „Ich hoffe nur, du bereust die Hosenbeinabschneiderei heute Abend nicht, wenn dich die Moskitos piesacken."

„Moskitos? Heute Abend? Wo werden wir denn heute Abend sein? Du hast doch noch irgendetwas in petto; das sehe ich dir an."

„Ich hoffe es, denn es ist so gut wie sicher, dass Salewski Großalarm gibt. Er wird uns ..."

„Er wird gar nichts", unterbrach ihn Lundquist.

„Wieso? Wie kommst du darauf?"

„Greg Salewski ist tot."

Idwood starrte Stan an. „Hast du ihn etwa im Waschbecken ...?"

„Quatsch", schnitt ihm der Australier das Wort ab und schilderte Green, wie er aus dem Badezimmer entkommen war.

Der Engländer hörte ihm stirnrunzelnd zu. „Das ändert die Sachlage allerdings beträchtlich. Dann könnten wir Glück haben, weil keiner weiß, wer Salewskis Besucher waren. Selbst wenn uns jemand gesehen hat, vermuten sie vielleicht nur einen ‚normalen' Einbruch, da wir in diesen Baumwollanzügen als Einheimische durchgehen. Vielleicht. Und das könnte uns einen Zeitvorsprung geben."

„Wieso Zeitvorsprung? Was willst du denn jetzt unternehmen? Wir müssen erst einmal wissen, wo die McKinley ist."

Greens dreckverschmiertes Gesicht verzog sich zu einem Grinsen. „Das wissen wir schon, lieber Stan."

„Wir? Du vielleicht. Ich nicht!"

„Ich sag's dir ja jetzt. Sie ist tatsächlich auf der *Excalibur.* Das Schiff soll in fünfeinhalb Tagen hier, oder besser gesagt, in Limón eintreffen."

„Woher weißt du das auf einmal so sicher?"

„Nun, während du mit Salewski im Bad geplaudert hast, habe ich mir seinen Notizkalender angesehen. Laut letzter Eintragung hat er zehn Minuten vor unserem Besuch mit einem gewissen Walthamstow telefoniert. Schon mal gehört, den Namen?"

Lundquist schüttelte den Kopf.

„Die Eintragung lautete: Anruf Walthamstow, Excalibur/McK an Sonntag, Limón."

„Sagenhaft", gab Lundquist zu. „Wo liegt Limón?"

„Auf der anderen Seite Costa Ricas, an der karibischen Küste. Es ist der größte Verladehafen der *PAFCO*, mitten im Hauptanbaugebiet. Wenn sie da anlegen, haben sie die McKinley im Sack, so oder so."

„Und was soll jetzt passieren? Ich meine, wie kommen wir an sie heran?"

„Nun, nach den letzten Satellitenauswertungen, die Abbott vor meinem Abflug aus London veranlasst hatte, schätze ich, dass die *Excalibur* etwa in anderthalb Tagen Puerto Rico passieren wird. Das heißt, dass sie übermorgen die Mona-Passage hinter sich gelassen haben wird, also die Durchfahrt zwischen Puerto Rico und der Dominikanischen Republik, die Hauptwasserstraße zwischen Atlantik und Karibik. Das bedeutet weiterhin, dass wir noch Zeit haben, einen Akt von Piraterie zu planen, um die McKinley mitten in der Karibischen See von diesem Schiff zu holen."

„Das kann aber ziemlich böse enden, mein Freund; zum Beispiel, wenn sie uns dabei schnappen, die McKinley über Bord werfen und uns anschließend als Geheimdienstagenten der Presse auf dem silbernen Tablett servieren."

„Du hast Recht, Stan, wir müssen höllisch aufpassen und uns etwas einfallen lassen. Allerdings können wir alles ganz und gar vergessen, wenn wir hier hocken bleiben. Wir müssen irgendwie zurück ins Konsulat in San José, um die nötigen Vorbereitungen zu treffen. Hör zu, ich werde versuchen, ein Auto aufzutreiben. Auf der anderen Seite dieses Hügels gibt es, glaube ich, einen Bauernhof. Vielleicht können die uns aushelfen. Bleib hier und warte auf mich. Ich werde dich hier abholen. Einverstanden?"

„In Ordnung, Idwood. Und versuch dich zu beeilen, bitte. Ich brauche irgendwann einen Arzt."

Green nickte, gab dem Langen einen Klaps auf die Schulter und trabte dann im leichten Dauerlauf davon. Lundquist blickte ihm nach, bevor er eine einigermaßen bequeme und schmerzarme Körperlage einnahm, um sich ein Gesundheitsschläfchen zu gönnen. Hoffentlich dachte Idwood daran, Wasser mitzubringen. Die sengende Mittagshitze war kaum noch zu ertragen.

Idwood kehrte nach knapp anderthalb Stunden zurück, und zwar am Steuer eines verbeulten roten Datsun Pickups. Er hupte dreimal kurz, bevor er ausstieg und auf den Platz zuging, an dem er Stan verlassen hatte.

Der Australier richtete sich mit schmerzverzerrtem Gesicht auf.

„Da bin ich wieder, altes Känguru", sagte Idwood aufmunternd und deutete auf den Kleinlastwagen. „Ist das nicht ein toller Schlitten?"

„Wo hast du den denn aufgetrieben?"

„Ich habe ihn dem Bäuerlein da hinten abgehandelt. Bei dem Preis, den ich ihm gezahlt habe, konnte er gar nicht nein sagen. Wie geht es dir?"

„Ziemlich beschissen", stöhnte Lundquist, „es schmerzt höllisch. Auch der Brustkorb. Ich glaube, ich habe mir bei der Landung in diesem Mistbusch ein oder zwei Rippen gebrochen."

„Also dann, mein Freund. Ein Grund mehr, dass wir uns sputen." Er trat dicht an den Australier heran und bot ihm seinen Arm. „Darf ich bitten, junger Mann?", fragte er grinsend.

„Danke, sehr freundlich", antwortete Lundquist und mühte sich mit Greens Hilfe zum Auto. Mit zusammengekniffenen Lippen nahm er auf dem Beifahrersitz Platz.

Bevor der Engländer anfuhr, langte er beiläufig unter den Fahrersitz und zog eine Flasche mit Wasser hervor. „Hier, trink aus."

Stan leerte die Flasche in einem Zug. Dann legte er Green eine Hand auf den Arm und meinte in flehendem Ton: „Und bitte, Idwood, fahr einfach ganz normal. Noch so einen Kurzstreckenflug wie vorhin überlebe ich nicht."

„Okay, okay, ich fahre, als hätte ich eine Kiste Eier an Bord, ich verspreche es."

Fünfundzwanzig Minuten später fand die relativ gute Laune der beiden Freunde ein jähes Ende. Kurz hinter Desamparados, etwa fünf Kilometer vor San José, hatte die Polizei eine Straßensperre errichtet. Green schaffte es gerade noch, in die letzte Seitenstraße der Ortschaft einzubiegen, als er die drei Polizeijeeps in der Ferne erspähte. Er stoppte den Kleinlaster am Straßenrand und stieg aus. „Ich bin gleich zurück. Vielleicht kriege ich heraus, was das soll."

Ungefähr fünfzehn Minuten später rutschte er wieder hinters Steuer und blickte nachdenklich durch die schmutzige Windschutzscheibe nach vorn. „Tatsächlich, man sollte es kaum für möglich halten!"

„Was denn?"

„Ich war in einem kleinen Café hier um die Ecke. Einer der Gäste war gerade durch die Kontrolle gefahren. Sie suchen zwei Engländer, die in San José einen Mann ermordet haben sollen."

„Oje. Was jetzt?"

Green fingerte seine Straßenkarte aus der Hosentasche und fuhr mit dem Finger eine Straße nach. „Hier entlang sollten wir. Ich habe vor meinem Abflug mit Abbott für den Notfall einiges ausgemacht; und dies ist der Notfall. Wir werden jetzt versuchen, San José großräumig zu umfahren." Er zeigte Lundquist die Karte. „Hier, über Cartago, Turrialba und Siquirres nach Guapiles. Von da aus führt eine Schotterstraße nach Cariari. Diese letzten Orte liegen bereits alle hinter der Pioniergrenze, will heißen im Dschungel, wo die *PAFCO*-Bananen wachsen."

„So we're driving them bananas, he?" Lundquist blieb ernst. „Und weiter?"

„Nun, bei Cariari treffen wir auf den Rio Tortuguero. Er

führt zum Karibischen Meer. Und an seiner Mündung, etwa dreißig Kilometer hinter Cariari, lassen wir uns um Mitternacht abholen."

„Von wem, bitte?"

„Von einem Hubschrauber der Royal Navy. Seit zwei Tagen kreuzt als sprichwörtlicher Rettungsanker ein Raketenschnellboot Ihrer Majestät etwa fünfzig Seemeilen vor den Gestaden dieses wunderbaren Landes und wartet nur darauf, uns aus der Patsche helfen zu dürfen."

„Ich beginne zu ahnen, wie viel deiner Regierung die McKinley wert ist, mein Lieber. Ich hatte es unterschätzt."

„Ja, ja, sie legen sich ganz schön ins Zeug. Allerdings gibt sich Abbott bei seiner Nichte natürlich besondere Mühe."

„Sieht so aus. Aber das kann uns nur recht sein", meinte der Australier. Er warf Idwood einen auffordernden Blick zu. „Was ist jetzt, wollen wir hier siedeln? Ich denke, wir haben eine Verabredung an der karibischen Küste?"

„Ich fahre ja schon."

Gute zwei Stunden später erreichten sie ungeschoren Turrialba. Green hielt vor einer Telefonzelle und führte von dort ein kurzes Gespräch mit dem Konsulat in San José. Als er wieder im Auto saß, blickte er Lundquist erleichtert an. „So, das hätten wir. Ich habe das Kennwort und den Treffpunkt durchgegeben. Wir werden um Mitternacht an der Mündung des Tortuguero abgeholt. Dann kriegst du auch endlich einen Arzt."

„Na, wie herrlich!", sagte Stan mäßig erfreut. „Und wie kommen wir dorthin?"

„Es ist jetzt kurz vor 16 Uhr. Bis Siquirres schaffen wir es in einer Stunde. Dann sind es bis Cariari noch weitere anderthalb bis zwei Stunden." Green legte die Stirn in Falten und überschlug die Strecke bis zum Meer. „Das heißt, wir müssen uns sputen und dabei unterwegs noch ein Boot auftreiben."

Stöhnend schlug sich Lundquist die Hände vors Gesicht. „O Mann, deinen Optimismus möchte ich haben. Wo sollen wir denn ein Boot auftreiben?"

„Zwischen Siquirres und Cariari kreuzen wir alle naslang irgendeinen Fluss. Da wird doch wohl ein Boot zu finden sein." Mit diesen Worten setzte Green den Datsun wieder in Bewegung.

Der Zeitplan, den der Engländer aufgestellt hatte, erwies sich überraschenderweise als durchaus realistisch. Zwischen Siquirres und Guapiles führte die Straße bereits mitten durch den Dschungel; allerdings entlang der Bahnlinie, die die einzelnen *PAFCO*-Plantagen miteinander verband und schließlich nach Limón führte. Sie fuhren sozusagen durch das Allerheiligste der *PanAmericanFruit Company*.

Kurz nach 18 Uhr überquerten sie den Rio Jimenez. Am Fluss lagen einige Arbeiterbehausungen, hinter denen Green mehrere Anlegestege entdeckte. An einem dieser Stege dümpelte neben mehreren hölzernen Flussbooten ein kleines Schlauchboot mit Außenbordmotor. Green bot dem Vorarbeiter sein ganzes restliches Geld an; eine für den armen Schlucker geradezu apokalyptisch hohe Summe, für die er so ziemlich alles verkauft hätte. Mit ein paar Männern trug er das Boot auch noch zum Kleinlaster und vertäute es mit mehreren starken Stricken auf der Ladefläche.

Idwood Green leitete diese ganze Aktion mit selbstverständlichem Gesichtsausdruck, während Lundquist sich schwor, in der nächsten erreichbaren Kirche mehrere Kerzen für ihre Schutzengel anzuzünden, wenn er Canberra jemals lebend und mit beiden Beinen erreichen sollte.

Es war bereits dunkel, als sie kurz vor Cariari den Rio Tortuguero erreichten. Neben der klapprigen Holzbrücke rangierte Green den Kleinlaster ans Wasser. Dann hievte er Lundquist in das Schlauchboot auf der Ladefläche, löste die Stricke und fuhr den Datsun rückwärts in den Fluss. Als das Schlauchboot frei auftrieb, stand das Wasser in Höhe des Fahrersitzes. Green griff in das Handschuhfach, entnahm eine starke Taschenlampe, stieg durch das geöffnete Türfenster aus und erreichte schwimmend Stan Lundquist, der den Motor bereits angerissen hatte und ihm gequält zugrinste: „Bleib nicht so lange im Wasser! Es soll in der Gegend Piranhas und giftige Schlangen geben."

Zwei Minuten später brummten sie mit Vollgas durch den dichten Tropenwald. Ein fahler Mond erleichterte es ihnen, dem Flusslauf zu folgen. Neben dem gleichmäßigen Motorengeräusch hörten sie hin und wieder Vogelschreie und konnten allerlei Viehzeug beobachten, das zu Wasser und in der Luft den Tortuguero überquerte.

Kurz vor 23 Uhr näherten sie sich, von Moskitos zerstochen, der Flussmündung. Zunächst allerdings mussten sie an der kleinen Siedlung Tortuguero vorbei, die das Ende des *Canal* markierte. Dabei handelte es sich um eine begradigte Wasserstraße, die von Limón aus etwa ein bis zwei Kilometer hinter der Küstenlinie verlief. Die *PAFCO* hatte für diesen *Canal* gesorgt, damit auch auf dem Wasserweg die Bananen zum Verladehafen geschafft werden konnten.

In dem kleinen Ort am rechten Ufer waren nur wenige Lichter zu sehen. Der Engländer war guter Dinge. Ein paar Meter noch und sie hatten es geschafft.

„Was ist das da, Idwood?", flüsterte Stan plötzlich und zupfte an Greens Ärmel.

„Wo ist was, und wenn ja, warum?“, fragte der Engländer leise zurück.

„Verdammt, mach jetzt keine Witze! Da drüben, etwa eine Handspanne links vom letzten Dorflicht.“ Der lange Australier schien ernsthaft besorgt zu sein. „Da ist Licht, Idwood! Auf dem Wasser!“

Green spähte aufmerksam hinüber.

Tatsächlich, Lampen. Zudem war das Muster der einzelnen Leuchtpunkte auch noch ziemlich regelmäßig, und, was den Engländer beunruhigte, wiederholte sich dreimal.

„Das könnten drei Boote sein, die da liegen, verdammt!“, flüsterte er. „Direkt an der Landzunge. Und es scheinen drei sehr ähnliche Kähne zu sein.“

„Polizei?“

„Kann sein, ich bin nicht sicher.“

„Und was machen wir jetzt?

Green kniff die Augen zusammen und bemühte sich, Einzelheiten auszumachen, doch mehr als die Bewegung der Lampen konnte er nicht erkennen.

„Am besten, wir versuchen, so heimlich wie möglich zu bleiben“, flüsterte er dem Australier zu. In Situationen wie dieser gingen meistens mehrere alberne Pferde mit ihm durch. Wenn einem etwas zustoßen sollte, war man wenigstens gut gelaunt. Stan Lundquist boxte ihm als Antwort kurz in die Rippen und legte sich dann still und flach auf den Boden.

So langsam und leise wie möglich steuerte der Engländer hart am linken Ufer weiter, bis er die Strömung des Rio Suerte spürte, der von Nordwesten heranfloss und die Mündung des Tortuguero auf nahezu einen Kilometer verbreiterte. Weit entfernt von den unbekannten Schiffen steuerte Green das Schlauchboot an das nördliche Ufer der Flussmündung.

„Wie spät ist es?", fragte er Lundquist unwillkürlich weiter im Flüsterton.

„Auf meiner Uhr ist es jetzt zweiundzwanzig Minuten vor Mitternacht", antwortete der Australier, der vor lauter Anspannung die Schmerzen in seinem Oberschenkel fast vergessen hatte.

„Also dann", meinte Green, „in fünf Minuten geben wir Gas. Es war zwar verabredet, dass sie uns an der Südseite der Flussmündung abholen, aber …" Er deutete zu den Lichtern hinüber. „Da ich annehme, dass der Hubschrauber gerade von See kommt, werden wir ihm entgegenfahren. Einverstanden?"

Lundquist nickte stumm.

Sechs Minuten später legte Green ab und steuerte das kleine Schlauchboot mit wenig Gas auf die offene See hinaus. Als er etwa eine halbe Seemeile von der Mündung entfernt war, drehte er auf. Glücklicherweise war der Seegang nicht zu hoch für dieses Manöver. Nervös schaute er sich um.

„Was suchst du denn?", wollte Lundquist wissen.

„Ich habe ein Scheißgefühl in der Magengegend. Irgendwas ist dahinten nicht in Ordnung. Ich fühle es."

„Bis jetzt ist ja alles ruhig geblieben", meinte Lundquist und warf einen Blick auf die Uhr. „Fünf vor zwölf."

„Okay, übernimm das Ruder, Stan!" Green kroch nach vorn und nahm die Taschenlampe. „Wenn der Hubschrauber kommt, werde ich ihn anblinken. Er darf gar nicht erst bis zur Mündung fliegen. Wenn sie uns verpassen, schwimmen wir beide hier ganz schön dumm herum. Halt, da, siehst du?"

In weiter Entfernung konnte man schwach ein Licht erkennen, dass in der Luft zu schweben schien. Green starrte in die Dunkelheit hinaus und begann, mit der Taschenlampe Lichtzeichen zu geben.

Der Westland-Hubschrauber mit Captain Victor Andrew am Steuer hatte das Raketenschnellboot *Aberdeen* knapp fünfzehn Minuten zuvor verlassen. Andrew starrte mit zusammengekniffenen Augen nach vorne durch die Cockpitverglasung. Sein Copilot, Sergeant Dorfman, hielt eine Stoppuhr in der Hand und brüllte gegen das Motorengeräusch an: „Noch drei bis vier Minuten, Captain, dann müssten wir die Küstenlinie und die Mündung sehen können."

Andrew nickte kurz. Plötzlich deutete er nach vorn. „Da, Sergeant, was ist das?"

„Ein Blinkzeichen, Sir, aber auf See und nicht an der Mündung."

Andrew betrachtete aufmerksam die Signalfolge und erwiderte: „Mag sein, Sergeant, aber das sind die Leute, die wir abholen sollen."

„Woher wollen Sie das wissen, Sir?"

Ein schelmisches Lächeln spielte um Captain Andrews Mundwinkel. „Das sind Morsezeichen, Sergeant. Und was bedeuten sie?"

Dorfman zuckte die Achseln. „Ich konnte sie leider auf die Schnelle nicht entschlüsseln, Sir."

„Nun, sie morsen Q-E-2."

„Was soll das heißen?"

„Mein Gott, Dorfman, Sie haben Ihren Kopf auch nur, damit es nicht in den Brustkasten regnet! Wie heißt Ihre Königin, Sergeant?"

„Queen Elizabeth II.", antwortete Dorfman.

„Na bitte", sagte Victor Andrew, „genau das morsen sie: Q-E-2. Der Kerl am Licht ist entweder ein unverbesserlicher Patriot, oder er hat einen ausgefallenen Humor. Werfen Sie das Kletternetz raus, Sergeant."

Idwood Green morste so lange, bis er zu seiner Erleichterung hörte, wie der Pilot des Hubschraubers die Turbinenleistung drosselte. Green stellte die Taschenlampe auf Dauerlicht. Der Hubschrauber war noch etwa dreißig Meter von ihnen entfernt, als Green das gitterartige Gebilde bemerkte, das unten aus dem Bombenschacht heraushing und aussah wie zwanzig nebeneinander gebundene Strickleitern. Er griff Lundquist Arm und zog ihn hoch.

„Achtung, Stan, wenn das Kletternetz über uns hinwegstreicht, häng dich einfach mit beiden Armen ein."

Zehn Sekunden später hingen Green und Lundquist im Kletternetz und Captain Victor Andrew zog den Hubschrauber in einer scharfen Kurve herum und nahm Seekurs. Im gleichen Moment bemerkte Green, wie von der Tortugueromündung her drei schnelle Motorschiffe mit blauem Blinklicht auf ihr zurückgelassenes Schlauchboot zurasten.

Zu spät, dachte Green zufrieden. Die Idioten hatten an der Flussmündung gelegen und sie einfach verpennt.

Er begann vorsichtig am Netz nach oben zu klettern. Ein junger Sergeant nahm ihn in Empfang. Wenige Minuten später hatten sie mit vereinten Kräften auch das Kletternetz mit Stan Lundquist eingeholt.

San Juan, Puerto Rico

Der weiße Hawker-Siddeley-Privatjet setzte kurz nach 21 Uhr auf der Runway 2 des International Airport von San Juan auf. Edward Walthamstow hatte den Flug von New York zur Karibikinsel Puerto Rico mit leichtem Aktenstudium verbracht. Man musste auf dem Laufenden bleiben; und seine Erfahrung zeigte, dass ein gewisser Informationsvorsprung unerlässlich war, um konkurrenzfähig zu bleiben. Und diese Geschäftsweisheit galt nicht nur im Hinblick auf außerbetriebliche Konkurrenten.

Walthamstow blickte sinnierend aus dem Fenster der *PAFCO*-Maschine, die ständig zu seiner Verfügung stand und ihm die Erledigung seiner vielfältigen Aufgaben erleichterte, mit denen die Firmenleitung ihn, ohne Wissen des Aufsichtsrats, beauftragte. Die vermisste Spielfigur war wieder aufgetaucht. Ein guter Mann, dieser Lundquist. Leistung musste man anerkennen, auch beim Gegner. Aber langsam wurde der Bursche zu einem echten Störfaktor, und Walthamstow war nicht gewillt, sich von einem blutigen Anfänger Knüppel zwischen die Beine werfen zu lassen. Zum Glück hatte dieser geldgeile, aufgeblasene Konsulatssekretär in San José gespurt und sofort Verbindung mit ihm aufgenommen. Da war wohl einiges schief gelaufen. Pumpen diese Idioten von Leibwächtern ihren eigenen Chef voll Blei und, was immer noch rätselhaft war, verschwinden dann einfach spurlos. Langsam musste man Lundquist zutrauen, dass er sie aus dem Weg geräumt hatte. Walthamstow wunderte sich allerdings darüber, dass Lundquist im britischen Konsulat als Mitarbeiter des Secret Service auftrat, und zwar in Begleitung eines gewissen Green. Da durfte man vermuten, dass die Briten offensichtlich geblufft hatten, was ihren Glauben an das Bekennerschreiben anging. Aber das war eigentlich zu erwarten gewesen, und inzwischen bekümmerte es Walthamstow kaum noch.

Aber ein bisschen Verwirrung zu stiften, konnte sicher auch nicht schaden. Die McKinley musste nach Costa Rica, und sie würde dort ankommen, so wahr er Walthamstow hieß. Selbst wenn sie einen kleinen Umweg machen musste.

Der Chef des *PAFCO*-Einsatzkommandos löste den Sicherheitsgurt, denn der Pilot hatte die Hawker-Siddeley am Flughafenterminal zum Stehen gebracht. Walthamstow erhob sich von seinem Sitz und nahm den Aktenkoffer in die linke Hand. Sobald vom britischen Konsulat aus Lundquists derzeitiger Aufenthaltsort durchgegeben wurde, konnte man sich endgültig von diesem Störfaktor befreien.

Dann blieb nur noch eine Frage offen: Welche Rolle spielte dieser Green, der zusammen mit dem Australier in Costa Rica aufgetaucht war?

Stann Creek, Belize

Als Stan Lundquist erwachte, lag er in einem typischen Krankenhausbett inmitten eines karg möblierten Raumes mit weiß getünchten Wänden. Ein grober grauer Vorhang verdunkelte das einzige Fenster. Der Australier versuchte sich aufzurichten und fand dabei die schmerzliche Erinnerung daran wieder, dass er nicht ohne Grund das Bewusstsein verloren hatte. Er schlug vorsichtig die Bettdecke zurück und sah an sich herunter. Der gestreifte Schlafanzug in bewährter Armeequalität ließ ihn vermuten, wo er sich zur Zeit befand. Doch wie war er hierher gekommen? Er öffnete die Jacke und besah sich die Brustbandage, die ihn beim Atmen behinderte und die er zum ersten Mal an sich bemerkte. Seine Oberschenkelwunde war ebenfalls versorgt und verbunden worden. Er drehte den Kopf und entdeckte auf dem Nachttisch eine elektrische Klingel, deren Kabel in der Wand hinter seinem Bett verschwand.

Hoffnungsvoll drückte er den roten Knopf. Im selben

Moment öffnete sich die Tür und ein Sanitätscorporal der Royal Army trat lächelnd ins Zimmer.

„Ah, Dr. Lundquist, schön, dass Sie wieder wach sind. Ich wünsche Ihnen einen guten Morgen, Sir."

„Sehr freundlich von Ihnen, vielen Dank. Sie haben aber schnell auf mein Klingeln reagiert."

Der Sanitätssoldat lachte: „Das war reiner Zufall, Sir. Ich war gerade auf dem Weg, Sie zu wecken. Es ist 10.15 Uhr und Sie werden um 11 Uhr beim Kommandeur erwartet."

„Aha", meinte Lundquist kurz. „Sagen Sie mal, könnten Sie mir in wenigen Worten erklären, wie ich überhaupt hierher gekommen bin? Das Letzte, was ich in schwacher Erinnerung habe, ist ein Hubschrauber über mir und ein Netz, an das ich mich klammern sollte."

„Das haben Sie offenbar auch getan, Sir, sonst wären Sie nicht hier", meinte der Corporal gut gelaunt. „Soweit ich weiß, waren Sie bewusstlos, als Sie in den Hubschrauber gezogen wurden. Dieser Hubschrauber ist dann zurück zur *Aberdeen* geflogen und die hat Sie hierher gebracht."

„So weit, so gut. Aber was ist die *Aberdeen*, und was heißt ‚hierher'? Und wo ist Idwood Green?"

„Die *Aberdeen* ist ein Raketenschnellboot der Royal Navy, und ‚hier' ist Stann Creek, der Mittelamerika-Stützpunkt der britischen Marine in Belize. Und Commander Green ist mit Captain Andrew in die Zentralwerkstatt gefahren."

Lundquist hob die Augenbrauen. „*Commander* Green? Wieso Commander?"

Der Corporal zuckte mit den Achseln. „Der Kommandeur hat uns mitteilen lassen, dass Ihr Kollege gegenüber allen Angehörigen des Stützpunktes Befehlsbefugnis besitzt. Also ist er Commander Green."

Die einfache Logik dieser Erklärung beeindruckte den langen Australier zutiefst. „Na schön. Wie lange liege ich denn eigentlich schon hier herum?“

„Seit gestern Abend, Sir. Die *Aberdeen* ist gegen 22 Uhr hier eingetroffen. Der Bordarzt hat Sie versorgt und Ihnen ein Beruhigungsmittel gegeben.“

„Hm“, brummte Lundquist, „kurz nach Mitternacht hat uns der Hubschrauber geborgen.“ Er blickte den Sanitätssoldaten an. „Das bedeutet, wir waren über zwanzig Stunden auf See.“

„Stimmt, Sir“, erwiderte der Corporal, und seine Stimme klang jetzt durchaus begeistert, „und das ist eine tolle Zeit für die Strecke von Costa Rica bis hierher. Immerhin gut sechshundert Seemeilen. Die *Aberdeen* hat ganz schön Fahrt gemacht. Ist eben ein gutes Schiff.“

„Ja, scheint so. Allerdings war die Strecke auch nicht besonders kurvenreich“, gab Lundquist zu bedenken. Der Corporal brauchte eine Weile, um den Einwand richtig einzuordnen, und begann dann zu grinsen. Der Australier reichte ihm beide Hände hin. „So, und jetzt helfen Sie mir bitte mal, damit ich auf die Beine komme. Wir wollen den Kommandeur doch nicht warten lassen.“

Pünktlich um 11 Uhr humpelte Lundquist, auf eine Krücke gestützt, in das Vorzimmer des Stützpunktkommandanten, der den bemerkenswerten Namen Cuthbert Llewellyn trug. Der lange Australier wurde vom Adjutanten des Konteradmirals empfangen, einem enorm zackig wirkenden Lieutenant mit lauter Stimme und unangenehm akzentuierter Aussprache.

„Guten Morgen, Dr. Lundquist“, grüßte er und salutierte vorschriftsmäßig. „Admiral Llewellyn erwartet Sie bereits. Wenn Sie mir bitte folgen wollen?“ Er führte ein präzises

Rechts-um-Manöver aus, marschierte zur Bürotür seines Chefs, klopfte zweimal kurz an und öffnete sie dann.

„Admiral, Dr. Lundquist!" Bei der Meldung schlug er derartig die Hacken zusammen, dass Stan unwillkürlich das verletzte Bein schmerzte.

Der Konteradmiral Ihrer Majestät erhob sich hinter seinem Schreibtisch und kam auf ihn zu. „Dr. Lundquist, ich freue mich, Sie persönlich und wohlauf zu sehen. Es geht Ihnen offenbar wieder etwas besser?"

„Danke, Sir, ja. Ihre Leute haben mich hervorragend betreut."

Lundquist betrachtete seinen Gastgeber mit Sympathie. Cuthbert Llewellyn war etwa Mitte fünfzig, eins fünfundsiebzig groß, hatte breite Schultern und kurz geschnittene rote Locken. Die wasserblauen Augen in dem runden glatt rasierten Gesicht ließen ahnen, was für ein Energiepaket dieser Mann war. Ein echter walisischer Dickschädel, dachte Lundquist.

Seine Überlegungen wurden unterbrochen, da die Bürotür aufflog und der Adjutant weiteren Besuch zu melden hatte.

„Admiral, Commander Green und Captain Andrew sind eingetroffen!"

Idwood Green ging mit fröhlichem Gesicht auf Stan zu. Er legte ihm die Hände auf die Schultern und betrachtete ihn forschend. „Schön, dass du auf den Beinen bist. Wir haben eine Menge Glück gehabt, findest du nicht?"

Lundquist nickte grinsend. „Das kann man wohl sagen."

Green drehte sich zu seinem Begleiter um und schob ihn zu Lundquist hin. „Hier, Stan, möchte ich dir unseren Retter vorstellen, Captain Victor Andrew. Er war der Pilot des Hubschraubers, der uns aufgegabelt hat."

Lundquist reichte ihm die Hand. Andrew war fast so groß wie er selbst, trug kurz geschorene schwarze Haare und einen schmalen, gepflegten Oberlippenbart. Der Australier schätzte ihn auf etwa Mitte vierzig. „Danke für die Hilfe, Captain. Ohne Sie säßen wir jetzt wohl kaum hier, sondern eher in der Patsche. Wenn wir überhaupt noch irgendwo säßen!"

„Es war mir eine Ehre, Dr. Lundquist. Ich freue mich, Sie kennen zu lernen", erwiderte der Marineflieger.

„Aber bitte, meine Herren", ergriff Admiral Llewellyn das Wort, „setzen Sie sich doch erst einmal. Wir haben eine Menge zu besprechen, denke ich."

„In der Tat", stimmte Idwood Green zu, der sich bereits auf einen der Stühle fallen gelassen hatte und versuchte, aus einer zerknüllten Schachtel eine unversehrte Zigarette zu bergen. „Haben Sie mit London Verbindung aufnehmen können, Admiral?"

„Ja, Commander. Sir Ronald hat die Nachricht übermittelt, dass die *Excalibur* heute Abend Puerto Rico passieren und die Mona-Passage erreichen wird. Außerdem sind diese beiden Funkbilder aufgezeichnet worden." Llewellyn reichte Green zwei Schwarzweißaufnahmen herüber.

Dem Engländer genügte ein kurzer Blick. Lächelnd zeigte er die Bilder herum. „Ich hatte unseren Schiffskenner Dick Fairweather gebeten, Fotos des Containerschiffs aufzutreiben. Offensichtlich hat er es geschafft. Sehr hilfreich, ohne Zweifel."

„Was hat eigentlich Ihr Besuch in der Zentralwerkstatt ergeben, Commander?", wollte der Admiral wissen.

„Ein voller Erfolg, Sir. Ihre Leute sind ganz schön auf Draht, das muss ich sagen. Sie wollen heute Nachmittag mit dem Umbau fertig sein."

Lundquist schaltete sich ein. „Hätte einer der Herren die

Güte, mir zu erklären, von was hier gerade geredet wird? Ich verstehe kein Wort."

Idwood Green lachte laut auf. „Stimmt ja, du hast die ganze Zeit geschlafen, während wir gearbeitet haben. Also, es geht um Folgendes: Wie wir beide schon besprochen haben, ist der Transportweg, den die Burschen für Martha McKinley gewählt haben, ganz schön clever ausgewählt. Beim geringsten Anzeichen, dass jemand Wind von der ganzen Sache kriegt und versucht, Befreiungsaktionen einzuleiten, können sie die Dame einfach über Bord werfen. Dann gibt es überhaupt keine Handhabe mehr, rechtlich gegen die Kerle vorzugehen. Allerdings können wir auch nicht warten, bis die *Excalibur* Limón erreicht. Dann finden wir sie in dem großen *PAFCO*-Dschungel nämlich nicht wieder, und schon gar nicht lebend." Er räusperte sich bedeutsam. „Also müssen wir sie vom Schiff holen. Und zwar so überraschend wie möglich. Dabei wird uns Captain Andrew helfen; wobei ‚helfen' stark untertrieben ist, denn er hat den kniffligsten Part übernommen."

„Nämlich?", fragte Lundquist ungeduldig.

„Er muss das Befreiungskommando, bestehend aus insgesamt sechs Leuten, bei Nacht mit dem Hubschrauber von der *Aberdeen* zur *Excalibur* fliegen, und zwar im Tiefflug. Keine leichte Aufgabe, wie ich mir habe sagen lassen."

„Das kann ich mir denken", nickte Lundquist, „und du meinst, man wird den Hubschrauber nicht zu früh bemerken?"

„Mit ein klein wenig Glück können wir es schaffen. Wir werden mit der *Aberdeen* Belize so verlassen, dass wir den Kurs der *Excalibur* etwa in der Mitte zwischen Puerto Rico und Costa Rica kreuzen würden. Ich sage deshalb ‚würden', weil wir zu einem bestimmten Zeitpunkt unseren Kurs Richtung Panama ändern werden, damit die auf der *Excalibur* erst gar nicht auf den Gedanken kommen, wir könnten etwas von ihnen wollen."

„Und der Hubschrauber?"

„Der Hubschrauber wird die *Aberdeen* verlassen, bevor sie ihren Kurs ändert, und dann so lange Nordwestkurs fliegen, bis er das Kielwasser der *Excalibur* etwa dreißig Seemeilen hinter hinter ihr erreicht. Dann fliegt er einfach im Tiefflug hinterher und setzt das Befreiungskommando auf der *Excalibur* ab."

„Ah ja, das hört sich ja in der Tat recht einfach an. Und du meinst, der Kapitän der *Excalibur* weist den Hubschrauber bei der Landung persönlich ein?"

Green blickte stirnrunzelnd zum Konteradmiral hinüber. „Ich muss schon sagen, Admiral, er hat sich in Ihrem Lazarett wirklich prima erholt, der Dr. Lundquist. Mir kommt gerade die Idee, dass wir ihn den Entführern im Austausch gegen Mrs. McKinley anbieten könnten."

Llewellyn und Andrew schmunzelten.

Auch Stan konnte sich ein Grinsen nicht ganz verkneifen, sagte dann aber in ernstem Ton: „Nein, ohne Scherz, Idwood, ich halte das für eine Schnapsidee. Wie willst du das Kommando auf den Frachter kriegen?"

„Zur Lösung dieses Problems bin ich heute Morgen mit Captain Andrew in die Zentralwerkstatt gefahren, um auszuloten, ob meine Idee in die Tat umzusetzen ist. Und wie ich vorhin schon sagte, sind die Jungs hier ziemlich auf Zack. Also, die Mechaniker werden in den Hubschrauber vier Seilwinden einbauen, und zwar an den Ecken des offenen und erweiterten Bombenschachts. An die vier Seilzüge wird dann eine Gondel gehängt, in der sechs Mann, nämlich das Befreiungskommando, Platz haben. Der Witz an der Konstruktion ist der, dass die Seilwinden motorgetrieben sind und von der Gondel aus bedient werden können. Mit anderen Worten: Captain Andrew wird den *PAFCO*-Frachter einfach von schräg achteraus überfliegen, während ich dabei die Gondel in die richtige Höhe steuere, damit wir auf die *Excalibur* umsteigen können."

Lundquist verschlug es fast den Atem. „Und du bist sicher, dass das funktioniert?"

Idwood nahm eines der Funkbilder von der *Excalibur* zur Hand und deutete auf die Brücke des Frachters. „Sieh mal hier, Stan. Bei diesem Typ von Containerschiffen ist die Brücke auf dem Vorderteil des Rumpfes. Dadurch geht die Ladefläche für die großen Metallbehälter bis zum Heck, sodass die Sattelschlepper die Container direkt auf das Schiff fahren können. Wenn meine Informationen stimmen, dann ist die *Excalibur* nur etwa zur Hälfte beladen. Das bedeutet, dass die Containerstapel etwa fünf bis sechs Meter hoch stehen, vom Schandeckel aus gerechnet. Wenn vier Mann unseres Kommandos auf den Containern abspringen, können sie sich also seitlich auf den Decksgang hinunterlassen und so das gesamte Mittelschiff kontrollieren. Ich selbst werde mit einem der Marinesoldaten ein Stück weiterfliegen und die Gondel dabei etwa zehn Meter hochfahren. Das erlaubt uns, auf dem Dach der Brücke, hier" – Green wies wieder auf das Funkbild – „auszusteigen und dort einzudringen. Wenn wir einmal auf dem Schiff sind, werden sie es nicht mehr wagen, die McKinley einfach umzubringen."

„Ich bin immer noch skeptisch, obwohl ich zugeben muss, dass dein Plan einiges für sich hat. Was meintest du übrigens damit, dass du mit einem der Marinesoldaten auf der Brücke landen willst? Demnach soll ich also auf den Containern aussteigen?"

„Du?“ Green starrte seinen Partner an. „Du sitzt an Bord der *Aberdeen* und drückst uns die Daumen. Oder denkst du, dass bei dieser Aktion die Beine und Rippen nicht beansprucht werden?“ Er deutete auf Lundquists Bandagen.

Stan blickte ihn an. „Hör mir zu, Idwood Green! Ich bin mit dir nach Mittelamerika gekommen, weil ich eine Rechnung zu begleichen habe. Und deshalb werde ich mit in der Gondel sein und zusammen mit dir auf dem Brückendach aussteigen. Hast du das kapiert?“

Green kratzte ausgiebig seinen Bart und nickte dann. „Okay, Stan, du musst wissen, ob du dir das zutrauen kannst. Wenn du meinst, dass du es schaffst? Ich wäre sehr froh, wenn du dabei wärest, aber es sind dein Bein und deine Rippen.“

Stan schlug mit der Faust leicht auf Idwoods Oberarm. „Eben. Wann starten wir mit der ganzen Aktion?“

„Nun, die *Excalibur* soll heute die Mona-Passage erreichen. Wenn wir morgen früh mit der *Aberdeen* hier auslaufen, könnte die Sache in den ersten Stunden des übermorgigen Tages über die Bühne gehen.“ Green schaute zu Cuthbert Llewellyn hinüber. „Einverstanden, Admiral?“

„Ja, natürlich, ich bin einverstanden, Commander. Endlich ist hier mal was los.“ Llewellyn rieb sich die Hände und sah Victor Andrew an. „Das wird heikel, Captain, nicht wahr? Tiefflug über See im Dunkeln? Was macht denn eigentlich der Mond?“

Andrew schmunzelte. Der Alte ist und bleibt ein Fuchs, dachte er, während er laut erwiderte: „Der Mond spielt mit, Admiral. Wir haben nahezu Vollmond. Das macht es ein bisschen leichter.“

„Es bleibt schwierig genug, Captain“, tröstete ihn Llewellyn. „Ich schlage vor, dass wir uns jetzt an die Arbeit machen. Kümmern Sie sich um den Helikopter, die Gondel und darum, wie man beides zusammen bedient. Ich werde inzwischen die *Aberdeen* auf Vordermann bringen."

„Sie, Sir?", entfuhr es Captain Andrew.

„Ja, ich, Captain. Warum starren Sie mich an wie eine Schlange ihre Beute? Glauben Sie, ich bleibe hier in diesem langweiligen Stützpunkt sitzen, während Sie in der Karibik Pirat spielen? Wenn Sie erlauben, werde ich das Kommando auf der *Aberdeen* übernehmen."

„N– na– natürlich, Sir", stotterte der verblüffte Andrew.

„Gut. Dann also los, meine Herren!"

Während Green mit Captain Andrew noch einmal zur Werkstatt hinüberfuhr, kehrte Stan ins Lazarett zurück, um sich vom Stabsarzt die schmerzhafte Fleischwunde am Oberschenkel versorgen und den Verband wechseln zu lassen. Kurz nach eins holte Idwood den Australier mit einem Jeep ab und fuhr mit ihm ins Offiziersheim zum Mittagessen.

Admiral Llewellyn war nicht zu entdecken; er brachte wahrscheinlich gerade den Routinebetrieb auf der *Aberdeen* gehörig durcheinander. Das Essen war ausgezeichnet. Es gab ein mexikanisches Gericht, Burrito mit schwarzen Bohnen, und hinterher standesgemäß einen Tequila und Kaffee.

Als sie die Verdauungszigaretten ansteckten, fiel Lundquist eine Frage ein, die er eigentlich dem Konteradmiral hatte stellen wollen. „Idwood, kannst du mir erklären, wieso ihr Briten hier in diesem Land einen derartig großen Militärstützpunkt unterhaltet? Ich denke, Belize ist unabhängig?"

„Na ja, unabhängig ist relativ. Soweit ich mich erinnere, rührt die Präsenz der Briten hier unten aus der Zeit, als England und Spanien ganz Mittelamerika unter sich aufgeteilt hatten. Großbritannien hielt dieses Land hier als Kolonie, mit Namen Britisch-Honduras. Irgendwann kam es auch zur

Unterzeichnung eines formellen Abtretungsvertrages zwischen England und Guatemala."

„Wieso Guatemala?"

„Weil die Guatemalteken davon ausgehen, dass Belize ein Teil ihres Landes ist. Sie haben den Abtretungsvertrag – ich glaube, zu Anfang dieses Jahrhunderts – auch nur unter verschiedenen Bedingungen unterzeichnet. Eine Bedingung war zum Beispiel, dass Großbritannien eine Verbindungsstraße zwischen der Grenze zu Guatemala und der Karibikküste bauen sollte. Ich muss zur Schande meiner Landsleute gestehen, dass England diese Bedingungen bis heute nicht erfüllt hat. So ist die Straße von Flores nach Belmopan, der Hauptstadt Belizes, die einzige Verbindung zwischen beiden Ländern. Die Guatemalteken vertreten folglich die Meinung, dass der Abtretungsvertrag gar nicht gültig sei, weil England die Bedingungen nicht erfüllt hat. Deshalb wird Belize in Guatemalas Schulbüchern als guatemaltekischer Landesteil aufgeführt. Es lässt sich denken, dass es der Regierung Belizes da nur recht ist, dass die Briten hier bleiben. Zudem hat Mexiko wohl auch noch irgendwelche Ansprüche auf Belize angemeldet. Kurzum: Ohne London liefe Belize Gefahr, von den Nachbarn vereinnahmt zu werden."

„Das leuchtet ein. Danke für den Nachhilfeunterricht."

„Gern geschehen. Ich muss allerdings zugeben, dass ich das meiste davon erst von Captain Andrew erfahren habe."

„Na, das beruhigt mich ja. Apropos Andrew: Dieser geplante Nachttiefflug ist offensichtlich eine heikle Angelegenheit, oder? Meinst du, er schafft es?"

„Ich denke schon. Admiral Llewellyns sagte, Andrew sei einer der besten Piloten, die er kennt. Insofern mache ich mir also keine Sorgen."

„Inwiefern dann?"

„Hm, ich trage da so einen vagen Verdacht mit mir herum. Ist aber noch nichts Konkretes. Ich hoffe nur, dass wir die McKinley auf der *Excalibur* finden."

„Ich denke, es ist sicher, dass sie auf dem Containerschiff festgehalten wird?"

„Das schon. Aber hoffentlich bleibt das auch so!"

Lundquist sah Green sinnend an. Wenn Idwood von einem „vagen Verdacht" sprach, umschrieb er damit vermutlich die Sorge, dass der Gegner bereits Erkenntnisse über ihre geplante Aktion besitzen könnte, möglicherweise über eine undichte Stelle auf der eigenen Seite.

„Wenn das stimmt, was du vermutest, können wir die McKinley so gut wie vergessen", sagte Stan langsam.

Idwood starrte ihn einen Moment an. „Das fürchte ich auch. Wir können nur noch die Daumen drücken. Und unser Bestes versuchen. Deshalb schlage ich vor, dass wir jetzt zum Sportplatz des Stützpunktes fahren und mit dem Training beginnen. Andrew wollte mit dem Hubschrauber und dem Rest des Befreiungskommandos um 14 Uhr dort sein."

„Auf dem Sportplatz?"

„Ja, auf dem Sportplatz. Nun sieh mich nicht so an! Das bedeutet nicht, dass du Laufen oder Springen trainieren sollst. Am Rande des Platzes steht eine Turnhalle, die ungefähr so hoch ist wie das Dach der *Excalibur*-Brücke über den Containerstapeln. Da können wir unser Piratenstück in Ruhe einüben, bis wir es blind können. Und wir müssen es fast blind können, denn der Ernstfall findet bei Nacht statt."

„Und nur der Mond wird unser Zeuge sein", sagte Lundquist pathetisch.

Kurz nach 17 Uhr fanden sich sieben ziemlich geschaffte

Männer in der Offiziersmesse der *Aberdeen* ein. Idwood Green hatte darauf bestanden, jede Phase des Vorgehens an Bord des Containerschiffes im Detail zu proben. Nun war er einigermaßen zufrieden. Letzte Übungsmanöver im Mondlicht würde man am späteren Abend noch einmal durchführen können, aber zumindest von der technischen Seite her schien das Unternehmen machbar zu sein.

Konteradmiral Llewellyn hatte ebenfalls weitere Vorbereitungen für das Auslaufen getroffen und das Schiff in Gefechtszustand versetzen lassen. Nur der Helikopter fehlte noch auf dem Achterdeck.

Green und Lundquist drückten gerade ihre Zigaretten aus, um sich von der Tafel zu erheben und die Kojen aufzusuchen, als ein Sergeant die Messe betrat und salutierte. „Commander Green, dringender Funkspruch aus London. Er ist verschlüsselt. Wenn Sie mir bitte folgen wollen?“

Idwood fuhr von seinem Stuhl auf und eilte mit gerunzelter Stirn hinter dem Sergeant her. Es dauerte fast zwanzig Minuten, bis er zurückkehrte.

„Was ist vorgefallen, Commander?“, fragte der Konteradmiral, „Sie machen ein Gesicht, als hätte es Ihnen die Ernte verhagelt!“

„So ähnlich komme ich mir auch vor, Admiral“, antwortete Green leise.

„So reden Sie doch, was wollte London denn?“

„Abbott hat durchgegeben, dass die *Excalibur* vor einer halben Stunde den Kurs geändert hat.“

„Oho! In welche Richtung?“

„Von Südwest nach Ostsüdost.“

„Aber wohin könnten sie denn da wollen? San Juan auf Puerto Rico?“

„Hm, möglich, aber das Verwirrende ist, dass sie bereits an Puerto Rico vorbei waren, und zwar eine gutes Stück, schon hinter der Isla Mona, fast südlich von Punta Cana. Sir Ronald hat mir die Positionsdaten durchgegeben." Dabei zog Idwood einen Zettel aus der Brusttasche und studierte seine Notizen.

Der Konteradmiral entschloss sich, dem Agenten eine kurze Denkpause zu gönnen und währenddessen ein logistisches Manko zu beheben. „Duncan", rief er einem Sergeant zu, der vor der Tür der Messe Posten stand, „toben Sie los und holen Sie mir die 4402, und zwar extrem ruckartig!"

Der Sergeant stob davon und war tatsächlich keine drei Minuten später zurück, um Llewellyn eine Seekarte vorzulegen. „Die BA 4402, Sir!", meldete er dabei korrekt und zog sich wieder vor die Tür zurück.

Der Admiral fischte einen Einhand-Stechzirkel aus einem Schapp und fuhr suchend über die Karte. Dann sagte er: „Rücken Sie mal die Koordinaten heraus, Green! Vielleicht können wir dann besser sehen, welche Optionen sich da ergeben."

„17 Grad 56,1 Minuten Nord, 68 Grad 28,3 Minuten West", erwiderte Green.

„Da haben sie den Kurs geändert?"

Idwood nickte nur und beugte sich dann herüber, um dem geschickt mit dem Zirkel hantierenden Llewellyn bei der Positionsbestimmung zuzusehen. Auch Stan war näher herangerückt.

Der Admiral markierte mit dem Bleistift eine Stelle vor der Südostecke der Dominikanischen Republik. Dann blickte er wieder zu Green auf. „Und?"

Leicht lächelnd erwiderte Idwood: „Sie haben den Kurs von Zwo-Drei-Fünf auf Eins-Null-Null geändert."

Llewellyn schob mit raschen Bewegungen zwei Navigationsdreiecke über die Karte und zeichnete die beiden Kurse ein.

Jetzt erst, nachdem er Ort und Ausmaß der Kursänderung vor sich sah, erkannte auch Lundquist das Problem. „Du hast Recht, Idwood, das ist in der Tat auffällig. Die haben ja einen richtigen Haken geschlagen. Ich bin zwar kein Seemann, aber das sieht mir so aus, als wollten sie an der Südseite Puerto Ricos entlang zurück nach San Juan."

„Das ist zwar wahrscheinlich, Stan, aber beim momentanen Kurs könnten sie ebenso gut zu einer der Antilleninseln unterwegs sein. Allerdings hätten sie das von der Atlantikseite aus viel, viel einfacher haben können. Genauer wissen wir das erst, wenn sie den Kurs erneut ändern, um der Küstenlinie von Puerto Rico nach San Juan hinauf zu folgen. Deshalb habe ich Abbott gebeten, alle zwanzig bis dreißig Minuten die neue Position der *Excalibur* durchzugeben.

„Und? Was machen *wir* jetzt?"

Idwood blickte mit geschürzten Lippen zu Llewellyn hinüber, sagte aber nichts. Nahezu zehn Sekunden lang konnte sich der Konteradmiral beherrschen, doch dann nahm die Neugier überhand. „Warum gucken Sie mich so an? Brauchen Sie etwas von mir?"

„Ehrlich gesagt, ich bin mir nicht sicher, ob ich es wirklich *brauche*", erwiderte Green sarkastisch, „aber ich befürchte, ich muss umgehend und ultraschnell nach Puerto Rico."

Mit offenen Mündern starrten ihn die beiden anderen an. Der Australier fasste sich zuerst wieder. „Du willst wohin? Nach Puerto Rico? Wozu?"

„Um zu verhindern, dass uns die McKinley durch die Lappen geht, verdammt! Es ist doch offensichtlich, dass da irgendwas faul ist, wenn die so abrupt den Kurs ändern."

„Was meinst du mit ‚faul'?"

„Da hat doch irgendjemand seine Pläne geändert! Und ich befürchte, dass diese Pläne unsere eispendende Bankdirektorin betreffen."

„Heißt das, du glaubst, dass die Entführer unsere Pläne kennen? Aber von wem?"

Idwood blickte ihn nachdenklich an. „Erinnere dich bitte an Costa Rica, an die *PAFCO*-Zentrale. Wir waren unbemerkt vom Wachpersonal in Salewskis Büro gelangt. Plötzlich dringen die Wachposten ins Zimmer ihres Chefs ein und eröffnen das Feuer."

„Was ist daran ungewöhnlich? Dafür werden sie bezahlt!"

„Sie haben nicht angeklopft!"

„Bitte?"

„Sie haben nicht angeklopft, Stan. Normalerweise klopfen Angestellte an die Tür ihres obersten Chefs, bevor sie eintreten."

„Was schließt du daraus?"

„Sie wussten, dass wir im Büro waren. Und das kann ihnen nur jemand durchs Telefon geflüstert haben, nachdem wir bei Salewski eingedrungen waren. Sonst hätten sie uns schon vorher abgefangen."

„Klingt logisch."

„Das ist logisch, mein Freund", betonte Green, „und es gibt noch weitere Hinweise. Erinnere dich an die Polizeikontrollen auf der Straße nach San José. Weißt du noch, was ich in dem Café erfahren hatte? Sie suchten zwei Engländer, die einen Firmenmanager erschossen haben sollten. Zwei *Engländer*!! Wer, zum Kuckuck, konnte das wissen? Nur Salewski, weil wir ihn nach der McKinley gefragt haben. Aber Salewski war tot! Also, wer wusste es?"

„Ich glaube zu ahnen, wen du meinst. Rede weiter!"

„Als wir die Tortuguero-Mündung erreichten, warteten genau an der Stelle, an der wir laut Absprache den Hubschrauber treffen wollten, Patrouillenboote der Polizei. Unser Glück, dass sie zu blöd waren, um uns aufzuhalten. Aber woher wussten die, dass wir kommen würden?"

„Cecil Henderson", platzte es aus Lundquist heraus, „der Konsulatssekretär war der Einzige, der das alles wissen konnte."

„Genau! Und deshalb habe ich Abbott gebeten, ihn durch den Konsul festnehmen zu lassen. Henderson ist auch der Einzige, der andeutungsweise etwas von unserem Reiseziel Belize wusste. Und den Rest konnten sich unsere Gegner leicht ausrechnen."

„Dann sind die Entführer also gewarnt!", stellte Llewellyn fest.

„Wahrscheinlich. Aber ich glaube nach wie vor, dass sie die McKinley nach Costa Rica bringen wollen, um sie als Opfer der ‚Befreiungsarmee' zu präsentieren und die neue Regierung damit bei den Briten zu diskreditieren. Und deswegen habe ich die vage Hoffnung, dass es sich bei diesem Kurswechsel hier nur um ein Ablenkungsmanöver handelt."

„Inwiefern?"

„Die Entführer wissen genauso gut wie wir, dass das Aufbringen der *Excalibur* beträchtliche Probleme für uns aufwerfen würde; immerhin fährt das Schiff unter US-amerikanischer Flagge. Deswegen haben sie wahrscheinlich gerade diesen Weg gewählt, um die McKinley nach Costa Rica zu bringen. Solange wir keine Gewissheit haben, dass sie an Bord ist, können wir überhaupt nichts unternehmen. Und falls wir die Gewissheit doch hätten und einen Befreiungsversuch wagen, riskieren wir, dass sie sie vorher über Bord werfen. Dann ist der Coup zwar gescheitert, aber es existieren überhaupt keine Beweise gegen die Täter. Gut abgesichert, das Ganze, das muss ich schon sagen."

„Ja, aber könnte deine Regierung die Amerikaner denn nicht einfach ersuchen, den Kahn selbst zu überprüfen?"

„Wovon träumst du denn nachts, Stan? Der Kahn gehört immerhin der *PAFCO*. Da wird auch Washington erst mal antichambrieren müssen, bevor sie ans Durchsuchen denken. Die *PAFCO*-Spenden während des Präsidentschaftswahlkampfs müssen sich ja auch mal lohnen. Außerdem, vergiss die CIA-Leute vor der *PAFCO*-Zentrale in New York nicht. Die geben mir ohnehin noch zu denken."

„Also Puerto Rico, he?"

Idwood nickte entschlossen und sah Cuthbert Llewellyn fragend an.

Der Konteradmiral griff mit dem Zirkel die Entfernung zwischen der Position der *Excalibur* und San Juan ab und sagte dabei: „Wenn ich das alles richtig verstehe, Green, haben wir hier ein Zeitproblem. Vermutlich wären Sie gerne vor der *Excalibur* dort, wo sie anlegt, stimmt's?"

Idwood nickte.

„Also", fuhr Llewellyn fort, „angenommen, sie fährt tatsächlich nach San Juan. Das sind rund hundertsiebzig Seemeilen. Rechnen wir ein bisschen optimistisch, braucht sie dafür so an die zehn Stunden. Von *hier* aus nach San Juan sind es rund eintausenddreihundert Seemeilen. Wenn Sie sich einem unserer Kampfjets anvertrauen, sind Sie in anderthalb Stunden da. Ich denke, ich könnte eine Landegenehmigung für Puerto Rico kriegen."

Green winkte mit einer entschiedenen Geste ab. „Streichen

Sie diese Idee aus Ihrem Hirn, Admiral. Da könnten wir genauso gut direkt bei der *PAFCO* anrufen und fragen, ob sie die McKinley haben."

„Du denkst an die CIA?", vermutete Stan.

„Richtig. Wenn ein paar Stunden vor der *Excalibur* ein britischer Kampfjet in San Juan landet, dann müssten die ja mit dem Klammerbeutel gepudert sein, wenn sie da nicht misstrauisch würden!"

„Hm", brummte Llewellyn und kratzte sich mit dem Stechzirkel am Kopf. „Dann sehe ich nur eine Alternative, und zwar das Parham Airfield auf Antigua. Dahin kann ich Sie allerdings nur mit dem Trainingsjet bringen lassen, weil die Landebahn zu kurz für einen Tornado oder eine Phantom ist. Das bedeutet eine knappe Stunde mehr an Flugzeit."

„Antigua?", fragte Lundquist erstaunt und suchte die Insel auf der Karte.

„Nun ja, ich gebe zu, dass es von dort aus noch rund zweihundertdreißig Seemeilen bis Puerto Rico sind. Aber wenn Ihr Kollege partout nicht direkt in San Juan landen möchte, gibt es keine nähere Alternative, die wir schnell genug erreichen könnten."

Idwood hatte sich inzwischen die Seekarte genauer angesehen. „Nun, Admiral, das wäre akzeptabel, wenn es dort eine schnelle Motoryacht gibt, mit der ich mich nach Puerto Rico verholen kann."

„Selbst mir leuchtet ein, dass es zum Schwimmen zu weit ist, mein lieber Green. Aber ich werde mich darum kümmern", versprach der Konteradmiral und drückte dabei auf die Sprechtaste des *Aberdeen*-Interkoms. „Brücke! Llewellyn hier. Ich brauche das Wetter für die Kleinen Antillen und Puerto Rico!"

„Sofort, Admiral!“, kam die Antwort, und wenige Sekunden später meldete sich der Diensthabende wieder: „Kommandant! Brücke. Wind und Seegang 2 bis 3, fast wolkenloser Himmel. Für morgen Nachmittag wird Windstärke 3 bis 4 erwartet. Over.“

Idwood erhob sich. „Urlaubswetter! Also dann, warum zaudern?“

Antigua, Kleine Antillen

Gegen 19.40 Uhr setzte der zweisitzige Trainingsjet der Royal Navy auf dem Parham Airfield auf. Lieutenant Dunedin, der Pilot, ließ die schlanke Maschine am Rande des Flughafengebäudes ausrollen, wo sich Idwood Green aus dem Kopilotensitz schälte, seinen Rucksack schulterte und aufs Rollfeld sprang. Er winkte Dunedin kurz zum Abschied und ging dann auf die nächstgelegene Tür des Gebäudes zu. Die junge Frau davor schien schon auf ihn gewartet zu haben.

„Das Wetter auf Antigua ist immer gut“, sagte sie und schaute ihm aufmerksam ins Gesicht.

„Dann ist es weit besser als in London“, erwiderte Idwood lächelnd, denn die vom Konteradmiral ausgegebene Parole erinnerte ihn doch sehr an alte Agentenfilme.

Die junge Frau streckte ihm die Rechte entgegen. „Rita Lange. Sie müssen Commander Green sein.“

„Hallo, Rita, schön, Sie zu sehen! Ich bin Idwood Green. Sind Sie erfolgreich gewesen, was die Yacht angeht? Llewellyn hat Sie doch hoffentlich eingewiesen?“

„Hat er, Idwood, Sie können beruhigt sein. Ich kenne einen Hotelbesitzer in Saint John’s, der mir keinen Wunsch abschlagen kann, wenn Sie verstehen, was ich meine." Bei diesen Worten klimperte sie übertrieben mit den Wimpern.

„Oh, das verstehe ich sehr gut! Ich kann zum Beispiel meinem Chef fast keinen Wunsch abschlagen, und der ist bei weitem nicht so hübsch wie Sie! Wo liegt das Schiff?"

„Kommen Sie, mein Wagen steht vor dem Gebäude. Ich fahre Sie zum Hafen."

Prüfend blickte sich Green um. „Und? Keine Einreisekontrolle oder Ähnliches?"

„Das ist bereits erledigt", erwiderte sie gelassen und winkte ihn hinter sich her. Keine Viertelstunde später stoppte sie den kleinen offenen Geländewagen an einem Kai des Hafens von Saint John's und führte Idwood zu einer recht eleganten Motoryacht, deren Länge er auf etwa fünfzehn Meter schätzte. Rita hielt ihm einen Schlüssel hin und wies mit der anderen Hand einladend auf das Schiff. „Bitte sehr, das ist sie. Eine Sunseeker Camargue, maximale Geschwindigkeit rund zweiundvierzig Knoten. Ich hoffe, Sie kennen sich mit so was aus."

Idwood nahm ihr den Schlüssel aus der Hand und sprang an Deck. „Danke, Rita. Das war wirklich ganze Arbeit! Llewellyn wird Ihnen das sicher hoch anrechnen."

„Und Sie?", fragte sie lächelnd.

„Na, ich doch sowieso."

Ein geschmeidiger Sprung brachte sie ebenfalls an Bord. „Schön, schön. Das macht es einfacher für uns beide."

Idwood runzelte irritiert die Stirn. „Was soll das jetzt? Ich bin in Eile." Er ließ bereits die dumpf und kraftvoll dröhnenden Motoren an.

„Ich begleite Sie!", teilte Rita ihm mit und setzte sich in einen der beiden weißen Ledersitze im Cockpit.

„Wie kommen Sie denn darauf?" Idwood wurde langsam

ungeduldig. Er musste los. Es blieben nur rund sechs Stunden für den Törn nach Puerto Rico.

Rita zuckte die Schultern. „*Ich* bin gar nicht darauf gekommen, Idwood."

„Wer denn? Llewellyn?"

„Eher Sir Ronald." Sie schmunzelte.

Green schwieg einen Moment verblüfft. Dann hob er resignierend die Hände. „Ich verstehe. Widerstand zwecklos, oder? Na gut, vielleicht ist es sogar keine schlechte Idee vom Alten. Dann können Sie sich aber auch nützlich machen. Leinen los, Ms. Lange!"

Während Rita aufs Vorschiff turnte, um die Vorspring zu lösen, kontrollierte Green die Instrumente, Treibstoff, Öldruck, Kompass und GPS. Keine zehn Minuten später verließen sie Saint John's durch die Hafeneinfahrt und Idwood drückte den Gashebel an den Anschlag. Die Sunseeker rauschte über die ruhige See dahin und der Engländer hielt zunächst mit exaktem Westnordwestkurs, 292,5 Grad, auf die Jungferninseln zu. Nach etwas mehr als zwei Stunden, es war inzwischen stockdunkel geworden, passierten sie mit etwa fünf Seemeilen Abstand die kleine Insel Saba.

„Hundertvierzig Seemeilen noch bis San Juan", kommentierte Green und sah auf die Armbanduhr. „Wenn nichts Unvorhergesehenes passiert, müssten wir es schaffen. Die Kiste macht tatsächlich vierzig Knoten, also könnten wir in dreieinhalb Stunden da sein. Dann ist es ungefähr 2 Uhr morgens in San Juan. Nach Llewellyns Schätzungen sollte die *Excalibur* gegen 2.30 Uhr dort eintreffen." Er deutete auf seinen Rucksack. „Da drin ist ein Apparat, der als tragbarer CD-Player verkleidet ist. Schließen Sie das Ding mal an die Funkantenne an und versuchen Sie, mit Llewellyn Kontakt aufzunehmen. Die

Frequenz ist eingestellt. Geben Sie ihm unsere Position durch und fragen Sie ihn, wo sich die *Excalibur* jetzt befindet und welchen Kurs sie läuft."

Rita nickte und verschwand mit dem Apparat im Niedergang. Wenige Minuten später stand sie wieder neben ihm. Mühsam kämpfte ihre Stimme gegen die dröhnenden Motoren und den pfeifenden Fahrtwind an. „Die *Excalibur* folgt der Küstenlinie Puerto Ricos und ist gerade südlich von Ponce. Geschätzte Ankunftszeit in San Juan ist nullzweihundert Uhr. Unsere Position kannte Llewellyn bereits und er war von unserem Tempo begeistert. Er selbst ist, wie abgesprochen, mit der *Aberdeen* unterwegs und läuft zur Zeit Ostkurs, auf die Swan Islands zu. Er hofft, morgen am späten Nachmittag das karibische Becken zu erreichen."

Idwood nickte befriedigt. Organisatorisch lief es wenigstens einigermaßen reibungslos. Hoffentlich lohnte sich der Aufwand!

„Kaffee?"

Ritas Stimme riss ihn aus den Gedanken. Dankbar nickte er ihr zu und zeigte die Faust mit dem erhobenen Daumen. Vermutlich war Kaffee gar nicht mal so falsch, denn an Schlaf war bis auf Weiteres nicht zu denken.

San Juan, Puerto Rico

Im Vergleich zu der imposanten Größe der *Excalibur* nahm sich der Tender geradezu winzig aus. Allerdings gab es in der herrschenden Dunkelheit niemanden, der den Unterschied so richtig hätte würdigen können. Die einzige hell beleuchtete Stelle war die Mitte der an der Backbordseite des Frachters herabhängenden Strickleiter, an der ein Mann vom Tender aus hinaufturnte und wenig später von zwei Matrosen an Deck in Empfang genommen wurde. Die Seeleute brachten den Lotsen an Containerstapeln vorbei hinauf zur Brücke, wo er dem Kapitän bei der Ansteuerung des Handelskais von San Juan helfen sollte.

Wenige Minuten später, der Tender hatte wieder abgelegt, eskortierten zwei Schlepper die *Excalibur*, bereit, ihrem trägen Rumpf hin und wieder einige Stöße und Püffe zu verpassen, um im engen Hafenbecken Richtungsänderungen zu bewirken, zu denen das Containerschiff alleine nie fähig gewesen wäre. Wie Hütehunde, die unbeirrt eine Schafherde umkreisen und hier und da nach einem Schafsbein schnappen, brummten sie um den Frachter herum.

Rund zwanzig Minuten später hatten sie ihre Arbeit getan. Die *Excalibur* machte längsseits am äußersten Ende des östlichen Kais fest. Bis die vielen Trossen von einigen Hafenarbeitern an den Pollern und Ringen belegt waren, vergingen allerdings auch noch einmal nahezu zehn Minuten. Anschließend turnte der Lotse an der erneut herabgeworfenen Strickleiter an Land und ging zurück zum Tender, der hinter der *Excalibur* herumdümpelte und auf ihn wartete. Nachdem das Lotsenschiff im Dunkel der Nacht verschwunden war, kehrte Stille ein. Alles machte den Eindruck nächtlichen Friedens.

Auf dem Kai, rund sechzig Meter vom Bug der *Excalibur* entfernt, stand einer der zahlreichen Ladekräne. Idwood Green hatte es sich in etwa zwanzig Meter Höhe auf dem winzigen Dach des Kranführerhäuschens im Schneidersitz bequem gemacht und spähte durch ein kleines Präzisionsfernglas.

Nichts! Absolut gar nichts!

Und dafür der Stress! Knapp zwanzig Minuten vor der

Excalibur hatten Rita und er mit der Sunseeker die Hafeneinfahrt passiert und am Yachtkai festgemacht. Nach einem erneuten Kontakt mit Llewellyn war Idwood aufgebrochen, um die Ankunft des Containerschiffs zu beobachten, während Rita mit einem Taxi zum Flughafen gefahren war, um im dortigen *Hertz*-Büro ein Auto zu mieten, für alle Fälle. Hoffentlich meldete sie sich bald zurück.

Irgendwie verspürte Idwood ein komisches Gefühl in der Magengegend. Diese verdammte Ruhe machte ihn nervös. Warum schipperten die Kerle einen solch kapitalen Umweg und schliefen dann einfach ein, sobald sie ihr Ziel erreicht hatten?

Plötzlich vibrierte Greens Unterleib. Stirnrunzelnd ging der Engländer in Gedanken die möglichen Ursachen durch: Blähungen, Verstopfung, Hormonstörungen, Bandwurm … Plötzlich kam ihm die Erleuchtung: Bei den neuen, kleinen, als silberne Benzinfeuerzeuge mit Klappdeckel getarnten Walkie-Talkies ließ sich das Anrufsignal als lautlose Gerätevibration einstellen, und das, was in seiner Hosentasche vor sich hin zitterte, war das Sprechfeuerzeug mit seiner ungeduldigen Reaktion auf Ritas Kontaktversuch.

Green holte das Ding aus der Tasche und ließ den Deckel aufschnappen. „Ja?“

„Rita hier. Ich hab ein Auto. Wie sieht’s bei Ihnen aus?“

„Alles ruhig. Viel zu ruhig, wenn Sie mich fragen. Außer dem Lotsen ist niemand von Bord gegangen, und an Land gab es auch kein Empfangskomitee oder Ähnliches.“

„Was machen wir jetzt?“

„Warten, was sonst. Wo sind Sie?“

„Bei unserem Schiff.“

„Bleiben Sie da. Ich melde mich, wenn sich was tut. Ende.“

Idwood steckte das kleine Gerät wieder ein. Nach fast einer Stunde schien es, als würde seine Geduld belohnt. Auf der *Excalibur* flammten einige Deckslichter auf, und auf dem Kai näherte sich eine Zugmaschine mit Tieflader, gefolgt von einem Jeep, in dem ein paar Hafenarbeiter saßen. Einer von ihnen kletterte an der Leiter des nächsten Containerkrans hinauf und schaltete die Beleuchtung ein. Green hörte einige Pfiffe und Rufe, dann wurde vom Deckskran der *Excalibur* ein Container auf den Kai heruntergereicht. Dort übernahm der torbogenförmige Containerkran die Last und wartete, bis der Tieflader darunter gefahren war, dem er die Last aufbürden konnte.

Der Engländer griff zum Sprechfeuerzeug, ließ den Deckel aufspringen und drückte auf die Schraube, die normalerweise den Benzineinfüllstutzen verschloss. Das Gegenstück, irgendwo nah an Ritas Körper, begann offensichtlich ordnungsgemäß zu vibrieren, denn sie meldete sich keine fünf Sekunden nach dem Knopfdruck.

„Action?"

„In der Tat! Kommen Sie zum Handelskai – schnell, aber unauffällig! Drücken Sie sich mit dem Wagen in irgendeine Ecke. Hier werden Container abgeladen. Ich melde mich wieder. Ende."

Vom Deck der *Excalibur* schwebte ein weiterer Container herab, und auch dieser fand auf dem Tieflader Platz. Damit war die Ladefläche allerdings voll.

Green versuchte, mit dem Fernglas die Übersicht zu behalten und hielt kurz Ausschau nach weiteren Lastwagen, konnte aber nirgendwo welche entdecken. Hoffentlich laden die nicht allzu viele von den Blechkisten ab, dachte er, denn in dem unvermeidlichen Tohuwabohu würde er sonst womöglich verpassen, wann sie die McKinley von Bord brachten. Aber das Abladen schien beendet. Das Licht am Kran ging aus, und auch oben, an Deck der *Excalibur*, verlöschen die meisten der hellen Scheinwerfer. Dafür flammten die Frontscheinwerfer des Tiefladers auf und der Engländer hörte das sonore Brummen eines anspringenden Dieselmotors. Erneut ließ er es bei Rita vibrieren.

„Sehen Sie den Tieflader?"

„Sicher."

„Es sieht so aus, als würden keine weiteren Container abgeladen. Ich möchte wissen, wohin diejenigen auf dem Tieflader gebracht werden. Versuchen Sie ihm zu folgen. Ich passe hier noch ein bisschen auf. Alles klar?"

„Alles klar, o Herr! Ende."

Green klappte den Feuerzeugdeckel zu und hielt das nützliche Accessoire noch eine kurze Weile in der Hand. Diese Rita machte erfreulich wenig Umstände. Mit einer solchen Kollegin artete die Arbeit ja fast schon wieder in Spaß aus.

Plötzlich fuhr er aus den Gedanken hoch und lauschte in die Nacht. Im Hafenbecken näherte sich ein emsiges Brummen, das sich anhörte wie die Maschinen der Schlepper. Ungläubig führte Idwood das Fernglas an die Augen und wirklich, da driftete auch der Lotsentender längsseits an den Kai, und ohne dass Leinen gelegt wurden, sprang der Lotse an Land. Unwillkürlich schwenkte Idwood das Glas zur *Excalibur* und sah, wie die Strickleiter heruntergelassen wurde. Der Lotse kletterte hoch, dann wurde die Strickleiter umgehend wieder eingezogen. Keine zehn Minuten später trieb die *Excalibur* bereits in der Mitte des Hafenbeckens und wurde von den Schleppern auf Kurs gehalten, hinaus aus San Juan, Richtung offene See.

Leicht verdattert verstaute der Engländer das Fernglas in

der Khakiweste und kletterte vom Dach und über die Leiter nach unten, wo er sich erst einmal ausgiebig den Bart kratzte. Was hatte das jetzt zu bedeuten? Wieso luden diese vermaledeiten Höllenhunde hier nur zwei Container ab und sonst gar nichts? Höchst merkwürdig!

Rechts in der Leistengegend begannen die Vibrationen wieder.

„Rita hier. Sie laden die Dinger gerade ab."

„Tatsächlich? Schon? Wo denn?"

Er glaubte ein kurzes, halblautes Lachen zu hören.

„Dreimal dürfen Sie raten, Meisterdetektiv."

„Machen Sie's nicht so spannend, meine Liebe. Also, wo?"

„Porto Novo, nur ein paar Kilometer entfernt, eigentlich nur auf der anderen Seite des Hafens. Hier gibt's so ein kleines Depot der US Navy. Sie stellen die Kästen gerade in einer Ecke des eingezäunten Bereichs ab, neben einer Lagerhalle."

Green war wie elektrisiert. „O Teufel! Darauf hätte ich auch selber kommen können, verdammt. Vielleicht haben sie die McKinley in einem der Container transportiert und die sitzt jetzt da in Ihrer Nähe, mitten im Navydepot."

„Na, na, das sind aber gewagte Hypothesen! Warum so ungeduldig? Vielleicht wird Ihre Schutzbefohlene im Laufe der Nacht ja doch noch ganz normal von Bord gebracht."

„Das glaub ich eher nicht. Die *Excalibur* ist vor wenigen Minuten ausgelaufen."

Im Feuerzeug blieb es für kurze Zeit still. Dann sah auch Rita das Problem mit anderen Augen. „Hoppla, das ist allerdings kurios. Dann könnten Sie vielleicht sogar Recht haben. Aber was für eine perverse Idee wäre das, und wieso können sie die Container einfach bei den Amis auf den Hof stellen?"

„Keine Ahnung, aber irgendwie müssen wir das herauskriegen. Bleiben Sie da und lassen Sie die Kisten nicht aus den Augen! Ich versuche, ein Taxi aufzutreiben. Bis gleich! Ende.“

Idwood joggte los und erreichte knapp zehn Minuten später das Ende des Handelshafens. Daran schloss sich eine Gegend, die es in elendigster Armut und notgeborener Kopulationsbereitschaft mit den heruntergekommensten Slums von Kalkutta oder São Paulo hätte aufnehmen können. Immerhin fand der Engländer ein Taxi, das gerade einen beleibten Weißen ausgespien hatte, der offensichtlich auf dem Weg zu einem weiteren Höhepunkt seines Sexuallebens war.

Einige hundert Meter vor dem Navydepot verließ Green das Taxi und näherte sich behutsam zu Fuß. Rita konnte er nirgendwo entdecken. Alles blieb absolut ruhig.

Da die Möglichkeit ausschied, einfach nach Kollegin Lange zu rufen, orientierte sich der Engländer in Richtung Ostseite des Depotgeländes, wo unweit des Zauns einige Büsche und Palmen standen. Plötzlich spürte er das Feuerzeug vibrieren.

Leise hörte er ihre Stimme. „Die Richtung stimmt, Idwood. Ich stehe, von Ihnen aus gesehen, hinter der dritten Palme. Machen Sie einen kleinen Bogen und seien Sie so leise wie möglich. Im Depot geht eine Doppelstreife Patrouille. Ende.“

Der Engländer folgte dem Rat und stand kurz darauf neben ihr. Der Depotzaun war von ihrem Versteck aus etwa fünfundzwanzig Meter entfernt, und als Idwoods Blick Ritas ausgestrecktem Arm folgte, erspähte er auch schemenhaft die beiden Container, die neben einer kleinen Lagerhalle standen, nur einige Meter vom Zaun entfernt. Er zog das Nachtglas aus der Weste und verschaffte sich so ein genaueres Bild von der Situation. Plötzlich zupfte ihn Rita am Ärmel und korrigierte die Richtung des Fernglases mit einem leichten Druck ihres rechten Zeigefingers. Neben der übernächsten Lagerhalle erblickte Green die Doppelstreife. Die beiden Soldaten schritten mit geschulterten Gewehren leicht versetzt und etwa zehn Meter entfernt voneinander durch das Depot. An einigen Türen blieben sie stehen und überprüften, ob sie ordnungsgemäß geschlossen waren.

Idwood wartete, bis die beiden hinter der nächsten Halle verschwunden waren, und fragte dann leise: „Rita, sind Sie sicher, dass die Container während des Abladens nicht geöffnet worden sind?"

„Ganz sicher! Wenn sie die Geisel in dem Container hierher gebracht haben, dann ist sie noch drin."

„Hm, dann bleibt mir nichts anderes übrig: Ich muss nachgucken."

Rita fasste ihn am Arm. „Sind Sie verrückt? Was meinen Sie, was passiert, wenn die Wache Sie entdeckt?"

„Ich denke lieber nicht drüber nach", seufzte der Engländer und setzte dann hinzu: „Sagen Sie mal, sprechen Sie vielleicht amerikanisches Englisch mit spanischem Akzent?"

„Kommt drauf an. Wenn ich jemandem einen Brillantring abschwatzen sollte, könnte ich das sicher."

„Wie schön! Dann versuchen Sie's doch mal bei den beiden Wachsoldaten."

„An dem den Containern entgegengesetzten Ende des Depots, nehme ich an?"

„Sie sind eine verdammt intelligente Person, liebe Rita. Und wenn Sie mir einen persönlichen Gefallen tun wollen: Halten Sie die beiden so lange wie möglich hin, ja?"

Sie lächelte leicht. „Ich werde mein Bestes versuchen." Bei diesen Worten zog sie ihre sandfarbene Jeans aus und hängte sie über einen der Palmwedel. Mit schnellen Bewegungen schob sie ihr grünes T-Shirt bis zum Hals, zog die Arme aus den Ärmeln und steckte sie durch den Halsausschnitt. Nach einigen Augenblicken des Dehnens konnte sie das Shirt über ihren Körper nach unten streifen, bis der Halsausschnitt an der Hüfte angekommen war. Sie schlug den oberen Rand inklusive der Ärmel nach innen ein und steckte ihn hinter den Slipgummi. Das Shirt sah aus wie ein hautenger Minirock und machte zusammen mit dem knappen, dunklen BH durchaus etwas her. Sie hob leicht die Arme und sagte: „Na, wie wär's denn mit uns, Süßer?"

„Tut mir Leid, ich hab nur große Scheine bei mir", lächelte Idwood und nickte ihr anerkennend zu. Bevor sie davonschritt, drehte sie sich noch einmal um und öffnete ihre linke Hand. Auf der Handfläche lag das geöffnete Feuerzeug. „Standleitung?"

Idwood zog sein Sprechgerät aus der Tasche und ließ ebenfalls den Deckel aufschnappen. „Darauf können Sie aber Gift nehmen! Viel Glück!"

Knapp zehn Minuten später hörte er leise, wie die Soldaten, wider die Vorschrift, einen zotigen Dialog mit der vermeintlichen Hure auf der anderen Seite des Zauns führten, und pirschte sich lautlos bis hinter die Container. Mit Hilfe einiger abgerissener Palmrindenstücke als Handschutz überquerte er nahezu unverletzt den Stacheldrahtsaum des Depotzauns und schlich zur Frontseite des ersten Containers. Die eiserne Tür war mit einem Schwenkriegel versehen, der seinerseits mit einem durchgesteckten Karabinerhaken gesichert war. Der Engländer zog den Haken heraus und bemühte sich dann mit zusammengebissenen Zähnen, den Verschluss so leise wie irgend möglich zu entriegeln. Vor Anspannung hätte er laut aufstöhnen mögen, denn die Aufgabe, die schwere Eisentür lautlos aufzuziehen, erforderte all seine Kraft. Sobald der Spalt breit genug war, zwängte er sich hinein, zog eine kleine Taschenlampe aus der Weste und ließ sie kurz aufflammen.

Leer! Die Scheißkiste war komplett leer! Verdammter Mist! Idwood zwängte sich wieder durch den Spalt hinaus.

Langsam kroch die Dämmerung den Horizont hoch. Aus dem Feuerzeug hörte er Rita immer noch auf die Soldaten einplappern, doch er glaubte zu bemerken, dass ihre Sprüche so langsam zur Neige gingen. Hastig schob er die Tür wieder zu und verriegelte sie.

Die Öffnung des zweiten Containers nahm noch mehr Zeit in Anspruch als die des ersten. Der Riegel war wie festgeschmiedet, und Idwood renkte sich fast das Kreuz aus, bevor es ihm gelang, den Riegel zu öffnen. Plötzlich hörte er Ritas flüsternde Stimme aus dem Feuerzeug: „Idwood, hören Sie mich? Machen Sie, dass Sie wegkommen! Die beiden sind wieder auf Streife. Hören Sie?“

Verdammt, dachte er, das darf doch nicht wahr sein, so kurz vor dem Ziel! Er knirschte kurz mit den Zähnen und begann, die Tür aufzuziehen. Wieder zwängte er sich durch den Spalt und ließ die Lampe aufblitzen. In der hinteren Ecke des Metallquaders standen drei alte Ölfässer, und davor lagen einige schmutzige Säcke. Ansonsten war der Container ebenfalls leer.

Aus dem Sprechgerät drang die kaum hörbare, aber unverkennbar aufgeregte Stimme seiner Kollegin. „Idwood, verdammt, kommen Sie aus der verfluchten Kiste heraus! Die beiden Wachen biegen jeden Moment um die Ecke der Halle! Hören Sie mich, zum Kuckuck?“

Idwood hob das Gerät zum Mund und erwiderte flüsternd: „Ja, ja, ich komme. Die Container sind sowieso leer!“

„Oh, Scheiße, da kommen die Wachen! An der übernächsten Halle! Tun Sie doch was, Mann!"

Fieberhaft steckte der Engländer seinen verbliebenen Handlungsspielraum ab. Soweit er sah, war der nicht mehr so schrecklich groß. Eine Schießerei mit US-amerikanischen Wachen in einem Navydepot war auf jeden Fall das Letzte, was er sich leisten konnte. Also blieb nur eins übrig.

Seufzend zog er die Containertür von innen zu und wartete ergeben ab, dass die Wachen ihren Rundgang fortsetzten.

Rita Lange stand hinter ihrer Palme und traute ihren Augen nicht, als sich langsam die Tür schloss. Dieser coole Hund pokerte mit dem miesesten Blatt seit Einführung der gedruckten Spielkarten, und der Einsatz war sein verdammtes Leben! Mit angehaltenem Atem beobachtete sie im matten Licht des Morgengrauens, wie einer der beiden Wachsoldaten auf den Container zuging, fluchend den Riegel zuschlug und ihn mit dem Karabinerhaken sicherte. Nachdem er den Verschluss des zweiten Transportbehälters ebenfalls kontrolliert hatte, folgte er seinem Kameraden.

Langsam und tief holte Rita Luft. Zwei Minuten blieb sie noch bewegungslos unter der Palme stehen. Dann hob sie das Sprechgerät an den Mund. „Idwood? Können Sie mich hören? Die Wache hat den Riegel zugeworfen. Hören Sie?"

Der kleine Lautsprecher in dem falschen Feuerzeug blieb nahezu stumm. Nur ein schwaches Rauschen war zu hören.

„Idwood? Melden Sie sich doch! Was ist mit Ihnen?"

Weiterhin Stille.

Langsam wurde Rita klar, dass die Verbindung aus physikalischen Gründen nicht zu Stande kam, möglicherweise wegen des Metallkäfigs, in dem Idwood gefangen saß. Trotzdem versuchte sie noch weitere zehn Minuten, ihn zu erreichen, doch es wollte nicht gelingen. Nachdenklich streifte sie ihr T-Shirt wieder über den Oberkörper, nahm ihre Jeans von der Palme und zog sie wieder an. Dann stand ihre Entscheidung fest. Sie rannte zum Mietwagen und gab Gas.

H.M.S. *Aberdeen*, Karibische See, 17° 38,4′ N, 83° 22,7′ W

Konteradmiral Cuthbert Llewellyn saß in der Kapitänskajüte der *Aberdeen*, steckte sich den letzten Bissen des Frühstücksspecks in den Mund und blickte dabei aus dem schmalen Kabinenfenster. Am Horizont zog die Morgendämmerung herauf. Der Waliser tupfte mit der Serviette die Mundwinkel ab, erhob sich vom Tisch und trat hinaus an Deck.

Das waren die wahren Momente des Seefahrerglücks.

Sonnenaufgang in der Karibischen See.

Ein Anflug von Ergriffenheit hielt den Konteradmiral gefangen. Deshalb bemerkte er Stan Lundquist erst, als dieser neben ihn getreten war und ihn mit leiser Stimme aus seinen Gedanken riss.

„Guten Morgen, Admiral."

„Ah, Lundquist! Gleichfalls! Sehen Sie sich das an. Ist es nicht herrlich? Man möchte es fast nicht glauben."

Stan genoss den Blick über das ruhige Meer ebenfalls. Der Horizont präsentierte sich als atemberaubender Farbgradient von ganz dunklem Blau bis zu ganz hellem Orange. Das Brummen der kolossalen Turbodiesel war hier oben kaum zu hören, nur das protestierende Zischen des Wassers, das von dem mächtigen, scharf geschnittenen Bug in zwei Hälften geteilt wurde, bildete die Geräuschkulisse. Der Australier konnte sich nach wie vor kaum vorstellen, dass es Motoren gab, die ein Schiff dieser Größe auf eine solche Geschwindigkeit beschleunigen konnten. Wie ein Pfeil glitt das riesige Schnellboot durchs Wasser, sodass selbst die Delphine, die mitunter versuchten, das Schiff spielend zu begleiten, bereits nach wenigen hundert Metern erschöpft aufgaben.

„Wo sind wir denn ungefähr, Admiral?“

„Wir haben die Swan Islands bereits südlich hinter uns gelassen und halten jetzt auf ein Unterwassergebirge zu, das man als Nicaraguanische Erhebung bezeichnet. Wir werden zwischen zwei Flachwassergebieten, der Pedro Bank und der Rosalind Bank, durchstoßen und befinden uns danach im Karibischen Becken, also dem, was man eigentlich als Karibische See bezeichnet.“

„Was heißt das: Flachwassergebiete?“

„Nun, die Pedro Bank ist an ihrer Ostflanke nur ein bis fünf Meter tief. Da sollte man möglichst nicht draufrauschen.“

„Das sehe ich ein“, erwiderte Lundquist und blickte hinunter aufs Wasser. „Wie tief ist es denn hier?“

Der Waliser schmunzelte. „Hier, nördlich der Swan Islands, gibt es eine Art Senke, den Cayman-Graben, fast bis hinauf nach Kuba. Also, so rund fünf Kilometer Wasser haben wir hier schon unter dem Kiel.“

Anerkennend pfiff Stan durch die Zähne. „Das reicht zum Ertrinken allemal.“

„Ach, Lundquist, zum Ertrinken reichen auch zwei Meter, wenn man nicht schwimmen kann. Aber deshalb haben wir ja ein Schiff, nicht wahr? Und es ist ein wirklich schnelles und schönes Schiff.“

„Schade eigentlich, dass es ein Kriegsschiff ist“, rutschte es dem langen Australier heraus.

Der Konteradmiral sah ihn missbilligend an. „Was soll das jetzt bedeuten? Möchten Sie gekielholt werden?"

Stan hob abwehrend die Hände. „Um Himmels willen, Admiral, nehmen Sie's nicht persönlich! Ich dachte nur so allgemein daran, dass es eine Schande für die Menschen ist, wenn es angesichts dieser Schönheiten der Natur eine Notwendigkeit für Gerätschaften gibt, die darauf ausgelegt sind, möglichst effizient das Leben anderer Menschen zu beenden. Ich mag den Gedanken nicht."

„Das ist Ihr gutes Recht", brummte Llewellyn trotzig, „aber egal, wie Sie darüber denken: Ein schönes Schiff ist es trotzdem."

„Ich muss immerhin zugeben, dass es momentan ein sehr nützliches Schiff ist. Gibt es eigentlich neue Nachrichten aus Puerto Rico?"

„Leider nein", sagte Llewellyn schulterzuckend. „Ich habe heute Morgen bereits einmal versucht, auf der Spezialfrequenz Kontakt aufzunehmen, aber vergeblich. Es hat sich niemand gemeldet."

„Vielleicht haben sie Mrs. McKinley tatsächlich in San Juan von Bord gebracht und Idwood sitzt ihnen im Genick."

„Aber dann hätte er doch vermutlich Unterstützung angefordert, glauben Sie nicht?"

„Hm, ich bin nicht sicher. Er kann mitunter ziemlich stur sein. Ich befürchte, wir können nichts tun als warten."

Llewellyn zeigte über den Bug in Richtung Osten. „Das ist nicht ganz richtig, Lundquist. Wir tun noch etwas anderes als warten: Wir nähern uns Ihrem Kollegen im Expresstempo."

Stan verzichtete auf eine Antwort. Den bedingungslosen Optimismus des Konteradmirals mochte er wegen grundsätzlicher Erwägungen nicht teilen.

Porto Novo, Puerto Rico

Mit einem lautlosen Fluch hatte Idwood Green das Geräusch zur Kenntnis genommen, mit dem der Riegel der Containertür zuschlug. Es gab zwar, nach dem normalen Türklinkenprinzip, auch auf der Innenseite einen Riegel, aber dieser verfluchte Idiot von Wachsoldat hatte natürlich auch den Sicherungshaken eingehängt. Und dies bedeutete schlicht und ergreifend, dass der Engländer bis zum Hals im Elend steckte, zumal ihm nach einigen Versuchen mit dem sprechenden Feuerzeug klar war, dass er in diesem Metallkasten keine Verbindung zu Rita bekam. Allerdings hegte er die vage Hoffnung, dass sie ihn hier noch herausholen konnte, denn wie er sie bisher kennen gelernt hatte, würde sie ihn nicht einfach sitzen lassen.

Vorsichtshalber suchte Idwood noch einmal die Ränder der Containertür ab. Erleichtert nahm er den kleinen Spalt links unten an der Tür wahr, durch den erstes Tageslicht drang. Wenigstens würde ihm nicht die Luft ausgehen.

Da er während der letzten Nacht keinen Schlaf gekriegt hatte, entschloss er sich zu einem kleinen Nickerchen. Eine sinnvollere Beschäftigung fiel ihm für den Augenblick nicht ein. Er legte sich an der Tür nieder und schloss die Augen. Es dauerte keine zwei Minuten, bis er eingeschlafen war.

Als er erwachte, verspürte er ein ziemliches Durstgefühl, und ihm fiel ein, dass er seit dem Kaffee gestern Abend auf der Sunseeker nichts mehr getrunken hatte. Aber die Aussichten auf ein wenig Flüssigkeit waren hier drinnen nicht gerade rosig.

Gähnend versuchte er, die Leuchtziffern seiner Armbanduhr zu erkennen. 13.20 Uhr. Er hatte tatsächlich mehr als sieben Stunden gepennt! Von draußen drangen Motorengeräusche an sein Ohr. Eine halbe Stunde später kam es ihm vor, als ob direkt neben dem Container zwei männliche Stimmen miteinander sprachen, und er vermutete, dass da zwei Soldaten des Depots eine kleine, aber feine Arbeitspause einlegten.

Wo mochte Martha McKinley jetzt sein? Und was würden Stan und der Admiral unternehmen? Aber letztendlich war das alles nebensächlich, wenn er aus diesem Metallsarg nicht herauskam. Außerdem beschäftigte ihn neben dem zunehmenden Durst die Frage, wie er das Problem der fortschreitenden Blasen- und Darmaktivitäten einigermaßen befriedigend lösen könnte. Eins stand fest: Die Wohnbedingungen in diesem dunklen Blechapartment würden sich in keinem Fall positiv entwickeln.

Idwood presste wieder das Ohr an die Tür. Aus den Motorengeräuschen und zeitweiligen Zurufen zu schließen, ging es auf dem Depotgelände durchaus geschäftig zu. Leider erfüllte sich auch die Hoffnung des Engländers nicht, dass spätestens bei Einbruch der Dunkelheit Ruhe einkehren würde. Gegen 20 Uhr nahmen die Stimmengeräusche sogar noch zu. Hin und wieder sangen Männerstimmen Militärlieder und amerikanische Countrysongs, und in Green verdichtete sich der Eindruck, dass das Depot zum Schauplatz eines Kameradschaftsabends geworden war.

Murphy's Gesetz, dachte er. Zu allen denkbaren Übeln kommt immer noch ein schlimmeres hinzu. Ein Blick auf die Uhr belehrte ihn darüber, dass aus Anlass solcher Feiern bei der US Navy der Zapfenstreich offensichtlich außer Kraft gesetzt wurde, denn auch nach Mitternacht war der Geräuschpegel noch nicht wesentlich gesunken. Idwood begann sich langsam, aber sicher so richtig schlecht zu fühlen. Zeitweise nickte er wieder erschöpft ein, doch der Schlaf war nur oberflächlich und wurde immer öfter von Traumbildern erschüttert, in denen ein großes Glas kühlen Bieres durch einen brennenden Toilettendeckel sprang.

Schweißgebadet erwachte Green.

Es war 3.21 Uhr.

Er lauschte. Tatsächlich, Ruhe! Es schien, als hätten inzwischen auch die letzten Kameraden die Feierei eingestellt. Und dann, nach einer weiteren Viertelstunde, passierte das, worauf der Engländer seit vielen Stunden gehofft hatte: An der Containertür war ein leises metallisches Geräusch zu hören. Er griff intuitiv an den inneren Riegel und bemerkte zu seiner größten Freude, dass dieser sich langsam zu bewegen begann. Nun gab es zwei Möglichkeiten, eine gute und eine schlechte. Aber inzwischen wäre es Green auch ziemlich egal gewesen, wenn ihn die Amerikaner entdeckt hätten. Doch er hatte Glück. Als der Riegel senkrecht stand, hörte er es flüstern: „Idwood? Wenn Sie mich hören können, dann helfen Sie mit. Die Tür ist verdammt schwer."

Ritas Stimme ließ Idwood innerlich jubeln und er stemmte seine Schulter mit aller Kraft gegen das Metall. Kurz darauf stand die Tür weit genug auf, um hinauszuschlüpfen. Vereint drückten sie sie von außen wieder zu und verriegelten sie. Dann zog ihn Rita hinter sich her auf den Zaun zu. Wenige Schritte vom Container entfernt lag ein längliches Etwas auf dem Boden, das Green bei näherem Hinsehen als eine der Matratzen aus der Koje der Sunseeker identifizierte. Rita nahm sie hoch und warf sie über den Stacheldrahtsaum des Zauns. Gewandt zog sie sich hoch und sprang auf der anderen Seite auf den Boden. Idwood folgte ihr und klaubte die Matratze herunter. Dann standen sie endlich wieder hinter dem Buschwerk, und Green drückte ihr einen Kuss auf die Wange.

„Was soll ich sagen? Danke! Lange hätte ich's nicht mehr

durchgehalten. Spätestens heute Mittag wär's so weit gewesen: dann hätte ich so lange Randale gemacht, bis mich jemand rausgelassen hätte."

„Und, geht's jetzt wieder einigermaßen?"

„Ich brauch was zu trinken und ein Klo. Und beides sehr schnell."

Sie lachte leise. „Das mit dem Durst habe ich mir gedacht. Im Wagen ist eine Flasche Wasser. Toilettenpapier habe ich allerdings nicht mit. Vielleicht können Sie ein Palmenblatt nehmen. In der Dunkelheit sieht Sie sowieso niemand! Außerdem sollten wir machen, dass wir hier wegkommen."

Keine halbe Stunde später waren sie zurück an Bord der Sunseeker. Während sich der ausgehungerte Engländer Bohnen mit Speck einverleibte, klärte ihn Rita über den aktuellen Stand der Dinge auf. Und da sah es inzwischen so aus, als könnte er persönlich für Martha McKinley, Stan Lundquist, Cuthbert Llewellyn und die *Aberdeen* nicht mehr viel tun. Hoffentlich ging das alles gut! Ergeben machte er es sich nach dem Essen an Deck bequem, während Rita die Sunseeker zurück nach Antigua steuerte.

H.M.S. *Aberdeen*, Karibische See, 16° 02,4′ N, 70° 10,0′ W

Energisch klopfte es an die Tür der Kabine, in der Stan Lundquist tief und fest schlief. Der Australier schrak hoch und knipste das Licht der Nachttischlampe an.

„Herein!", rief er schlaftrunken. Die Tür öffnete sich und einer der Steuermannsmaate trat herein und grüßte.

„Guten Morgen, Sir! Admiral Llewellyn lässt ausrichten,

dass uns nur noch einhundertundfünfzig Seemeilen von der *Excalibur* trennen."

„Danke. Sagen Sie dem Admiral bitte, ich sei in zehn Minuten auf der Brücke."

„Jawohl, Sir. Ich melde mich ab."

Stan suchte seine Kleidung zusammen und versuchte während des Anziehens richtig wach zu werden. Nachdem Sir Ronalds Agentin aus Puerto Rico durchgegeben hatte, dass die McKinley in San Juan nicht von Bord gebracht worden war, hatte Llewellyn an Bord der *Aberdeen* sozusagen den Nachbrenner gezündet. Der Dienst auf dem Schnellboot lief seitdem unter Gefechtsbedingungen ab, die Turbodiesel liefen absolut am Limit, und der Konteradmiral hatte nur ein Ziel vor Augen: Er wollte den Hubschrauber mit dem Prisenkommando so schnell und so präzise wie möglich in optimaler Entfernung zur *Excalibur* in die Luft bringen. Und offensichtlich war er diesem Ziel in den letzten Stunden entscheidend näher gekommen. Stan komplettierte seinen Anzug durch Fallschirmspringerstiefel und Koppelzeug und machte sich dann auf den Weg zur Brücke.

Captain Andrew und die fünf Marinesoldaten des Einsatzkommandos warteten bereits und unterbrachen ihre Gespräche, als der Australier hereintrat.

„Hallo, Lundquist! Es ist reichlich früh zum Aufstehen, finden Sie nicht auch?", fragte Andrew, erstaunlich gut gelaunt.

„Das kann man wohl sagen", flachste Stan zurück. „Aber was tut man nicht alles fürs Vaterland." Er grinste schief und wandte sich dann Cuthbert Llewellyn zu, der auf sie zukam. „Nun, Admiral, wie weit sind wir noch von der *Excalibur* entfernt?"

„Hundertzwanzig Seemeilen. Wann wollen Sie starten?"

„In vierzig Minuten, Admiral. Dann haben wir eine Flugzeit von ungefähr einer halben Stunde. Sobald wir von der *Aberdeen* abgehoben haben, ändern Sie bitte den Kurs auf Südsüdost. Bei halber Kraft voraus können Sie so gut dreißig Seemeilen von der *Excalibur* Abstand halten, und die Burschen werden keinen Verdacht schöpfen, selbst wenn sie Sie auf dem Radarschirm sehen. Und bitte, Admiral, ändern Sie diesen Kurs erst wieder, wenn Sie den entsprechenden Funkspruch von Captain Andrew empfangen. Er wird ihn senden, wenn die Aktion an Bord abgeschlossen und alle wieder im Hubschrauber sind."

„Dann bleibt mir nur, Ihnen die Daumen zu drücken."

„Das kann nicht schaden, Admiral!"

Der Hubschrauber stand auf dem Achterdeck des Kriegsschiffes und wurde von vier Soldaten bewacht. Andrews Kopilot, Sergeant Dorfman, saß bereits in der Pilotenkanzel und beendete gerade den Check-up, als sein Chef neben ihn kletterte. Lundquist nahm mit den fünf Marinesoldaten im Laderaum Platz. Drei Minuten später war der Hubschrauber in der Luft.

Wie vorausgesehen, erreichte Victor Andrew das Kielwasser der *Excalibur* rund zehn Minuten später und bog auf den Kurs des Containerschiffes ein. Er drehte sich um und gab den Männern mit der Hand ein Zeichen. Der lange Australier stülpte sich den Kopfhörer und das Kehlkopfmikrofon über und genoss für einen kurzen Moment die gedämpfte Geräuschkulisse. Die Antriebsturbinen verursachten vor allem im Laderaum einen Höllenlärm und unterbanden jedes Gespräch.

Dann schaltete er das Mikro ein. „Hallo, Captain, können Sie mich verstehen?"

„Ich höre Sie klar und deutlich", antwortete Andrew. „Ich

denke, dass wir die *Excalibur* in etwa zwanzig Minuten erreichen werden."

„In welcher Höhe fliegen Sie jetzt, Captain?"

„Zwanzig Fuß. Zum Glück scheint der Mond, voll und hell. Trotzdem – das Wasser ist direkt unter uns."

„Wenn wir heil auf die *Aberdeen* zurückkehren, spendiere ich auf Spesenrechnung eine Kiste Champagner, okay?"

„Das lässt sich hören, Lundquist. An mir soll es nicht scheitern!"

Fünfzehn Minuten später gab Stan das Zeichen zum Aufbruch. Ein bisschen merkwürdig kam er sich schon vor, so als Zivilist im Zentrum einer mehr oder weniger militärischen Operation. Idwood wäre mit der Angelegenheit vermutlich souveräner zurechtgekommen. Aber da der ja offensichtlich in San Juan festhing, ließ sich das jetzt nicht mehr ändern. Die Männer legten sich die Maschinenpistolen um und ergriffen die Gondel, während Sergeant Dorfman die Luke öffnete. Wie im Training ließen sie den Transportkorb nach unten gleiten, bis sich die Halteseile strafften. Dann zwängten sie sich, einer nach dem anderen, in die knapp zwei mal zwei Meter messende Spezialkonstruktion hinein. Der kühle Fahrtwind zerrte an der Kleidung und zerzauste die Haare.

Stan übernahm Idwoods Platz und betätigte versuchsweise die Steuerhebel. Die Seilwinden im Laderaum begannen sich zu drehen und senkten die Gondel abwärts. Der Australier blickte nach unten auf die Wasseroberfläche, die nur vier bis fünf Meter unter seinen Füßen im hellen Licht des Vollmondes glitzerte. Glücklicherweise gab es kaum Seegang.

Er wandte den Blick wieder in Flugrichtung, um Ausschau nach den Positionslampen von Martha McKinleys Gefängnis zu halten. Langsam wuchs in ihm die Spannung.

Die Stimme von Victor Andrew drang durch den Kopfhörer. „Ich sehe sie, Lundquist. Noch zwei Minuten!"

„Verstanden, Captain. Maximal zehn Knoten Geschwindigkeit beim Überflug, denken Sie bitte daran!"

„Sie können sich auf mich verlassen. Ich mag Champagner."

Stan gestattete sich ein letztes Lächeln und starrte dann angespannt nach vorn. Im fahlen Mondlicht tauchte zuerst das Hecklicht und dann die Silhouette des *PAFCO*-Frachters auf. Über ihm verringerte sich der Lärm der Turbinen. Andrew nahm die Geschwindigkeit zurück und setzte zu einer leichten Kurve an, um das Containerschiff schräg von hinten zu überfliegen.

Lundquist wandte sich dem neben ihm stehenden Sergeant Podwinsky zu und hielt den Daumen der rechten Faust nach oben. Dann legte er die Hände an die Steuerhebel und konzentrierte sich. Die Gondel ruckte nach unten. Andrew hatte Anweisung, den Frachter in etwa fünfzehn Metern Höhe zu passieren. Zehn Sekunden später überquerten sie die Backbordreling der *Excalibur*. Stan versuchte, die Höhe der Containerstapel abzuschätzen und gab noch einen halben Meter Seil zu.

An Deck der *Excalibur* war niemand zu sehen. Das erhöhte die Chance, dass sie die Brückenbesatzung überraschen konnten, denn bis das Geräusch des Hubschraubers zur gut isolierten Brücke vordrang, waren sie bereits an Bord.

Der Transportkorb glitt in bequemem Abstand über die Container hinweg. Im selben Moment sprangen vier der Soldaten aus der Gondel hinaus und ließen sich flach auf die dunklen Metallbehälter fallen. Dann sprangen sie, jeweils zwei an jeder Schiffsseite, auf die Decksgänge hinunter. Während je einer der Männer den Gang nach achtern hin sicherte, bewegten sich die anderen beiden auf die vorausliegende Brücke zu.

Stan starrte währenddessen weiter ins Halbdunkel und fuhr dabei die Gondel ruckartig nach oben, als er die Höhe der hell lackierten Brücke erkennen konnte. Das Dach lag höher, als er angenommen hatte, und der Hubschrauber flog mit unverminderter Geschwindigkeit weiter.

Hoffentlich reichte es.

Plötzlich fühlte Lundquist Schweiß auf der Stirn. Wenn sie mit der Gondel an der Brücke hängen blieben, war Feierabend. Mit aller Kraft drückte er den Richtungshebel in die ‚Up'-Stellung.

Mit kaum mehr als zehn Zentimeter Abstand glitt der Korbboden über die Kante der *Excalibur*-Brücke.

„Raus!", brüllte er und sprang ab. Nach einer Doppelrolle über die rechte Schulter kam er wieder auf die Füße und rannte zur Backbordseite des Schiffes. Er blickte kurz über den Rand des Brückendaches. Drei Meter tiefer erkannte er die halbkreisförmige Ausguckplattform, auf deren Existenz Idwoods ganzer Plan beruhte. Die Auf- und Niedergänge von und zur Brücke befanden sich nämlich innerhalb der Decksaufbauten, und so bot die Ausguckplattform die einzige Möglichkeit, direkt von außen in die Brücke einzudringen.

Stan nahm die Maschinenpistole von der Schulter und sprang hinab. Federnd fing er die Landung ab, verbiss sich die Rippenschmerzen und riss dann, ohne zu zögern, die Brückentür auf.

„Alle Mann die Hände hoch!", brüllte er. Im gleichen Moment flog die Tür auf der gegenüberliegenden Seite auf, und Sergeant Podwinsky sprang mit vorgehaltener Waffe in das Steuerhaus herein.

Die Männer auf der Brücke starrten sie an wie Gespenster. Stan machte ein paar schnelle Schritte auf den Steuermann zu und rammte ihm den Lauf seiner Waffe in die Seite.

„Maschinen stopp! Los, anhalten!"

Der hoch gewachsene Seemann am Ruder gehorchte umgehend und drückte den Maschinentelegrafen auf Null.

Stan sah zu Podwinsky hinüber. „Holen Sie den Funker, ich pass hier so lange alleine auf!"

Der Sergeant wandte sich zum Niedergang und verschwand mit großen Schritten.

Lundquist sah den Steuermann auffordernd an. „So, Mann, Sie rufen jetzt den Kapitän, okay? Und lassen Sie sich gesagt sein: Ein falsches Wort, und Sie sind dran!"

Der Steuermann nickte und drückte auf einen Sprechknopf der Gegensprechanlage, während ihm der Australier mit dem Lauf der Maschinenpistole das Ohrläppchen nach vorn drückte. „Sir? Hören Sie mich?"

„Ja, Tomkins, was wollen Sie denn um diese Zeit? Und warum sind die Maschinen gestoppt worden?", antwortete eine unfreundliche Stimme.

„Hier ist etwas Ungewöhnliches auf dem Radarschirm, Sir. Ich weiß mir keinen Rat. Bitte, kommen Sie herauf!"

„Okay, okay, ich komme. Dass ihr Banditen aber auch nichts alleine machen könnt!"

Der Steuermann ließ den Sprechknopf los und atmete tief durch, weil Stan die Waffe zurückzog.

„Gut gemacht, ich bin zufrieden. Und jetzt alle an die hintere Wand!", befahl er. Im gleichen Moment kehrte Sergeant Podwinsky über den Steuerbordaufgang zurück und trieb den Funker vor sich her. Mit einem kurzen Nicken bedeutete er, dass alles reibungslos verlaufen war.

Stan wandte sich wieder an den Steuermann. „Über welche Treppe kommt der Kapitän?"

Der Angeredete deutete wortlos auf die Backbordseite. Lundquist bezog neben dem Aufgang Stellung und wartete. Nach drei Minuten tauchte ein hagerer Mann auf. Stan ließ ihm gar nicht erst Zeit, die Situation richtig zu erfassen. Er setzte ihm die Mündung der MPi auf die Brust und begrüßte ihn in jovialem Ton. „Schönen guten Morgen, Käpten. Ich habe mir erlaubt, vorübergehend das Kommando über Ihr Schiff zu übernehmen. Je besser unsere Zusammenarbeit klappt, desto schneller sind wir wieder von Bord, okay?"

Der *PAFCO*-Kapitän starrte ihn verdattert an. „Was geht hier vor? Wer sind Sie? Was erlauben Sie sich?"

„Halten Sie die Klappe!", herrschte ihn der Australier an. „Die Fragen hier stelle ich!" Er verstärkte den Druck mit der Waffe. „Sie haben eine Dame an Bord, die wir gerne mitnehmen würden. Also, wo ist die Gefangene?"

Mit versteinertem Gesicht blickte der Schiffsführer ihn an. „Was reden Sie denn da? Ich weiß nicht, was Sie meinen!"

„Na, na, Käpten, wollen Sie hier den Helden spielen? Oder habe ich nur zu schnell gesprochen und Sie konnten mir nicht folgen? Also noch mal, wo – ist – sie?"

Der Frachterkapitän blickte starr geradeaus. „Ich weiß nicht, was Sie meinen."

Stan presste die Lippen zusammen und sah zu Sergeant Podwinsky hinüber. Nach einigen Sekunden nickte er ihm zu. Der Soldat eilte die Backbordtreppe hinunter, rief einen seiner Kameraden und suchte mit ihm zusammen die Kabinen und Maschinenräume der *Excalibur* ab.

Fünfzehn Minuten später stand er wieder neben Lundquist und sagte leise: „Nichts, Sir. Wir haben sie nirgends gefunden!"

„Scheiße, verdammte!“, antwortete der Australier leise. „Sie muss aber hier sein! Habt ihr alles durchsucht? Kabinen, Maschinenraum, Kombüse, Funkraum?“

Podwinsky nickte schweigend.

Plötzlich hatte Lundquist die Erleuchtung. Er nahm die Waffe hoch, ging auf den Kapitän zu und setzte ihm die Mündung auf die Stirn. „Ich gebe Ihnen fünf Sekunden, sich in Bewegung zu setzen und uns den Container zu zeigen, in dem Sie die Gefangene festhalten. Und ich sage Ihnen eins: Ich habe keine Skrupel abzudrücken.“

Der Ausdruck in Lundquists Augen beeindruckte den Kapitän sichtlich. „Ich … ich hatte keine Ahnung, was in dem Container war, bis wir durch Zufall entdeckt haben, dass eine Frau darin eingesperrt ist.“

„Ich will diesen Quatsch nicht hören! Sie hätten sie ja einfach freilassen können! Also, wo ist sie?“

Der Kapitän nickte ergeben und deutete auf den Niedergang. „Ich führe Sie zu ihr.“

Lundquist sah zu Podwinsky hinüber. „Halten Sie die Stellung hier, Sergeant!“, sagte er grimmig und trieb den *PAFCO*-Kapitän dann hinunter aufs Deck. Beim dritten Container auf der Backbordseite verstellte ihnen einer der Soldaten mit vorgehaltener MPi den Weg, bis er Lundquist erkannte. Der Kapitän deutete auf den Container. „Direkt neben Ihrem Mann. In diesem Container sitzt sie.“

„Na, dann machen Sie ihn doch mal auf, Käpten!“

Keine Minute später trat Stan in den Container hinein. Martha McKinley hatte sich von der Pritsche erhoben und blickte ihn verstört an.

„Guten Morgen, Madam. Wenn Sie mir bitte folgen wollen? Es sieht so aus, als wären Sie wieder frei.“

Mrs. McKinley brauchte einige Sekunden, um zu antworten. „Frei? O mein Gott! Wie haben Sie mich gefunden? Wo sind wir denn überhaupt?“

„Das erkläre ich Ihnen alles später. Bitte kommen Sie jetzt, schnell, bitte!“ Lundquist wurde langsam nervös. Immerhin waren sie schon fast dreißig Minuten an Bord. Höchste Zeit, zu verschwinden.

Er nahm Martha McKinley am Arm und führte sie auf den Decksgang. Dort wies er den Marinesoldaten an, Sergeant Podwinsky Bescheid zu geben. „Und bringen Sie alle Leute von der Brücke mit herunter; hierher! Beeilen Sie sich bitte!“

Der Soldat nickte und rannte davon.

Fünf Minuten später kehrte er mit Podwinsky und der Brückenbesatzung zurück.

Lundquist pfiff die anderen drei Soldaten herbei und gab Anweisung, Martha McKinley auf den Container hinaufzuhelfen. Kurze Zeit später stand auch das gesamte Befreiungskommando neben ihr und hielt die Schiffsbesatzung in Schach, die unten auf dem Decksgang stand.

Stan setzte seinen Kopfhörer auf und schaltete das Mikro an. „Andrew, hören Sie mich?“

„Allerdings! Endlich! Ich war in größter Sorge!“

„Wegen des Champagners?“, ulkte Stan.

„Natürlich, weswegen denn sonst? Aber im Ernst, wo sind Sie?“

„Wir stehen knapp mittschiffs, Captain, auf den Containern. Fliegen Sie über das Schiff; ich weise Sie ein!“

„Ich bin gleich da.“

Drei Minuten später baumelte neben ihnen die Gondel vom Himmel. Andrew hielt den Hubschrauber eisern ruhig, bis alle eingestiegen waren. Lundquist bot Martha McKinley den Arm, um ihr in den Drahtkorb zu helfen. Obwohl ihr Gesicht von den Strapazen der Gefangenschaft gezeichnet, tränenverschmiert und schmutzig war, beeindruckte den Australier das Lächeln sehr, mit dem sie ihm für seine Hilfestellung dankte.

„Auf geht's, Captain!" Mit diesen Worten riss er den Richtungshebel der Gondel in die „Up"- und den Geschwindigkeitsregler in die „Full"-Stellung. Der Drahtkorb sauste auf den geöffneten Bombenschacht des Helikopters zu, während Victor Andrew gleichzeitig in Steigflug überging. Zwanzig Sekunden später war der Hubschrauber mit der eigentümlichen Zusatzkonstruktion von der *Excalibur* aus kaum noch zu sehen.

London, Großbritannien

Die ersten Sonnenstrahlen erhellten die dichte Wolkendecke über London, als der Lear Jet der britischen Regierung zum Landeanflug auf die Runway 3A des Flughafens Heathrow ansetzte. Die drei Passagiere dieses Sonderfluges, Martha McKinley, Stan Lundquist und Idwood Green, stellten die Rückenlehnen ihrer Sessel gerade und schnallten sich an.

Martha McKinley sah aus dem Fenster. Endlich war der Alptraum zu Ende. Sie freute sich auf ihre Wohnung und die Katze. Ein paar Tage Ruhe waren jetzt angebracht, bevor sie wieder in der Bank auftauchte. Umso besser würde sie sich dann der Aufgabe widmen können, das Kreditvolumen für Costa Rica in voller Höhe durch den Aufsichtsrat zu drücken. Seitdem ihr klar geworden war, wie die Vorfälle in den letzten Wochen zusammenhingen, brannte sie geradezu darauf, dieses Vorhaben in die Tat umzusetzen.

Idwood Green drückte die Zigarette im Ascher aus und riskierte einen Seitenblick auf die Chefin der *Imperial Bank Corporation*. Wirklich, sehr attraktiv, die Dame. Und reich obendrein. Ihr Mann, dieser Walter McKinley, musste ein schöner Idiot sein, dass er sich nicht mehr um sie kümmerte. Aber was wusste man schon? In weniger als zehn Minuten würde sie auf jeden Fall wieder englischen Boden betreten. Green war gespannt, ob Sir Ronald persönlich am Flughafen auf seine Nichte wartete. Wahrscheinlich schon, denn es war beabsichtigt, direkt nach der Landung einen der Hauptverantwortlichen und damit wichtigen Zeugen einzukassieren. Das würde sich Abbott bestimmt nicht entgehen lassen wollen. Im Übrigen war Green auch froh, zurück zu sein. Er hatte eine Ahnung, was Martha McKinley in ihrem Blechgefängnis all die Tage durchgemacht hatte, trotz besserer Ausstattung. Wenn Rita ihn nicht aus dem Container befreit hätte … Ihr Abschied auf dem Parham Airfield von Antigua war um eben jenen Hauch zu melancholisch gewesen, der Green hoffen ließ, sie irgendwann noch einmal wieder zu treffen.

Neben ihm saß Stan Lundquist und ließ die vergangenen vierzig Stunden mit geschlossenen Augen noch einmal Revue passieren. Die Befreiungsaktion auf der *Excalibur* war nahezu optimal verlaufen. Aber eine Menge Glück war dabei gewesen, dachte der Australier. Knapp zwanzig Minuten nach dem Verlassen der *Excalibur* hatte Captain Andrew den Hubschrauber auf der *Aberdeen* gelandet. Admiral Llewellyn geriet wegen der erfolgreichen Durchführung des Unternehmens schier aus dem Häuschen und kümmerte sich in geradezu aufopfernder Weise um das Wohlbefinden von Mrs. McKinley. Allerdings konnte er sich dieser Aufgabe zu seinem Leidwesen nicht allzu lange widmen, da alle an der Aktion Beteiligten ziemlich mitgenommen waren und sich alsbald in die Kojen zurückzogen, um dort fast die gesamte Rückfahrt nach Belize zu verschlafen. Die Enttäuschung des Konteradmirals steigerte sich noch, als ihm Idwood Green, den Lieutenant Dunedin mit dem Trainingsflugzeug kurz zuvor von den Antillen zurückgebracht hatte, bei ihrer Ankunft in Stann Creek mitteilte, dass ein Regierungsjet auf dem Flugfeld stünde, der seine Gäste umgehend nach London bringen sollte. Stan Lundquist fand vor dem Start kaum noch Zeit, Captain Andrew die versprochene Kiste Champagner zu besorgen.

Der Australier blickte aus dem Fenster hinunter auf das Londoner Häusermeer und rekapitulierte das Gespräch, das sie während des Rückfluges mit Martha McKinley geführt hatten. Verblüffenderweise hatte die Bankchefin offenbar nicht die geringste Ahnung von den Gründen und Umständen ihrer Entführung gehabt.

„Wissen Sie denn eigentlich, warum man mich entführt hat, Mr. Green? Und vielleicht können Sie mir auch gleich erklären, weshalb Sie sich bereits vor der Entführung mit mir beschäftigt haben. Sie waren doch der Mann, der mich in dem Lokal in Kap Sunion gefragt hat, ob ich kürzlich in Australien gewesen wäre, stimmt's?", fragte sie.

„Hm", brummte Idwood Green, „viele Fragen auf einmal, Madam. Am besten antworte ich der Reihe nach. Wir sind Ihnen nach Athen gefolgt, weil in Canberra Eizellen verschwunden waren; Eizellen, die Ihnen von Professor Callaghan entnommen worden waren."

„Verschwunden? Was heißt das?"

„Das heißt: Sie waren nicht mehr da!", grinste er.

„Hören Sie nicht auf ihn!", mischte sich Stan ein. „Er ist ein äußerst alberner Mensch. Aber ernsthaft: Mehrere eingefrorene Proben waren aus dem Stickstofftank des St.-Anne's-Hospitals entnommen worden. Wir wissen inzwischen, dass es sich nicht, wie zunächst angenommen, um einen Diebstahl handelte, sondern …"

„Das muss man sich mal vorstellen!", unterbrach ihn Green. „Die gesamte Affäre wäre vermutlich unentdeckt geblieben, wenn Callaghan die entnommenen Eizellen ordnungsgemäß aus der Liste ausgetragen hätte. Dann wäre dir diese Unregelmäßigkeit doch gar nicht aufgefallen!"

„Ich glaube, es ist noch viel kurioser, als du denkst. Ich hätte mir wahrscheinlich überhaupt keine Gedanken gemacht, wenn er die Sicherung des akustischen Signalgebers erneuert hätte. Aber als typischer Chef wusste er offenbar nicht, wo in der Abteilung die Ersatzsicherungen aufgehoben werden."

Verständnislos musterte Martha McKinley ihre beiden Begleiter. „Würde mir einer der Herren bitte erläutern, worüber Sie gerade reden? Ich verstehe kein Wort!"

„Verzeihung, Madam", nickte Lundquist, „aber es war für das Verständnis des Falles ohnehin nicht besonders relevant. Also, wir hegten sehr bald die Vermutung, dass man Sie erpressen wollte."

„Erpressen? Womit?"

„Nun", erwiderte Idwood langsam, „wir glauben, dass die Erpresser Ihnen damit drohen wollten, Ihre In-vitro-Fertilisation und die Leihmutterschaft von Ann Dougan in der britischen Presse breitzutreten."

Martha McKinley starrte die beiden Männer an. Dann fragte sie leise: „Ann Dougan? Dann … dann wissen Sie also alles?"

Stan nickte. „Wir wissen sogar noch mehr! Es gibt nämlich eine weitere Leihmutter, von der Sie nichts wissen!"

„Was sagen Sie da?"

Sanft, aber bestimmt, sprach der Australier weiter. „Diese andere junge Dame trägt den Zwilling des Kindes aus, das Ann Dougan für Sie gebären soll. Wir vermuten, dass die Erpresser noch einen Trumpf in der Hinterhand halten wollten, falls Sie, Madam, auf die Drohung mit der Presse nicht reagiert hätten."

„Ich – ich weiß gar nicht, was ich sagen soll. Das ist ja unfassbar! Also …"

Idwood schaltete sich wieder ein. „Darf ich Sie fragen, warum Sie bei Ihrem Onkel, Sir Ronald Abbott, kurz vor Ihrer Entführung um einen Gesprächstermin gebeten haben?"

Sie betrachtete ihn prüfend. „Ich wollte ihn fragen, ob er Sie kennt und ob er von Ihrer Kontaktaufnahme in Griechenland Kenntnis hatte."

Nachdenklich kniff Green die Augenlider zusammen. „Darf ich daraus schließen, dass die Erpresser tatsächlich noch keinen Kontakt mit Ihnen aufgenommen hatten? Kein Brief oder Ähnliches?"

„Nein, Mr. Green. Nichts dergleichen. Glauben Sie mir etwa nicht?"

„Hm, lassen Sie mich offen sprechen, Mrs. McKinley. Ich habe es mir auf Grund einschlägiger Erfahrungen abgewöhnt, Leuten nur deshalb zu trauen, weil sie sympathisch aussehen. Das gilt auch für Sie! Sie wissen vermutlich, dass die Leihmutterschaft als solche zwar erlaubt ist, aber nur dann, wenn die Leihmutter keine gesonderten Geldbeträge dafür erhält. Bei den Summen, von denen wir Kenntnis haben, muss man zu dem Schluss kommen, dass Sie sich selbst strafbar gemacht haben. Und daher bin ich mir, ehrlich gesagt, nicht so sicher, ob Sie das unschuldige Opfer, das von nichts etwas weiß, auch wirklich sind."

Martha McKinleys Blick wurde deutlich kühler. „Mr. Green, in Anbetracht der Tatsache, dass Sie mir vermutlich das Leben gerettet haben, werde ich Ihre Unterstellungen nicht auf die Waagschale legen. Nehmen Sie bitte zur Kenntnis, dass die von mir gezahlten Geldbeträge ausschließlich für die medizinische Behandlung vorgesehen waren. Wie viel Aufwandsentschädigung an Ms. Dougan gezahlt wurde, weiß ich nicht."

„Nun gut, Mrs. McKinley, belassen wir es dabei. Und nun zurück zu den Erpressern! Ich frage mich nach wie vor, warum man Sie entführt hat. Überlegen wir mal, ob uns eine Erklärung einfällt! Wir sind so gut wie sicher, dass die Hintermänner dieser Affäre im Sold der *PanAmericanFruit Company* stehen. Mithin wären also die Entführer mit den potentiellen Erpressern identisch. Mir fällt nur ein Grund ein, warum diese Kerls ihren ursprünglichen Plan geändert haben könnten."

„Nämlich?", fragte Lundquist gespannt.

„Sie dachten, ihr Opfer wolle sich an den Geheimdienst wenden, um von der Erpressung zu berichten!"

„Aber ich wusste zu diesem Zeitpunkt doch überhaupt nichts von einer Erpressung!", wandte die McKinley ein.

Green kratzte sich den Bart und blickte dann Lundquist an. „Nehmen wir mal an, der Brief der Erpresser wäre zum Zeitpunkt des Telefonats mit Abbotts Sekretärin gerade unterwegs gewesen."

„Ach, du meinst, die elenden Hunde haben ihr Telefon abgehört, und als sie das Telefonat mit dem Secret Service registriert haben, dachten sie, Mrs. McKinley hätte den Brief bereits erhalten und würde sich deshalb an Sir Ronald wenden?"

Idwood nickte.

„Heiliger Bimbam, damit wäre auch erklärt, warum die

Post fehlte, als wir ihre Wohnung durchsucht haben! Als sie Mrs. McKinley entführt hatten, entdeckten sie, dass der Brief noch gar nicht zugestellt worden war."

„Genau", grinste Idwood, „und dann haben sie am nächsten Morgen noch mal jemanden in die Wohnung geschickt, um die Post einzusacken."

Martha McKinley schaltete sich wieder ein. „Und dies alles, um den Umfang der Kredite an Costa Rica zu vermindern?"

„Das nehmen wir an. Der *PAFCO* könnte es sonst ganz schön an den Kragen gehen. Und da die Interessen der *PAFCO* in Mittelamerika auch die der USA sind, kann man auch nicht ausschließen, dass die CIA da mitgemischt hat."

„Aber etwas beschäftigt mich doch noch", bekannte die Bankchefin. „Die ganze Geschichte im Zusammenhang mit meiner Behandlung durch Professor Callaghan ... Das lässt sich doch alles nicht so einfach planen und durchführen. Ich meine ... schließlich habe ich doch die ganzen Vorbereitungen so geheim wie möglich gehalten."

„Nun", erwiderte Lundquist, „Professor Callaghan gehörte einer weltweit operierenden Firma namens *Fertilitas* an, die mit der Organisation solcher Eingriffe und der folgenden Leihmutterschaften sehr vertraut ist. Leider auch noch mit einigem mehr, wie wir wissen. Insofern ist dies alles kein Wunder."

Green legte dem Australier die Hand auf den Unterarm. „Moment mal, Stan! Immerhin könnte es in London eine Kontaktperson der *Fertilitas* gegeben haben, über die die anfänglichen Informationen von der *Fertilitas* zur *PAFCO* gelaufen sind."

„Ferguson-Smith, ganz klar!", sagte Stan.

„Mag sein", nickte Idwood, „auf *PAFCO*-Seite."

Die beiden Freunde sahen sich an. Sie hatten den gleichen

Gedanken, und Stan fragte: „Madam, wie sind Sie eigentlich an den Kontakt mit Professor Callaghan gekommen?“

„Durch ...“ Das Gesicht der McKinley wirkte auf einmal ziemlich erschüttert. „Sie glauben ... mein Frauenarzt in London? Rufus? Rufus Kline hätte das eingefädelt? Das können Sie doch nicht im Ernst denken? Ich kenne ihn schon so lange.“

„Hm“, machte Stan. „Sagen Sie, gab es eigentlich außer der persönlichen Komponente noch andere Gründe, warum Sie sich mit dieser – nun, wie soll ich sagen? – australischen Geburtsvariante einverstanden erklärt haben?“

Idwood sah ihn nachdenklich an, während Martha McKinley zögernd antwortete. „Nun ja, Rufus, also Professor Kline, hat mir erklärt, dass die Wissenschaft Möglichkeiten gefunden habe, ziemlich bald nach der erfolgreichen Befruchtung Embryonen so zu behandeln, dass einzelne Zellen in Kultur genommen und für eine eventuelle spätere Züchtung von körpereigenen Organen verwendet werden könnten. Wenn mein eigenes Kind später – aus welchen Gründen auch immer – Organersatz benötigte, ließe sich auf solche eingefrorenen Zellen zurückgreifen.“

Stan atmete tief durch. „Teufel aber auch! Ich hoffe, dass das lediglich eine Ausrede war, um Sie zur entsprechenden Mitarbeit zu überreden und überzählige Embryonen erzeugen zu können. Nach dem allerdings, was Kay und Harris über die *Fertilitas*-Aktivitäten herausgefunden haben, möchte ich gar nicht mal ausschließen, dass die diesen Ersatzteilservice auch schon im Programm haben. Wenn ich mich recht erinnere, sind die entscheidenden Forschungsarbeiten auf diesem Gebiet von privaten Geldern und nicht, wie sonst üblich, aus öffentlichen Mitteln gefördert worden.“

Nach einer kurzen Pause sagte Idwood zu der Bankchefin:

„Also, Mrs. McKinley, wenn Sie mich fragen, dann kann kaum ein Zweifel daran bestehen, dass Ihr edler Hausarzt Sie in diesem Falle nicht nur wegen seines hippokratischen Eides behandelt hat."

Sie hielt die Fäuste an die Schläfen gepresst und schüttelte beschwörend den Kopf. „Nein, das kann nicht sein! Das glaube ich nicht!"

Green fischte eine weitere Zigarette aus dem Päckchen und fragte dabei leise: „Fällt Ihnen eine andere Erklärung ein?"

Schweigend legte sie die Hände vors Gesicht.

Idwood warf Stan einen bedeutsamen Blick zu, erhob sich aus seinem Sitz und sagte: „Ich bin mal kurz im Cockpit – nach Hause telefonieren!"

Fünfeinhalb Stunden später setzte der Jet in Heathrow auf. Dort erwartete sie Sir Ronald bereits und hatte zwei Bentleys über das Flugfeld direkt an die Maschine fahren lassen. Martha McKinley stieg zuerst die Treppe hinunter.

„Mrs. McKinley", begrüßte er sie mit unverhohlener Freude, obwohl er sich um formelle Distanz bemühte. „Ich freue mich, Sie wieder zu Hause begrüßen zu dürfen. Hoffentlich hatten Sie einen angenehmen Flug."

Mit einem leichtem Lächeln ging sie auf ihn zu. „Es ist schon gut, Onkel Ron. Dein Mitarbeiter weiß, dass wir verwandt sind." Sie drückte dem verdutzten Abbott einen Begrüßungskuss auf die Wange.

Der Geheimdienstchef blickte seinem Agenten entgegen. „Sie werden mir langsam unheimlich, Dr. Green", bekannte er. „Und Respekt für die gute Arbeit!"

„Schon gut, Sir", wehrte Idwood ab und deutete hinter sich. „Das Lob gebührt in diesem Fall eher meinem Partner."

Abbott ging auf Stan zu und reichte ihm die Hand. „Willkommen in England, Dr. Lundquist. Ich bin froh, Sie gesund wieder zu sehen, nicht zuletzt deshalb, weil ich mir sonst den Zorn von Adrian Kay zugezogen hätte. Und darauf verzichte ich gerne“, lächelte er und drehte sich dann zu seiner Nichte um. „So, meine Liebe, ich vermute, du möchtest jetzt so schnell wie möglich nach Hause?“

Sie warf einen kurzen Blick in Idwood Greens Gesicht und schüttelte dann entschlossen den Kopf. „Nein! Ich fahre mit zu Rufus Kline. Ich will mit eigenen Ohren hören, wie er sich zu dem schlimmen Verdacht äußert, der ja offenbar auf ihm lastet.“

Einen Moment zögerte Abbott mit der Antwort. Dann nickte er. „Gut, einverstanden. Fahren wir nach Kensington.“ Er blickte zur Uhr. „Es ist kurz nach sieben und er wird gerade aufgestanden sein. Vielleicht wird es kein guter Tag für ihn.“

Das wollen wir doch hoffen, dachte Green und bestieg mit Lundquist den zweiten Bentley.

Rufus Kline war in der Tat gerade aufgestanden und öffnete im Morgenmantel die Tür, nachdem sich Abbott persönlich an der Sprechanlage gemeldet hatte. Kline vermutete wohl, dass ihm der Geheimdienstchef einige Fragen zu Martha McKinleys Verschwinden stellen wollte. Um so größer war seine Bestürzung, als er die Bankchefin plötzlich vor sich stehen sah.

„M – Martha“, stammelte er. „Ich dachte, du …“

Martha McKinley verlor jegliche Farbe aus dem Gesicht, als sich ihre schlimmsten Befürchtungen bewahrheiteten. Sie öffnete den Mund, um zu antworten, brachte aber keinen Ton hervor. Wortlos drehte sie sich um und ging langsam die Treppe hinunter, während Kline ihr wie erstarrt nachsah.

„Professor Kline, ich muss Sie mitnehmen", sagte Abbott kalt. „Ziehen Sie sich etwas über!"

Der Gynäkologe brauchte zehn Sekunden, bis er aus seiner Erstarrung erwachte. Green und Lundquist ließen ihn beim Ankleiden keinen Moment aus den Augen. Der Mann war immerhin so etwas wie der einzige Zeuge. Wenn der es Callaghan nachmachte, dann konnte man noch nicht einmal theoretisch daran denken, die *PAFCO* in irgendeiner Weise zur Rechenschaft zu ziehen. Das einzige Lichtlein im dichten Nebel, der über den Toten liegt, dachte Idwood, und als Kline die kleine Reisetasche ergriff, um Abbott in den Hausflur zu folgen, verstellte er ihm den Weg.

„Eine Frage, Professor. Haben Sie außer Ferguson-Smith noch weitere Kontaktleute der *PAFCO* kennen gelernt?"

Kline zögerte kurz. „Einmal war Ferguson-Smith in Begleitung eines Mannes, der in der Firmenhierarchie offenbar über ihm stand, denn er benahm sich ihm gegenüber sehr servil."

„Können Sie sich noch an den Namen dieses Herrn erinnern?"

„Hm, Wolverhampton oder so ähnlich, glaube ich."

„War es vielleicht Walthamstow?", sagte Green, dem urplötzlich die Notiz vor Augen stand, die er im Schreibtisch dieses *PAFCO*-Managers in Costa Rica gefunden hatte.

„Genau, so hieß er. Walthamstow."

Idwood nickte nur grimmig und führte den Arzt dann hinunter zu den Bentleys. Er wies Kline an, zwischen Stan und ihm im zweiten Wagen Platz zu nehmen. „Ich glaube nicht, dass Mrs. McKinley besonderen Wert auf Ihre Gegenwart legt, Professor."

Kline warf noch einen langen Blick hinüber zu Abbotts

Fahrzeug, bevor sie abfuhren, aber seine ehemalige Patientin wandte ihm das Gesicht nicht mehr zu.

Als die beiden schwarzen Secret-Service-Fahrzeuge anrollten, startete hundert Meter weiter ein jugendlich aussehender blonder Mann den Motor eines blauen Minicooper. Stephen Montgomery fuhr zurück in die australische Botschaft, um seinem Chef Daniel Harris in Canberra mitzuteilen, dass sein persönliches Eingreifen nicht nötig gewesen war.

Eine knappe Stunde später setzte Abbotts Chauffeur Green und Lundquist vor der Wohnung des Engländers in Edgware ab. Idwoods erste Tätigkeit bestand darin, eine Kanne starken Kaffee zu kochen. Nachdem er zwei Tassen eingeschenkt hatte, blickte er den Australier lächelnd an: „Stan, mein Freund, was machen wir heute Abend? Fünfzehn bis zwanzig Watneys im ‚Old Oak Tree'?"

Der Lange trank einen Schluck und stellte die Tasse dann hart ab. „Nein!" Langsam schüttelte er den Kopf. „Irgendwann holen wir das nach. Ich fliege heute Nachmittag nach New York. Ich muss wissen, wo Ernie jetzt ist, verstehst du?"

Idwood nickte. „Ja, das verstehe ich." Er griff zum Telefonhörer und verlangte die Flughafenauskunft. Zwanzig Sekunden später legte er wieder auf. „Du musst dich beeilen, mein Lieber, die Maschine geht in anderthalb Stunden von Heathrow. Komm, ich fahr dich hin."

Stan hielt ihm die Rechte hin. „Danke, Idwood. Ich hoffe, wir sehen uns so bald wie möglich wieder. Aber nach New York muss ich erst mal nach Hause, ein paar Sachen waschen."

Canberra, Australien

Sechs Tage nach diesen Ereignissen betrat Daniel Harris das Vorzimmer von Adrian Kays Büro. Emerson Coleclough nickte ihm freundlich entgegen.

„Guten Tag, Sir. Bitte, Mr. Kay erwartet Sie bereits."

„Danke, Emerson. Ist Lundquist schon eingetroffen?"

„Nein, Sir, aber er muss jeden Augenblick hier sein."

Harris verschwand in Kays Büro.

„Hallo, Adrian. Da bin ich. Pünktlich wie die Maurer. Wir können deinen erfolgreichen Schützling mit allen Ehren willkommen heißen."

„Setz dich!", erwiderte Kay, offensichtlich weniger gut gelaunt.

Harris musterte ihn besorgt. „Was für eine Laus ist dir denn über die Leber gelaufen?"

„Nichts weiter. Ich erzähl's gleich, wenn Lundquist da ist."

Wie auf Kommando blinkte das Licht der Sprechanlage, und Colecloughs Stimme war zu hören. „Sir, Dr. Lundquist ist hier."

„Herein mit ihm", erwiderte Kay und erhob sich, um seinem Mitarbeiter entgegenzugehen. Als sich die Tür öffnete, schrak er innerlich ein wenig zusammen. Lundquist sah sehr schlecht aus, blass und mit dunklen Ringen unter den Augen. Trotzdem lächelte er leicht.

„Guten Tag, Sir. Da bin ich wieder."

„Gott sei Dank, mein lieber Stan. Sie sind ja ganz schön in der Weltgeschichte herumgegondelt."

Auch Harris drückte Stan die Hand. „Meinen Glückwunsch zu der gelungenen Rettungsaktion, Lundquist. Ich bin froh, Sie gesund wieder zu sehen."

„Danke, Sir“, erwiderte der lange Australier. Er wusste noch nicht genau, ob auch er froh war, wieder zurück zu sein.

Kay wies auf einen der Sessel. „Nehmen Sie Platz, Stan.“ Er wartete, bis Lundquist saß, bevor er weiterredete. „Ich habe zur Begrüßung leider eine schlechte Nachricht für Sie.“

Stirnrunzelnd sah Stan seinen Chef an. „Nämlich?“

Leise seufzte Kay. „Sir Ronald hat sich gestern gemeldet. Ich soll Ihnen mitteilen, dass Rufus Kline auf dem Weg vom Verhör zum Untersuchungsgefängnis erschossen worden ist. Er war sofort tot. Der Täter ist flüchtig.“

Reglos verharrte Stan im Sessel und starrte einige Minuten zum Fenster. Dann wischte er mit beiden Armen wütend durch die Luft. „Puff“, sagte er, „jegliche Zeugen, die die Hintermänner belasten könnten, sind aus der Welt gegangen. So ein elender Dreck. Zum Kotzen!“

„Sie haben Ms. Gray vergessen“, sagte Kay sanft.

Stan starrte ihn an und nickte dann langsam. „Stimmt, ich habe Ms. Gray vergessen, in der Tat! Bitte sagen Sie mir, dass es ihr gut geht!“

„Es geht ihr gut“, nickte Kay. „Zumindest körperlich. Wir haben sie in unserer Obhut. Wie es um ihre Psyche steht, vermag ich nicht zu beurteilen. Als Mann tue ich mich da naturgemäß schwer, aber ich glaube, dass sie sich ziemlich benutzt vorkommt. Vermutlich denkt sie an Abtreibung.“

„Wird denn Ann Dougan Martha McKinleys Kind weiter austragen?“, fragte Lundquist.

„Ja, das wird sie, Stan. Ms. Dougan hat mir gestern mitgeteilt, dass sich Mrs. McKinley bei ihr gemeldet hat, um den Termin für ein erstmaliges persönliches Treffen zu vereinbaren.“

Stan lächelte bitter. „Wie nobel von ihr!“

„Nun ja, immerhin besser, als wenn Ms. Dougan nach dem Ableben von Professor Callaghan ebenfalls allein gelassen würde“, erwiderte Kay. „Und um auf Doreen Gray zurückzukommen: Mit Hilfe ihrer Aussage und den Akten, die Dan Harris beschlagnahmt hat, können wir immerhin der *Fertilitas* ein bisschen Feuer unter dem Hintern machen, zumindest hier in Australien.“

Lundquist winkte resigniert ab. „Ich glaube keine Sekunde daran, dass dieses Feuer hoch genug lodern könnte, um irgendwem wehzutun. Der Einzige, dem man definitiv etwas am Zeug hätte flicken können und den auch Doreen Gray hätte belasten können, hat sich vom Flughafengebäude gestürzt.“

„Sehen Sie das nicht so fatalistisch, Stan“, erwiderte Kay. „Einen Versuch ist es auf jeden Fall wert.“

„Gibt's eigentlich zum Stichwort *PAFCO* noch etwas Neues?“, wollte Dan Harris wissen. „Da muss es doch weitere Kontaktpersonen gegeben haben!“

Auch Lundquist blickte Kay an. „Haben Sie auf Grund meiner telefonischen Hinweise noch etwas herausbringen können?“

Bedauernd schüttelte Kay den Kopf. „Wir haben zwar nach Ihrem kurzen Hinweis auf die *PAFCO* Tag und Nacht gearbeitet, um von hier aus die Zusammenhänge zu durchschauen, aber mehr als das ist uns nicht gelungen.“

Harris unterbrach ihn. „Immerhin war Stephen Montgomery kurz davor, Rufus Kline zu verhören. Er saß in seinem Auto keine hundert Meter entfernt, als Kline verhaftet wurde.“

„Ja, ja“, brummte Kay, „aber viel genützt hat das auch nicht.“

„Haben Sie irgendwelche Informationen über diesen Walthamstow finden können, Sir?“, fragte Lundquist.

Der grauhaarige Geheimdienstchef erwiderte Stans Blick für einige Sekunden und zog dann ruckartig die Schreibtischschublade auf. Er nahm einen roten Schnellhefter heraus und warf ihn zu Lundquist hinüber. „Ja, wir haben etwas gefunden. Der einzige Mann dieses Namens, über den wir Geheimdienstinformationen vorliegen haben, die in diesem Zusammenhang Sinn machen, ist Colonel Edward Walthamstow, Abteilungsleiter der Mittelamerika-Sektion der Central Intelligence Agency."

Lundquist starrte seinen Chef an. „Also doch! CIA!"

Kay nickte. „Sieht so aus. Sie haben mächtig Glück gehabt, dass Sie nicht in ein großes Räderwerk geraten sind; oder sagen wir lieber, dass Sie sich früh genug daraus befreit haben."

„Scheint so", erwiderte Lundquist mit ausdrucksloser Stimme.

„Äh, Stan", fuhr Kay behutsam fort, „wie ist es in den letzten Tagen in New York gelaufen?"

Lundquist sah seinen Chef nicht an, als er leise antwortete: „Traurig."

„Haben Sie sie sehr geliebt?"

Wortlos nickte Stan und erhob sich dann aus dem Sessel. „Bitte entschuldigen Sie mich jetzt, meine Herren. Ich muss mich dringend um ein paar private Dinge kümmern."

„Natürlich", erwiderte Kay. „Ach, Moment, bitte! Da ist noch etwas." Er griff in die Außentasche seines Sakkos, förderte einen neutralen Briefumschlag zu Tage und reichte ihn seinem Mitarbeiter. „Trotz Ihres angegriffenen Gesundheitszustandes liegt ein neuer Auftrag für Sie vor."

Stan musterte Kay kühl und begann, das Kuvert zu öffnen.

„Eine Kontaktaufnahme mit einem Verbindungsmann in Europa", redete Kay in wichtigem Ton weiter, zu dem allerdings der Ausdruck in seinen Augen nicht so recht passen wollte.

Lundquist entfaltete misstrauisch den handbeschriebenen Briefbogen und las: *18. September, 18 Uhr, Antonis' Bar, Pelekas.*

Mit einem verräterischen Zucken in den Mundwinkeln blickte ihn Kay an und fragte: „Können Sie damit etwas anfangen? Sie sollten den Auftrag in fünf bis sechs Wochen erledigt haben."

Stan Lundquist lächelte abwesend.

Korfu.

Idwood.

„Na, Lundquist, wie sieht es aus?", fragte Harris. „Fahren Sie?"

„Ja, ich fahre."

Natürlich würde er fahren.

Egal, wohin.

Nur nie mehr nach New York.

NACHWORT

Die in dieser Geschichte genannten Firmen- und Personennamen sind der Phantasie entsprungen. Auch die politischen, ökonomischen, sozialen und medizinischen Verstrickungen stellen in der beschriebenen Form reine Fiktion dar. Aus diesen Worten allerdings zu schließen, dass solche Verhältnisse in vergleichbarem Ausmaße nicht eintreten könnten oder nicht bereits existierten, wäre möglicherweise fatal. –

Mit diesen Hinweisen wäre die Arbeit des Autors eigentlich getan, und er könnte sich befriedigt zurücklehnen und sein Werk noch einmal mit Muße in Augenschein nehmen.

Wie schön, wenn es so einfach wäre! Nur sind die zellbiologischen Erkenntnisse und reproduktionstechnischen Entwicklungen der letzten Jahre nicht dazu angetan, um einfach zur Tagesordnung überzugehen. Aber was genau ist geschehen, in diesen letzten Jahren?

Nicht mehr und nicht weniger als ein Quantensprung in der Zell- und Reproduktionsbiologie, nach Meinung vieler vergleichbar mit der Bedeutung der ersten Kernspaltung für die Physik als Fach, für die Physiker als Wissenschaftler und nicht zuletzt für die Gesellschaft, die sich plötzlich mit dem Problem konfrontiert sieht, über die praktische Nutzung des erworbenen Wissens entscheiden zu müssen.

Noch im Dezember 1984 beendeten James McGrath und Davor Solter im amerikanischen Wissenschaftsmagazin *Science* eine Veröffentlichung mit der Feststellung, dass „das Klonieren von Säugetieren durch einfachen Kerntransfer biologisch unmöglich ist."[1] Dieses Ergebnis war vermutlich nicht ganz unwillkommen als Schlusspunkt unter einen damals Aufsehen erregenden Fall von Forschungsfälschung und brachte weitere Projekte auf diesem Gebiet, aber auch die Diskussion der ethischen Implikationen in den folgenden Jahren beinahe zum Erliegen. Die in den letzten zehn Jahren trotzdem durchgeführten Arbeiten sind nahezu unbemerkt von der Öffentlichkeit geblieben, weil sie keine grundlegende Veränderung des molekulargenetischen und zellbiologischen Weltbilds erbrachten. Bis zum Jahr 1997 erschien es nämlich den Biologen als eine Art Dogma, dass ein erfolgreicher Zellkerntransfer in Eizellen nur aus embryonalen Zellen möglich sei und dass die Spezialisierung der Zellen während der Entwicklung eines Organismus auch dazu führe, dass sie ihre Fähigkeit verlören, noch einmal „ganz von vorne anzufangen".

Am 27. Februar 1997 erschien in einem der führenden Wissenschaftsjournale der Welt, *Nature*, ein Artikel mit dem nüchternen Titel „Lebensfähige Nachkommen, erzeugt aus fötalen und adulten Säugetierzellen"[2]. Zum ersten Mal war es den Wissenschaftlern um Ian Wilmut am schottischen Roslin Institute gelungen, aus normalen Körperzellen eines erwachsenen Schafes ein Lamm zu erzeugen – mit anderen Worten also, eine Kopie des erwachsenen Tieres herzustellen. Man könnte das

[1] „… the cloning of mammals, by simple nuclear transfer, is biologically impossible", in: McGrath, J. & Solter, D. (1984) Inability of mouse blastomere nuclei transferred to enucleated zygotes to support development in vitro. Science 226: 1317–1319.

[2] Wilmut, I., Schnieke, A. E., McWhir, J., Kind, A. J. & Campbell, K. H. (1997) Viable offspring derived from fetal and adult mammalian cells. Nature 386: 200–203.

auch so beschreiben, dass ein zeitlich versetzter Zwilling erzeugt wurde. Diese Klonierung, also die Herstellung genetisch identischer Individuen, wurde dadurch erreicht, dass aus einer Zelle eines erwachsenen Schafes – hier aus einer Euterzelle – der Zellkern herauspräpariert und danach in eine Eizelle transferiert wurde, bei der ebenfalls vorher der Zellkern entfernt worden war. Diese Eizelle wurde nun in ein Leihmutterschaf implantiert und reifte zu einem Lamm heran. Das Lamm, Dolly mit Namen, wird allerdings nie in die Verlegenheit geraten, seinem älteren Zwilling gegenübertreten zu müssen, denn dieser Zwilling war schon lange vor dem Experiment gestorben und die verwendeten Euterzellen stammten aus dem Gefrierschrank.

Die Fehleinschätzung also, dass das Klonieren mit Hilfe ausdifferenzierter, adulter Zellen unmöglich sei, ist also nun vom Tisch, und man kann Tacheles reden: Jeder Mensch kann aus einer seiner Körperzellen ein genetisch identisches Wesen schaffen (lassen).

In „Eisprung" wird diese Problematik der Anschaulichkeit halber dadurch angedeutet, dass die Erpresser die eingefrorene Hälfte eines frühen Mehrzellembryos in ihre Hände bekommen, um diesen Zwilling gegebenenfalls für ihre Machenschaften zu benutzen. Tatsächlich hätte man als Autor auch drastischer werden, zum Beispiel die Verbrecher eine junge Kopie der Bankchefin selbst herstellen lassen können; und dazu wäre eine winzige Gewebeprobe ausreichend gewesen. Man kann und muss es der Phantasie eines jeden Einzelnen überlassen, sich vorzustellen, wie man selbst reagieren würde, wenn man sich mit einer solchen Situation konfrontiert sähe. Ich wage die Vorhersage, dass dies für den Klonierten, aber auch und vor allem für den Klon, kein durchweg schönes Gefühl wäre.

Hier nähern wir uns einem Problem, dass häufig verkannt

wird. Bei den Überlegungen, welche Vorteile durch die Fähigkeit, Menschen zu klonieren, erzielt werden können, wird häufig auch darauf verwiesen, dass es diese Technik möglich mache, Eltern, die etwa durch einen tragischen Unglücksfall ihr Kind verlieren, einen identischen Ersatz zu schaffen. Das Wort „Ersatz" ist hier mit Bedacht gewählt. Die Möglichkeit, die sich hier zunächst nur als Fallbeispiel eröffnet, macht – so scheint es – das Leben beliebig, und man kann darüber spekulieren, ob das Verhältnis der Eltern zu ihren Nachkommen durch diese Option unverändert bliebe.

Nun stehen wir da und fragen uns: Darf das sein? Ist es moralisch erlaubt und ethisch tragbar, einfach identische Kopien von Lebewesen herzustellen? Oder ist das gar nicht die Frage, die uns eigentlich umtreibt? Müsste sie nicht genauer lauten: Ist es moralisch erlaubt und ethisch tragbar, Kopien von *menschlichen* Individuen herzustellen?

Zweifellos tun wir uns mit dem Problem schwer. Während wir bei der Klonierung von nicht menschlichen Lebewesen wie Schafen, Rindern, Mäusen oder gar Affen noch recht objektiv urteilen können und entweder traurig den Kopf schütteln oder begeistert Applaus spenden, trifft uns die Vorstellung, Menschen zu klonieren, im Innersten. Die Gründe dafür sind mannigfaltig, aber mitentscheidend ist sicher die instinktive Befürchtung, dass es hier an die genetische Unversehrtheit unserer eigenen Spezies geht. Warum ist das so?

Wie zum Beispiel von Richard Dawkins in seinem wundervollen Buch „Das egoistische Gen"[3] dargelegt, ist eines der

[3] Dawkins, R. (1994) The Selfish Gene. Oxford University Press. Die deutsche Übersetzung, „Das egoistische Gen", ist erschienen bei Spektrum Akademischer Verlag, Heidelberg, Berlin, Oxford.

grundlegenden Prinzipien aller Arten auf diesem Planeten, sich so zu verhalten, dass die gut funktionierenden Teile der eigenen Erbinformation die größtmögliche Chance bekommen, die nächste Generation unbeschadet zu überstehen. Diesem Ziel wird unbewusst auch die Wahl der jeweiligen Sexualpartner untergeordnet, wobei man sich bei entsprechender Alternative für solche entscheidet, die eine möglichst unterschiedliche Genausstattung zu besitzen scheinen. Der Grund für dieses Verhalten liegt vermutlich darin, dass bei Inzucht, also der Paarung von genetisch eng verwandten Individuen, die Wahrscheinlichkeit deutlich steigt, dass die Nachkommen eventuell von beiden Eltern ein defektes Gen vererbt bekommen und daher ein größeres Risiko tragen, nicht oder nur eingeschränkt (über-)lebensfähig zu sein. Das würde natürlich bedeuten, dass auch die Erbinformationen der Eltern nicht mehr weitergegeben werden könnten. Folglich wird jede Art Inzucht zu vermeiden suchen, um die Gesamtheit der Gene in der Population, den so genannten „Genpool", so variabel wie möglich zu halten. Ein statischer Genpool ist der Anfang vom Ende einer Art. Und hier schließt sich der Kreis dieser Argumentation: Beim Klonieren werden überhaupt keine neuen Genkombinationen erzeugt! Oder um es anders auszudrücken: Klonieren ist maximale Inzucht auf technisch höchstem Niveau. Kein Wunder also, dass diese Fortpflanzungsvariante bei vielen Menschen instinktives Missbehagen erzeugt, auch ohne dass immer gleich eine konkrete und überzeugende Begründung zur Hand wäre.

Dies alles ist aber noch nicht das Ende der Leiter (vorausgesetzt, es ist so etwas wie eine Leiter und kein großer evolutionärer Fettnapf), denn gegen Ende des Jahres 1998 ereilte uns die folgende Nachricht: „Embryonale Stammzelllinien, erzeugt aus menschlichen Blastocyten"[4]. Diese embryonalen Stammzellen, von denen hier die Rede ist, haben die erstaunliche Eigenschaft, dass sie sich im Prinzip zu jeder denkbaren Körperzellart weiterentwickeln können.

In der genannten Studie war es zum ersten Mal gelungen, solche Stammzellen in permanente Zellkultur zu nehmen. Da solche Zelllinien im Brutschrank gehalten werden können, kann man sie theoretisch dazu benutzen, um daraus neue Organe zu züchten oder etwa Leukämiekranken neue Blut bildende Zellen zu spendieren. In konzertierter Aktion mit der bei der Klonierung von Dolly verwendeten Methode des Zellkerntransfers könnte man die embryonalen Stammzellen sogar mit der Erbinformation der betroffenen Patienten versehen: Somit entstünden Zellen, die vom Immunsystem als eigene erkannt würden, sodass keine Abstoßungsreaktionen mehr aufträten.

Wie alles, was sich zunächst sehr viel versprechend anhört, gibt es auch hier einen Haken. Die Stammzellen werden aus frühen Embryonalstadien gewonnen, also dann, wenn die ersten durch Zellteilungen entstandenen kugeligen Gebilde anfangen, von der Kugelform abzuweichen, und der Prozess der Gestaltbildung beginnt, sichtbar zu werden. Wenn man nun menschliche Stammzellen gewinnen will, woher kriegt man dann zunächst diese Embryonalzellen? Die Antwort liegt auf der Hand, oder besser: im Gefrierschrank! Überzählige Mehrzellstadien gibt es zuhauf in den gynäkologischen Abteilungen der Krankenhäuser dieser Welt, eingefroren bis zum

[4] Thomas, J. A., Itskovitz-Eldor, J., Shapiro, S. S., Waknitz, M. A., Swiergiel, J. J., Marshall, V. S. & Jones, J. M. (1998) Embryonic stem cell lines derived from human blastocytes. Science 282: 1145–1147.

St. Nimmerleinstag, denn eigentlich ist die Forschung damit nicht erlaubt, zumindest nicht in vielen westlichen Ländern. In den USA jedoch war das erlaubt, allerdings verbot ein Bundesgesetz, öffentliche Gelder zur Forschungsförderung für diese Zwecke einzusetzen. Aber man kann natürlich andere Geldgeber finden. Im Falle von James Thomas und Kollegen war dies die Geron Corporation, die sich von den Investitionen natürlich Patente und Rendite erwartet. Man mag es verurteilen, dass eine ethisch so schwierig zu beurteilende Forschungsarbeit durch private Gelder ermöglicht wird, aber immerhin hat man hier Gelegenheit abzuschätzen, was halbherzige staatliche Regelungen bewirken können. Rein ökonomisch orientierte Organisationen, im Roman durch die „Fertilitas" vertreten, können die Richtung vorgeben, und zwar relativ unkontrollierbar von der Öffentlichkeit.

Ist das nun endgültig der Beginn von Huxleys Welt? Oder gar das technisch überwältigende Feuerwerk, das immer gegen Ende der Party entzündet wird? Es ist höchste Zeit, über diese Frage grundsätzlich nachzudenken!

Last, but not least

Ganz zum Schluss möchte ich mich bei zwei Menschen bedanken, ohne die es dieses Buch nicht geben würde, nämlich bei Dr. Birgit Kneip, die mich nun zum wiederholten Male sicher durch die Untiefen der deutschen Sprache und die Nebel logischer Verwirrungen geführt hat, und bei Christiane Schneider, ohne die alles gar nicht hätte beginnen können. Danke!

Die Deutsche Bibliothek – CIP-Einheitsaufnahme
Heinlein, Uwe A. O.:
Eisprung : Thriller / U. A. O. Heinlein. – 1. Aufl. – München :
Middelhauve, 1999
ISBN 3-7876-9698-9

Middelhauve® Literatur

Umschlagmotiv: Bavaria Bildagentur, München

gesetzt aus der Baskerville MT 11,5 pt
gedruckt auf 100 g 1,5 Vol. Munken Print
Satz: Utesch GmbH, Hamburg
Druck und Bindung: Franz Spiegel Buch, Ulm

ISBN 3-7876-9698-9

Wir danken unseren Partnern und Lieferanten!

U. A. O. Heinlein

wurde 1955 in Hildesheim geboren und ist Professor für Genetik an der Heinrich-Heine-Universität in Düsseldorf. Wiederholt betreute er verschiedene Forschungsprojekte in den USA und veröffentlichte eine Vielzahl fachwissenschaftlicher Beiträge. In seiner Freizeit frönt er – außer dem Schreiben – seiner Leidenschaft für Musik, als Hörer von Klassik und als aktives Mitglied einer Band, die Irische Folklore spielt.

Er hat zwei Kinder und lebt in Köln.

Im **Middelhauve Verlag** ist von ihm bereits der Thriller **Infekt** erschienen.

U. A. O. Heinlein

Infekt

Thriller
Gebunden,
mit Lesebändchen
376 Seiten
ISBN 3-7876-9693-8

In New Haven wird der Wissenschaftler Dr. Kossoff überfahren. Seine Schwester glaubt nicht an einen Unfall und bittet Idwood Green, Agent des britischen Secret Service, um Hilfe.

Der erste Verdacht stellt sich als richtig heraus: Kossoff wurde ermordet.

Der zweite Verdacht ebenfalls: Der Mord hat etwas mit Kossoffs Forschungsprojekt über genmanipulierte Viren zu tun.

Als Stan Lundquist vom australischen Geheimdienst zufällig in der Zeitung das Foto eines bei einem fingierten Unfall getöteten ehemaligen Kollegen entdeckt, ist er schnell bereit, sein griechisches Rückzugsdomizil zu verlassen und bei der Aufklärung des Falls mitzuwirken.

Nach und nach stoßen Green und Lundquist auf ein weltweites tödliches Netz, das sich von einem kalifornischen Fast-Food-Konzern über Uruguay bis zu obersten Regierungskreisen in London spannt …

Ein hochspannender Wissenschafts-, Wirtschafts-, Polit- und Ökothriller.

Pressestimmen:

„Dass ausnahmsweise auch deutsche Autoren internationale Standards des Thrillers erreichen, belegt ‚Infekt'."

Die Woche

„Hochspannendes Krimi-Futter, das einen bitteren Vorgeschmack auf die Zukunft hinterlässt."

Hamburger Abendblatt

„Hier hat ein deutscher Autor gelernt, nach welchen Gesetzen ein Thriller funktioniert und wie man ein aktuelles Thema locker darbietet."

ekz

Michael Cadnum

Unsichtbarer Fall

Roman
Aus dem Amerikanischen von
Wolfram Sadowski
Gebunden, mit Lesebändchen
176 Seiten
ISBN 3-7876-9697-0

Wie ein Sog ist die Beziehung Stanleys zu Jared, dem muskulösen, gut aussehenden Traumtänzer, dem alles zu gelingen scheint und der nie Angst hat. Durch ihn entdeckt Stanley ein faszinierendes Spiel: Nachts dringen sie in fremde Häuser ein. Das Gefühl der Gefahr wirkt wie ein Rausch, noch nie hat er sich so lebendig gefühlt … Doch als er das Mädchen Sky kennen lernt, will er aussteigen – wenn es nicht schon zu spät ist.

Pressestimmen:

„Der Autor kennt sich aus. Er weiß, wie schwierig es für Jugendliche ist, das Leben vor dem Erwachsensein zu bewältigen.“ *Klassikradio*

„Ein Psychothriller mit Sogwirkung. Differenziert geschrieben und aufgebaut.“ *Schweizer Bibliotheksdienst*

„Der Autor versteht sein Handwerk bestens und weiß den Leser niveauvoll zu packen.“ *ekz*